Jean-Pierre Althaus

Voyage dans le théâtre

EDITIONS
PIERRE-MARCEL
FAVRE

Genest était comédien. Un jour, l'empereur Dioclétien lui ordonna de jouer le rôle d'un chrétien. Après avoir travaillé, il se pénétra exhaustivement de l'esprit du personnage à composer. Il le fit à tel point qu'il finit par embrasser la foi chrétienne et accepta le martyre. Dès lors, il devint le saint patron de l'art dramatique.

PROLOGUE

Ce livre est d'abord un voyage. Il s'agit d'un périple à l'intérieur de ce pays magique et un peu mystérieux qu'est le théâtre. Art fascinant, discipline artistique attractive, le théâtre possède son aura. Il est aussi source de légendes, de traditions, de mythes, d'évolution permanente et, surtout, de réflexion, d'esthétisme et de plaisir.

Un voyage au sein d'un art aussi riche et beau doit amener le lecteur, qui est souvent un spectateur, à prendre le chemin des découvertes et de l'agrément. Chaque escale lui réserve une surprise, puisque l'une des particularités du théâtre est de surprendre.

Cette pérégrination, jonchée d'étapes faisant référence à des événements théâtraux, est tracée par un fil conducteur : un éclairage sur le fonctionnement des mises en scène et surtout sur celui des comédiens. « Je est un autre », emprunté aux écrits d'Arthur Rimbaud, aurait pu être le titre de l'ouvrage.

Successivement comédien, critique dramatique, puis directeur d'un théâtre, je me propose de servir de guide au lecteur tout au long de cet itinéraire.

Bon voyage !

Jean-Pierre Althaus

TABLE DES MATIERES

I

Philippe Mentha : « *Je ne vois pas de rôle plus fa-cile ou plus difficile.* »

Isolée dans une loge de théâtre, une jeune comédienne sanglote. La scène a lieu en février 1971, elle a pour cadre le Théâtre Pitoëff de Genève.

Plongé dans l'obscurité, le bâtiment attend la représentation du soir. Un rai de lumière, issu d'une loge située à l'étage supérieur, laisse échapper le seul signe de vie. Derrière le rideau, qui remplace la porte, les petits gémissements de la comédienne rompent par saccades le silence du théâtre en attente. Elle est venue en avance, afin de cogiter dans le calme. Le petit rôle insignifiant qu'elle tient au cours des représentations du soir n'est pas à l'origine de son tourment. Elle ne se sent d'ailleurs pas totalement concernée par le spectacle que le Théâtre de Carouge, momentanément exilé à la salle Pitoëff, donne actuellement. Certes, chaque soir, elle entre dans la peau de son personnage en s'identifiant à lui. Néanmoins, cette identification quotidienne ne lui demande pas un travail d'adaptation insurmontable ou simplement difficile. Le rôle est tellement court qu'il lui suffit de bien se concentrer, l'espace de quelques minutes, pour obtenir le résultat escompté, c'est-à-dire cette impression de naturel qu'exige le metteur en scène.

Son esprit est plutôt préoccupé par le spectacle suivant. Cela fait maintenant plusieurs semaines qu'elle a commencé les ré-pétitions d'« Antigone », la tragédie de Sophocle. En acceptant de jouer cette pièce, elle n'avait pas imaginé la somme de sou-cis que la préparation de ce spectacle allait lui apporter.

Lorsque Philippe Mentha lui avait proposé d'interpréter le rôle d'Ismène, la jeune comédienne avait vibré à l'idée de faire vivre ce personnage. Sœur d'Antigone, Ismène est, dès la pre-mière scène, plongée dans le drame. Elle apprend, de la bouche même de sa sœur, que Polynice, leur frère mort à la suite de l'attaque qu'il avait menée contre sa propre ville et à la tête d'une armée étrangère, est condamné à ne recevoir aucune sépulture. L'ordre a été donné par Créon, roi de Thèbes et oncle d'Antigone. L'annonce de cette sanction débouche alors sur un dialogue poignant entre Antigone et Ismène :

ANTIGONE

... Ismène, montre aujourd'hui ton sang ou trahis-le.

ISMÈNE

Moi, mais que puis-je, malheureuse ?

ANTIGONE

Dis si tu veux m'aider, si tu veux lutter avec moi.

ISMÈNE

Mais que vas-tu tenter ? Où s'égare ta pensée ?

ANTIGONE

Regarde cette main. Aide-la à relever le mort.

ISMÈNE

Tu veux l'enterrer ? Malgré la défense faite à la cité ?

ANTIGONE

Il est mon frère ; il est le tien, même si tu l'oublies. Nul ne m'accusera de renier mon frère.

ISMÈNE

Malheureuse ! Tu braveras Créon ?

La tension ne cesse alors de monter au cours du dialogue. Effrayée par les conséquences qui pourraient découler du geste de sa sœur, Ismène tente ensuite de la raisonner. En vain !

ISMÈNE

... Nous sommes des femmes, Antigone. Comment combattre contre des hommes ? Le pouvoir est toujours le plus fort. Il faut lui céder ou s'attendre au pire.

Pour moi, je supplie ceux qui sont sous la terre de me pardonner. Je ne désobéirai pas aux magistrats. Aller au-delà de ses forces, quelle folie !

ANTIGONE

Soit. Je ne te demanderai plus rien. Ne reviens pas sur ton refus, tu me déplairais. Reste celle que tu es. Moi, j'ai un frère à enterrer. La mort me sera belle après ce beau crime. Chère, je reposerai auprès de celui que j'aime. Car le temps où il me faut plaire aux morts est plus long que celui où je dois plaire aux vivants. Je serai pour toujours étendue sous la terre... Fais ton choix : méprise les dieux.

ISMÈNE

Je ne les méprise pas. Mais pour agir contre la loi de la cité, je suis sans force.

ANTIGONE

Invente des excuses. Je vais élever un tombeau au frère que j'aime.

ISMÈNE

Malheureuse, j'ai peur pour toi.

ANTIGONE

Ne tremble pas pour ma vie. Songe à la tienne.

Sans l'aide d'Ismène, Antigone accomplit l'acte prohibé. Lorsque Créon découvre qui a recouvert de terre le corps de Polynice, la sanction tombe comme un couperet : Antigone est condamnée à être emmurée vivante... C'est alors qu'arrive Ismène, conduite par deux soldats. La colère de Créon est paroxysmique : « Te voilà, vipère qui te glissais dans ma maison et m'infectais de ton venin. J'ignorais que je nourrissais deux pestes qui conspiraient ma perte. Allons, parle. Avoues-tu, ou vas-tu jurer ne rien savoir ? »

Surmontant sa peur, Ismène tente d'atténuer la responsabilité de sa sœur en s'accusant : « Je suis coupable, si elle y consent. Je suis solidaire de la faute, je veux ma part du châtiment. » Malgré les supplications d'Ismène, Antigone repousse sèchement sa solidarité : « Seul l'acte compte. Hadès et les morts connaissent son auteur. Je n'aime pas qui ne m'aime qu'en paroles. »

Ismène est un personnage riche en sentiments. Il recèle plusieurs facettes contradictoires, propres à l'être humain. Touchante de par sa vulnérabilité, Ismène est aussi rendue émouvante par le courage subit que lui déclenche l'amour pour sa sœur en danger. Si Antigone est l'héroïne mythique par excellence, celle dont on admire la personnalité décidée, parce qu'elle appartient à une espèce rare, on éprouve réellement de la compassion pour Ismène. Elle est si proche du commun des mortels, si lucide, généreuse et cependant craintive et lâche, qu'elle revêt un profil quotidien des plus passionnants. Elle fait partie de ces nombreux êtres terriblement fragiles mais capables parfois de sublimer leur attitude dans les moments les plus critiques.

La difficulté principale de l'interprétation du rôle d'Ismène réside précisément dans le passage où elle affronte Créon pour lui annoncer qu'elle est solidaire de la « faute » de sa sœur. Là,

Ismène est parfaitement consciente qu'elle risque sa vie. Malgré cette menace, elle parvient à surmonter sa peur, soutenue par son amour pour Antigone. Dans une mise en scène réaliste, c'est le moment où la comédienne doit absolument convaincre le public. Aucune demi-mesure n'est admise, il ne faut pas feindre les sentiments, l'interprète doit ressentir la peur dans toutes ses fibres, croire à ce qu'elle dit et faire croire qu'elle se met en danger de mort par la portée de ses paroles.

Comédien exigeant envers lui-même, Philippe Mentha l'est inévitablement envers les acteurs qu'il met en scène. En 1971, il fait travailler les élèves de son cours sur la base du « système » Stanislavski. Une méthode dont l'école américaine d'art dramatique Actors Studio s'est servie pour former la base de son célèbre enseignement. Créé en 1947 par Elia Kazan, Cheryl Crawford et Robert Lewis, l'Actors Studio a compté d'illustres élèves : Jane Fonda, Marilyn Monroe, James Dean, Montgomery Clift, Paul Newman ou Marlon Brando. Ces derniers ont évidemment contribué à faire connaître l'école et surtout la méthode d'enseignement de Constantin Stanislavski.

Né à Moscou en 1863, Stanislavski a manifesté dès l'enfance un goût prononcé pour l'art dramatique. Industriel aisé, son père lui a fait construire une splendide scène à l'italienne dans sa maison. Plus tard, Constantin est entré à l'Ecole dramatique de Moscou où il s'est mis en exergue grâce à la qualité des spectacles qu'il a montés et joués. Il a rencontré ensuite l'auteur et critique dramatique Vladimir Némirovitch-Dantchenko. Ensemble, ils ont fondé en 1898 le Théâtre d'Art de Moscou.

Metteur en scène, acteur, théoricien, Stanislavski s'est appliqué à chercher la rigueur, l'authenticité et la vérité dans l'art dramatique. Dans ses théories, il demande à l'acteur une relaxation corporelle totale avant de pénétrer sur le plateau, puis une concentration absolue lorsqu'il est sur scène.

Dans sa préface à « La formation de l'acteur », l'un des classiques sur l'art du comédien écrit par Stanislavski, Jean Vilar dit : « Praticien inquiet, moraliste sévère, Tortsov-Stanislavski dépouille ici, l'une après l'autre, l'interprète de ses vanités. Il le dévêt de ses clinquants. Il analyse sans pitié ses faux prestiges. Il détruit absolument le culot et son cousin, le cabotinage. Ce faisant, il offre au comédien une méthode quotidienne de travail, la seule certainement qui, depuis toujours, soit efficace. » Par son « système », l'ancien directeur du Théâtre d'Art de Moscou cherche à faire agir la conscience sur l'inconscient, siège de l'inspiration. Si l'acteur n'éprouve pas spontanément le sentiment à exprimer, il doit partir de moyens physiques, extérieurs, pour aboutir au sentiment intérieur véritable.

Un metteur en scène aussi rigoureux que Philippe Mentha ne pouvait pas ne pas entrevoir les sérieux attraits d'une théorie aussi exhaustive. L'un des exercices « stanislavskiens » (que Mentha pratique couramment en 1971 est le développement du réflexe, de l'impulsion du comédien. Il place une table de cuisine au milieu d'une salle de répétition, la saute à pieds joints et se réceptionne en douceur après avoir effectué une culbute souple. L'objectif n'est pas de réussir une parfaite figure de gymnastique, mais bien de réveiller l'impulsion du comédien. Sauter par-dessus une table, la tête et les bras en avant, puis d'amortir sa chute sur un sol dur, dépourvu de tapis, doit permettre à l'acteur de vaincre ses appréhensions ou ses retenues scéniques. L'envergure d'un rôle peut inspirer des inquiétudes à l'interprète. La portée de l'action d'un personnage à composer peut lui poser des problèmes s'il ne parvient pas à surmonter ses inhibitions ou s'il ne croit pas à ce qu'il fait. Pour trouver l'authenticité de l'acte et la vérité des sentiments d'un personnage, l'acteur ne doit pas hésiter devant la difficulté, mais a la nécessité de la résoudre spontanément par l'impulsion.

Lorsqu'Ismène annonce à Créon qu'elle est solidaire de la « faute » de sa sœur, elle sait donc qu'elle risque sa vie. Pour surmonter sa peur, elle cède à l'impulsion émanant de son cœur et n'hésite pas une seconde à se lancer au secours de sa sœur bien aimée. Dans un cas dramatique aussi clair, Philippe Mentha n'hésite pas non plus. La jeune comédienne qui incarne Ismène doit céder à la même impulsion. Les spectateurs du théâtre doivent croire à la profondeur de ses sentiments et surtout au danger qu'elle sait courir.

Lors des répétitions d'« Antigone », Philippe Mentha estime que l'interprète d'Ismène n'est pas suffisamment convaincante. Il subodore quelque chose d'artificiel dans son jeu, il n'est pas satisfait. Parallèlement au travail d'interprétation, il entraîne la comédienne dans son cours d'art dramatique. Un cours dans lequel sont inscrits une vingtaine de jeunes élèves et quelques comédiens professionnels volontaires.

Sur un plan général, le travail en profondeur de Philippe Mentha se fait déjà sentir. Les élèves les moins motivés s'éliminent d'eux-mêmes au fil des semaines et des mois. L'entraînement extrêmement exigeant, dirigé par Mentha, occasionne l'abandon des moins décidés. Parmi les élèves encore en lice, il y en a qui sont forcément plus doués naturellement pour l'interprétation que d'autres. Ceux-là atteignent vite une vérité presque parfaite dans leur jeu. Pourtant, Mentha parvient parfois à métamorphoser, l'espace de quelques minutes, les moins « authentiques ». Il leur fait saisir les moindres recoins psychologiques des divers personnages joués en abordant ces derniers par des improvisations appropriées. Il leur fait oublier leurs différents blocages en leur imposant des exercices physiques destinés à ôter toute inhibition corporelle et à développer le sens du contact vrai avec le partenaire. Certains exercices provoquent un essoufflement normal qui débouche ensuite sur un résultat absolument surprenant. Un élève qui a tendance à « réciter », parce qu'il ne pense pas à ce qu'il dit, se met à parler tout à fait naturellement après avoir effectué une multitude de sauts sur place ou de contorsions s'apparentant à la façon de s'étirer d'un chat. Lorsqu'un être qui tente de jouer est essoufflé, il ne songe plus à ce que les témoins pensent de lui. Il ne se demande plus s'il a l'air ridicule ou si l'on remarque sa gaucherie ou ses défauts physiques ; le fait d'essayer de reprendre son souffle lui fait oublier ces préoccupations. Paradoxalement, cet essoufflement qui fait le vide dans son esprit lui fait dire les paroles d'un personnage dramatique parfaitement naturellement. Les préoccupations futiles momentanément écartées par l'effort de récupération du souffle le font se concentrer relativement inconsciemment sur ce qu'il dit et consciemment sur le contrôle de son souffle. Le travail exhaustif de Philippe Mentha est basé à la fois sur une recherche scientifique rigoureuse et sur une psychologie expérimentale des plus sérieuses. Tel était son mode de travail en 1971.

En voyant entrer l'un de ses camarades dans la loge, la jeune comédienne tente de dissimuler ses larmes. Intrigué par les yeux rougis de sa collègue, l'acteur questionne prudemment : « Que se passe-t-il ? » Après une courte hésitation, la jeune femme se livre à la confession : « Philippe m'a mis le marché en main... Il estime que si je ne parviens pas à vaincre ma peur pour sauter la table durant les cours, cela signifie que je ne suis pas capable de jouer le rôle d'Ismène. Ismène a une impulsion qui lui permet de risquer sa vie par amour fraternel. Sauter une table demande une certaine dose de courage et une impulsion similaire à celle qui consiste à prendre un risque corporel. Philippe pense que si je suis incapable de surmonter un risque minimum et calculé, il faut que je renonce à Ismène... »

En disant cela, la comédienne n'exprime aucun sentiment de rancœur à l'égard du metteur en scène. Au contraire, elle est

14

déterminée à vaincre l'obstacle, à reculer ses limites. Elle voue même sa reconnaissance à Philippe Mentha, car il lui permet de vivre une expérience professionnelle exceptionnelle. Ses larmes ne sont que des réactions de révolte vis-à-vis de sa propre impuissance devant la difficulté. Elle s'en veut de ne pas réussir... Elle a bien compris que cette exigence n'est pas un caprice de metteur en scène illuminé ni une forme de chantage d'un directeur d'acteurs un tantinet sadique, mais qu'il s'agit d'un acte d'amour pour le théâtre, d'une démarche guidée par la rigueur et la recherche constante de l'authenticité, de la pureté dans l'expression.

J'ai été le témoin privilégié de cette scène, de cette leçon d'exigence dans le travail. C'est à moi, alors comédien débutant, que la jeune actrice a confié l'objet de ses préoccupations. Son histoire était-elle vraie ? Etait-elle le fruit d'une affabulation consciente ou inconsciente ? Je doute qu'il s'agisse d'une divagation.

J'avoue n'avoir jamais osé poser la question à Philippe Mentha. Une préparation de spectacle appartient plus ou moins au domaine privé. Elle constitue souvent un terrain mouvant que beaucoup de créateurs préfèrent tenir secret à l'intérieur de zones interdites à l'œil étranger. Ce huis clos souhaité découle d'une forme de pudeur, d'une impression de gêne vis-à-vis d'un travail que l'on n'aime pas montrer inachevé. En outre, quand un spectacle est terminé, la plupart des créateurs essaient d'éviter de parler de la gestation qui a précédé. Ils partent du principe qu'un spectacle est construit pour être vu et non pour être expliqué. Cela d'autant plus lorsqu'il s'agit de sa réalisation.

Cependant, la véracité du témoignage de la jeune comédienne ne fait aucun doute. L'assiduité avec laquelle elle s'est appliquée à essayer de sauter la fameuse table durant les jours qui ont suivi l'épisode, l'expression de joie irradiante de son visage qui a ponctué la réussite de son « exploit », n'ont pas trompé quant à l'interprétation de la motivation profonde de son attitude et de ses sentiments. En quelques jours, Philippe Mentha lui a permis de gravir un échelon supérieur, d'accroître sa dimension d'interprète. Toute la démarche de Philippe Mentha se résume par les propos qu'il tenait souvent à ses disciples : « Le théâtre doit être vital pour vous... S'il ne l'est pas, dépêchez-vous de faire autre chose ! »

De toute évidence, Philippe Mentha est l'un des principaux phares de l'art dramatique suisse romand. De par le feu sacré qui l'anime et ce génie créateur qui le porte en l'incitant à se dépasser perpétuellement, il appartient à cette famille de prodiges qui ouvrent des perspectives sur le mystère des choses et des êtres par leur façon profonde de penser et de travailler une réplique. Il offre à la mise en scène toutes ses chances de faire dire à l'œuvre, par les moyens du théâtre, ce qu'elle ne dit pas forcément par le texte. Philippe Mentha fait partie de ces metteurs en scène qui se mettent au service de la pièce en sachant que cette dernière exige qu'ils aillent à la limite d'eux-mêmes.

Cette « règle de conduite » peut être illustrée par l'interview que Michel Cassagne m'a accordée pour le quotidien vaudois « 24 Heures », le 12 janvier 1983. Il s'agissait d'un article destiné à faire le point sur la trajectoire professionnelle de Cassagne, à recueillir un témoignage sur l'évolution de Philippe Mentha, ainsi que sur sa façon de lire entre les lignes d'un texte dramatique :

« Michel Cassagne ! Un nom qui chante, une consonance qui pourrait laisser deviner son origine gasconne. Un nom qui a aussi acquis une notoriété en Suisse romande. Etabli à Genève depuis de nombreuses années, Michel Cassagne a roulé sa bosse sur la plupart des scènes du pays, il a achevé d'apporter la preuve de son talent en incarnant beaucoup de rôles à la télévision et au cinéma. Durant l'été 1982, il a travaillé aux côtés de Magali Noël et Gian Maria Volonté, dans le dernier film de Goretta : « La mort de Mario Ricci ». Dès le 15 janvier, il va jouer le rôle de Scapin, dans les célèbres « Fourberies », au Théâtre Kléber-Méleau.

Si c'est la première fois que Michel Cassagne travaille à Kléber-Méleau, il n'en est pas à son coup d'essai avec Philippe Mentha, metteur en scène de la comédie de Molière. Né à Auch, Cassagne commence sa carrière un peu plus à l'est : au Grenier de Toulouse. Au sujet de ses origines, il précise avec un brin d'humour : « Dans le Gers, il y a deux comédiens, un célèbre et moi. Le célèbre, c'est Jacques Dufilho. » Au Grenier de Toulouse, il fait la connaissance de Georges Wod et de Philippe Mentha. La guerre d'Algérie interrompt sa carrière pendant deux ans. A l'issue de cette période, Mentha l'engage au Théâtre de Carouge. Après plusieurs navettes entre Toulouse et Genève, Michel Cassagne se fixe définitivement dans la Cité de Calvin.

Jouer Scapin était un rêve secret que Michel Cassagne caressait depuis longtemps. En 1949, lors d'un séjour en Allemagne, il avait vu « Les fourberies » interprétées par une troupe française ; c'est de là que datait son envie d'incarner ce valet de

16

Molière. « Quand j'ai eu trente-cinq ans, confie-t-il, je me suis dit que je commençais à être trop vieux pour le jouer. Or, j'en ai maintenant quarante-neuf et Mentha m'offre le rôle... »

Il ajoute : « Certes, Scapin a été marqué par des acteurs jeunes, qui ont utilisé ce texte pour laisser leur jeunesse s'exprimer. Cependant, il dit beaucoup de choses qui font penser qu'il est un homme d'expérience. Quand il parle de la justice, on sent qu'il a vécu des problèmes juridiques. En outre, il est intéressé par une histoire d'amour, mais on devine qu'il n'a pas ou plus d'histoire d'amour personnelle. Bien que resté jeune de caractère, il est plus âgé que la plupart de ceux qui l'entourent. Tout cela émane du texte. J'espère que ce point passera bien. Souvent, on joue un Scapin virevoltant, et l'autre aspect de sa personnalité n'est pas toujours apparent. Dans la conception de Mentha, Scapin est un homme qui a de la vie. Il sollicite, propose, amène les gens là où il veut, il s'engage par amour pour les jeunes. »

« Quand on analyse un texte, poursuit Cassagne, on se demande parfois si l'auteur a réellement pensé à tout ce que l'on y voit. Pour Scapin, par exemple, Molière a peut-être transposé certaines révoltes sans s'en apercevoir. Les pères ne représentent pas que les pères, mais sans doute l'autorité sous toutes ses formes. » Après n'avoir plus travaillé avec Mentha pendant cinq ans, Cassagne donne son avis sur l'évolution du metteur en scène : « Les matériaux qu'il donne sont toujours aussi riches. A part cela, je trouve que sa direction d'acteurs est encore plus rigoureuse qu'avant. »

Ce spectacle a été un grand succès. Philippe Mentha a peint ces « Fourberies », jadis condamnées par Boileau, d'une couleur si originale qu'il a démontré qu'un jugement péremptoire n'était que le résultat d'une subjectivité qui souligne le caractère jamais définitif de toute considération. « Ne mésestimons pas Molière, a écrit Jacques Copeau, de se sentir et de se montrer « ami du peuple » (...), qui lui demande de se simplifier pour être compris (...), de grossir même un peu le trait et de gagner en énergie ce qu'il perd en délicatesse. » La gageure de Mentha est d'avoir justement réussi à exhumer les finesses sous-jacentes du texte de Molière. Il a creusé les caractères des dix personnages de la comédie jusqu'au tréfonds de certains recoins sans doute encore jamais explorés. Ce travail a donné un spectacle vivant et rendu intéressant par d'incessantes nuances subtiles, rarement mises en exergue jusque-là. Les barbons tyranniques — interprétés par Mentha et Wojciech Pszoniak, le Robespierre du film de Wajda, — n'ont plus été des caricatures d'hommes séniles, méfiants et irascibles, mais des personnages solidement charpentés dont les faiblesses sont devenues terriblement humaines. Scapin, remarquablement modelé par Cassagne, a subitement gagné de l'envergure dramatique, de la maturité, de l'intelligence roublarde. Les amoureux, joués par Harriett Kraatz, Lise Ramu, Pierre Dubey et Stéphane Medlinger ont échappé au piège du cliché, ils se sont engouffrés dans une brèche des plus stimulantes. Stimulante parce que la spontanéité, la maladresse et l'énergie de la jeunesse n'en ont été que mieux mises à jour. Même le plus traditionnel des valets de comédie comme Sylvestre, incarné par Jean-Pierre Gos, n'a pas manqué de révéler des facettes peu dévoilées.

Les représentations de ces « Fourberies de Scapin » se sont succédé au Théâtre Kléber-Méleau, haut lieu artistique, entièrement façonné par Philippe Mentha et ses collaborateurs.

Quelqu'un a dit un jour : « Démolissez-lui son théâtre, il trouvera toujours le moyen d'en construire un autre ! » En effet, outre ses exceptionnelles qualités de comédien et de directeur d'acteurs, Mentha possède des vertus de bâtisseur de théâtre. Cette appellation dépasse la simple notion d'habileté manuelle, elle n'est pas rattachée exclusivement à un talent inné d'architecte. Pour Philippe Mentha, la construction d'un théâtre va au-delà de ces qualifications pourtant déjà considérables et indispensables pour effectuer un tel travail. Nul doute que, pour lui, l'élaboration d'un lieu de création artistique pourrait s'apparenter au domaine du rite initiatique. En art dramatique, l'esprit n'entre-t-il pas idéalement en osmose avec la matière qui sert de support à son imagination constructive ? Philippe Mentha a toujours eu un respect quasi sacerdotal de l'endroit professionnel. N'exigeait-il pas de ses élèves qu'ils balaient la scène avant de commencer le travail ? Cette habitude à priori banale dépassait aussi la simple action de nettoyage élémentaire. En écartant tout sentiment d'abaissement volontaire, il s'agissait de se rappeler qu'un minimum d'humilité ne peut qu'aider le comédien à conserver le cap de son objectif, c'est-à-dire l'amélioration de sa perfectibilité. Ce balayage fait aussi partie de ces préliminaires qui préparent un lieu qu'on aime à jouir d'un acte d'amour.

Le fait de posséder son propre théâtre représente un intérêt fondamental pour un créateur de la trempe de Philippe Mentha. Il s'agit paradoxalement de constituer un lieu familier destiné à créer des activités dépourvues d'esprit routinier. Afin d'être un foyer d'imagination et d'invention permanent, cet endroit doit avoir des facultés de malléabilité. C'est la raison pour laquelle le créateur doit pouvoir connaître les moindres recoins et la totalité des possibilités d'utilisation de son « socle » de travail. Ces conditions optimales peuvent être réunies dans un théâtre mis à disposition temporairement, néanmoins un lieu de travail permanent reste certainement la meilleure solution pour un créateur. C'est probablement pourquoi Philippe Mentha a toujours préféré œuvrer dans son propre théâtre plutôt que d'aller d'escale en escale.

Pour Philippe Mentha, il y a eu d'abord la merveilleuse aventure du Théâtre de Carouge, évoqué précédemment par Michel Cassagne. Un théâtre devenu une institution célèbre en Suisse romande ; des débuts qui ont pris valeur de légende au fil des ans.

Au départ, une petite équipe d'idéalistes parmi lesquels deux pionniers : François Simon et Philippe Mentha. Ensuite, une église désaffectée située à la rue Jacques-Dalphin.

L'aménagement du théâtre s'est fait de manière tout à fait artisanale par les comédiens et des voisins sympathisants. La salle Mermillod ne possédait évidemment pas de plateau, il y avait à peine quelques sièges. L'équipe a commencé par colmater les brèches du toit, boucher les courants d'air, remplacer des tuiles. Après, il y a eu l'installation des loges, de la scène, du bar. Le 26 janvier 1958, le Théâtre de Carouge a été inauguré avec la première de « La nuit des rois ». Au début, les membres de la troupe ont travaillé à la radio le matin, répété l'après-midi, joué le soir. Entre-temps, ils... construisaient les décors.

Le Théâtre de Carouge a vécu plusieurs années à la rue Jacques-Dalphin avant de devoir céder la place à la paroisse du cru. L'exil au Théâtre Pitoëff a suivi, puis le retour dans un bâtiment carougeois tout neuf, à la rue Joseph-Girard.

Dans cet intervalle de temps, François Simon s'est tourné dans la direction de Paris, Philippe Mentha a pris le chemin de Lausanne. Du côté de Malley, il a déniché une ancienne usine à gaz, et... a renouvelé la formidable épopée de la salle Mermillod. Infatigable amoureux des planches, il s'est entouré d'un groupe de volontaires pour reconstruire un magnifique théâtre. Afin de le baptiser, il a choisi le nom de l'enfant de « La maison d'os », pièce de Roland Dubillard, sans doute son auteur de prédilection. En août 1978, vingt ans après « La nuit des rois » à Carouge, les travaux ont commencé à Malley. « Les trois sœurs », d'Anton Tchekhov, ont inauguré l'ouverture du Théâtre Kléber-Méleau peu de temps après.

Stimulé par cette renaissance, Philippe Mentha a monté ensuite une série de spectacles qui ont débouché sur autant de réussites. « La nuit des rois » demeure, à mon humble avis, le plus beau qu'il ait fait jusqu'ici.

« Philippe Mentha nous convie à une nouvelle fête de la vue et de l'esprit. Sa merveilleuse « Nuit des rois » fait partie de ces rares spectacles dont l'éclat brille longtemps dans le firmament des mémoires et dont le scintillement rejaillit profondément sur le plaisir des sens. Le spectacle de Kléber-Méleau comble tout être humain sensible et susceptible de tomber amoureux de la beauté suprême que peut atteindre un art lorsqu'il est pratiqué par d'authentiques talents.

On suppose que « La nuit des rois » fut créée le jour de l'Epiphanie (d'où le titre !) et l'on sait que les douze jours qui précédaient cette date étaient destinés à des réjouissances placées sous le signe du désordre. Le désordre des désirs et des volontés n'est pas absent de cette intrigue basée sur un chassé-croisé d'amoureux dont Mentha a su rendre le caractère émouvant en conservant fidèlement l'esprit de fantaisie qui l'anime. En donnant une vraie chair à tous les personnages de cette comédie lyrique, il réussit la gageure de plonger totalement le spectateur dans cette atmosphère où la réalité et l'irréalité se confondent.

Chaque comédien distille le texte avec les nuances les plus justes. En comtesse Olivia, la ravissante Juliana Samarine est terriblement convaincante. Emmanuelle Ramu sent remarquablement la passion de Viola. Philippe Mentha et Edmond Vullioud donnent une dimension véritablement dionysiaque aux personnages de Tobie Belch et André Aguecheek. Jacques Amiryan en bouffon mélancolique et sarcastique et Roland Sassi en triste « puritain » berné sont plus vrais que nature. Quant à Lise Ramu, elle compose un Fabien qui sort réellement des sentiers battus et qui revêt une carrure originale.

Un mot encore à propos des magnifiques costumes et décor de Jean-Marc Stehlé. « Ce dernier prouve une fois de plus qu'il est un grand décorateur de théâtre. Il ne redoute pas les grands espaces, et sait les maîtriser géométriquement. En n'enfermant pas l'immense espace d'un plateau, il parvient à créer des lieux et des ambiances suggestives. » (1)

Lorsqu'il parle d'un thème, d'un auteur ou d'une époque, Philippe Mentha pousse souvent très loin ses considérations. Sans enliser ses interlocuteurs, en l'occurrence les comédiens, dans une dialectique prétentieuse d'égotiste, il dissèque chaque

_____

(1) « 24 Heures », 6 novembre 1980.

20

valeur d'une œuvre pour la leur injecter en images très concrètes ou en exemples symboliques. L'écouter parler de « La nuit des rois » équivaut à une leçon de philosophie sans forfanterie de sa part. Pour l'acteur, ses propos constituent des éléments solides sur lesquels il peut s'appuyer pour construire son personnage :

— Philippe Mentha, qu'est-ce qui vous a séduit dans « La nuit des rois » ?

« On y retrouve tout Shakespeare, les conflits de l'être humain, sa prétendue sagesse, ses folies tragiques et comiques entremêlées. C'est une pièce magique, elle appelle le sourire et la confiance, seuls moyens de sentir l'univers et les hommes, au-delà des préjugés et des jugements de notre raison prétentieuse. C'est une pièce d'amour. Molière le répétera bientôt : « La raison n'est pas ce qui règle l'amour. »

— Quelles sont les difficultés que l'on rencontre lorsque l'on monte une pièce de cinq actes qui réunit dix-neuf comédiens ?

« S'accorder à dix-neuf paraît plus difficile que s'accorder à quatre. Mais on a aussi dix-neuf stimulants au lieu de quatre. Dans un moment de doute, on peut s'inquiéter davantage. Mais dans la confiance, on trouve un plus grand enthousiasme. »

— Dans votre mise en scène, c'est Emmanuelle Ramu qui interprète les personnages de Viola et de Sébastien, son frère jumeau. Cette idée rend plausible un quiproquo que Ben Jonson trouvait invraisemblable. Lors de la confrontation, Dominique Egloff devient Sébastien. Dans le cas de votre option, ne regrettez-vous pas ce face-à-face final ?

« On pourrait distribuer deux personnes pour deux rôles. Alors le public, par convention théâtrale, verrait ce que les personnages sur scène ne distinguent pas eux-mêmes. J'ai préféré lui faire partager cette mystification qui est le sujet même de l'œuvre : nous sommes doubles, Pascal l'a dit, comme d'autres avant lui et avant Shakespeare. Celui qui, en nous, espère, et celui qui désespère travaillent la même âme et agissent sous le même habit de chair. A la fin, la pièce dit que par la vertu de l'amour, l'adolescent est devenu un homme. Sébastien après son mariage avec Olivia est réellement devenu « un autre », très ressemblant mais différent. C'est cette ligne que nous suivons. »

— L'interprétation bien sentie d'Emmanuelle Ramu et de Juliana Samarine, qui est la comtesse Olivia, permet aussi de rendre la confusion vraisemblable. La condition que le spectateur doit croire qu'Olivia est persuadée que Viola est un homme et qu'elle en tombe amoureuse ne fait-elle pas que le rôle d'Olivia est le plus difficile de la pièce ?

« Je ne vois pas de rôle plus facile ou plus difficile. Tomber amoureuse d'un taureau, comme Pasiphaé, n'est pas « plus simple », ni plus « difficile », que s'éprendre d'un très jeune être féminin-masculin. On pourrait faire une enquête à travers Lausanne sur le sujet. Olivia est sensible à ce très jeune homme, comme elle était dévotement attachée au souvenir de son frère mort en sa prime jeunesse. Il y a dans le coup de foudre d'Olivia une part de résurrection de l'amour pour son défunt frère qui la met sur la voie de « l'âme sœur » d'abord féminine, puis masculine. Jouer ces rôles aujourd'hui entre deux femmes n'est pas plus difficile qu'à l'époque de la création où deux hommes jouaient ensemble, les femmes n'ayant pas accès au théâtre. »

— C'est Lise Ramu qui joue le rôle du bouffon Fabien. Sa composition est étonnante et tout à fait inattendue. Comment vous est venue l'idée de faire interpréter ce personnage par une femme ?

« A l'époque, l'ambivalence est fréquente et même entretenue. On garde à la Cour des castrats, parfois amers, qui vivent choyés. Ils ont la voix de leur enfance et l'ambiguïté dans laquelle on les a enfermés. Viola évoque la possibilité de passer pour un castrat, le sujet est bien traité par la pièce. Ce bouffon exilé de la Cour, et de l'affection de son défunt maître, m'a paru être un enfant prolongé, exilé de lui-même comme du palais d'Olivia. »

— Edmond Vullioud et vous-même interprétez les rôles de sir André Aguecheek et sir Tobie Belch que vous avez particulièrement colorés en travaillant leur aspect burlesque et clownesque. Que représentent, pour vous, ces deux personnages ?

« Deux morts qui se survivent ! Un être qui se prolonge, qui se survit, est toujours, aux yeux des autres, un peu burlesque ou ridicule dans la mesure où les buts qu'il poursuit sont irréalisables. C'est aussi ce qui le rend émouvant dans ses espoirs comme dans sa déception et sa disparition finale. »

— Sur quelles bases est parti Jean-Marc Stehlé pour concevoir son décor ?

« Je ne répondrai pour lui que sur la ligne générale de notre accord destiné à préparer cette mise en scène. Réalité et irréalité confondues, comme l'univers de cette pièce. Nos murs réels s'ouvrent sur des perspectives peintes et des trompe-l'œil, comme dans beaucoup de palais de la Renaissance. Notre usine n'est-elle pas elle-même un palais, le temps d'une représentation ? Les différents lieux sont évoqués, au début, dans leur di-

22

versité. Au fur et à mesure qu'avance l'action, ils s'additionnent pour composer ensemble le tableau final. Dans l'aboutissement, il y a le souvenir des points de départ, réunis, réconciliés. D'autre part, le cloisonnement originel cherche une ouverture, celle de la découverte du monde et des autres. »

Dans les mises en scène de Philippe Mentha, l'apport du décorateur a toujours eu une importance considérable. Les décors constituent des leurres oniriques destinés à favoriser l'évasion de l'esprit du spectateur dans les méandres imaginatifs de l'auteur. Ils créent des atmosphères qui kidnappent le public en ne le restituant à son siège qu'après avoir obtenu son dépaysement. Pour réussir cette prouesse, les décorateurs habituels de Mentha sont de véritables prestidigitateurs. Plus particulièrement Jean-Marc Stehlé et Christophe de la Harpe.

En 1971, Philippe Mentha signe des mises en scène au Théâtre Pitoëff, joue dans les pièces montées par d'autres, fonde de sérieux espoirs sur l'évolution de son cours d'art dramatique. Il pense sans doute pouvoir constituer un petit groupe de travail dont il aurait la faculté de contrôler et modeler chaque élément selon des critères artistiques bien déterminés. Il recherche la malléabilité et l'homogénéité de ses collaborateurs pour accroître l'efficacité générale.

A cette époque, je suis l'un de ses élèves. A l'occasion d'un exercice d'improvisation, il prie Martine Schambacher, qui deviendra plus tard une comédienne remarquée à Saint-Denis (aux côtés d'Andrée Tainsy), de monter sur scène. Il se tourne ensuite vers la salle, où sont assis les autres, et cherche. Il me désigne et m'incite à rejoindre Martine. Ce moment était à la fois excitant et un peu angoissant. Excitant parce qu'il pouvait engendrer un résultat des plus satisfaisants. Angoissant car il pouvait aboutir sur un bide énervant, à la rigueur déprimant.

Ces exercices étaient destinés à faire comprendre aux improvisateurs que, sur scène, il s'agit d'être toujours en action, que ce soit physiquement ou spirituellement. Tout ce qui se passe sur le plateau doit avoir un but. Ils servaient aussi à développer l'imagination, la concentration, l'observation et l'écoute, l'impulsion, l'intensité.

Philippe Mentha nous propose le sujet de l'improvisation : « Martine, imagine quelle pourrait être ta réaction si Jean-Pierre avait tué quelqu'un qui t'était cher. Pense que tu es seule, que tu es accablée et que Jean-Pierre arrive à l'improviste... Commencez ! »

Le sujet est donné, il est terrible ! Cependant, à l'instar de Stanislavski, Mentha formule la proposition en utilisant la conjonction « si ». Comme l'explique clairement le maître russe dans « La formation de l'acteur », grâce à ce « si », personne n'oblige l'improvisateur à rien croire. Tout se passe ouvertement. On pose une question à l'apprenti comédien, il doit y répondre sincèrement et avec précision. « Par conséquent, le secret du « si » réside d'abord dans le fait qu'il n'a recours ni à la menace ni à la force, et n'oblige pas l'acteur à quoi que ce soit, commente Stanislavski. Au contraire, par sa franchise, il le rassure et l'encourage à se fier à la situation proposée. » En outre, le « si » permet de relever le défi de l'exercice par l'action.

Derrière la porte du décor du spectacle en cours, j'attends... Je n'arrive pas à me décider d'entrer. Je sais que Martine est assise sur une table, les jambes croisées, la tête dans les mains... Je frappe timidement... Aucune réponse... L'anxiété me gagne... Je recommence à heurter la porte, un peu plus fortement... Toujours pas de réponse... J'actionne doucement la poignée, la porte s'ouvre, je découvre Martine en état de prostration... Mon cœur bat plus fort, elle me fait de la peine... Soudain, elle m'aperçoit... Son regard me fusille sur place et me glace... Elle me lance un haussement d'épaules dédaigneux, elle se replonge dans ses méditations... Son désespoir me fait réellement mal, je prends d'autant plus conscience de la gravité de la situation proposée... Comment me réconcilier avec elle ? M'excuser ? Faire amende honorable ? Dans l'instant, je panique un peu, je trouve la solution légère... Elle peut me conduire à un échec cuisant... Et puis comment faire lorsque la parole est proscrite ? Je sens mes camarades assis dans la salle tendus... Je le suis autant si ce n'est plus qu'eux... J'ai subitement une idée, L'IDEE... Dans cette situation extrême, il n'y a peut-être que le rire qui peut sauver... Comme lorsqu'un enfant a fait mal à son copain, il essaie de provoquer son rire pour le consoler...

Je me lance alors dans des acrobaties impossibles. Pirouettes maladroites succèdent aux sauts plus ou moins ratés. Je sue sang et eau pour effectuer des figures dégingandées amusantes. Des rires commencent à fuser dans la salle. Après environ dix minutes d'actions burlesques, Martine relève lentement la tête. Un léger rictus trahit une volonté d'annihiler toute velléité de sourire. Tout à coup, son regard prend une impressionnante expression de cruauté. D'un bond alerte, elle saute de la table afin de me foncer dessus. Bien que plus petite que moi et d'apparence inoffensive, elle me fait peur par sa détermination, je prends mes jambes à mon cou et m'enfuis par où j'étais entré. J'entends alors la porte claquer derrière moi. Je peux enfin respirer, j'essaie de reprendre mon souffle dans la pénombre des coulisses.

Ma tentative de réconciliation a échoué. Or il ne faut pas s'avouer vaincu si facilement, l'improvisation continue. Il s'agit de poursuivre dans l'action physique. Je trouve alors un diable que je charge d'accessoires hétéroclites. Je pénètre à nouveau sur le plateau en poussant le chariot à deux roues. Martine a repris place sur la table. Elle me jette un coup d'œil furtif et furibard. La tension monte. Nos camarades sont partagés entre le rire et l'appréhension, l'attention est au comble. J'éprouve un sentiment de contentement, je sens que Martine et moi sommes en train de réussir une improvisation d'une intensité dramatique qualitativement supérieure. Je reste cependant sur mes gardes, car j'ignore si elle parvient à conserver le même contrôle que moi. Aucune expression de son visage ne trahit la distance qu'elle peut mettre entre le rôle qu'elle doit jouer et la comédienne qu'elle est présentement. Elle est tellement convaincante dans sa haine exprimée que je me demande si elle ne s'est pas prise au jeu. J'appréhende chacune de ses réactions, mais je fais quand même confiance à son pouvoir de contrôle. Ces doutes, l'état de colère dans lequel elle s'est plongée, l'état d'inquiétude dans lequel je suis entré et ma volonté évidente de raccommodement, passent bien la rampe. Cette sensation de réussite nous porte et nous encourage à nous surpasser. En outre, cela fait déjà un très long moment que Mentha n'a pas stoppé l'improvisation. Pour nous, c'est un signe qui ne trompe pas ! Il sent quelque chose de fort, il nous jauge, il veut voir jusqu'où nous pouvons aller...

J'organise un véritable siège autour de la table où s'est réfugiée Martine. J'amasse un nombre invraisemblable d'objets trouvés dans les coulisses. Des échelles de différentes tailles, un grand lit que je soulève péniblement en me couchant dessous. Ce meuble qui avance lentement, sporadiquement, en direction de Martine, déclenche une franche hilarité dans la salle. La scène transformée en capharnaüm, le pathétisme et le ridicule de la situation, détendent l'atmosphère pesante jusque-là. Agacée par ma persévérance, Martine s'empare d'une lourde hache, et se lance à ma poursuite. Comme une furie, elle éructe des mots incompréhensibles. Je reprends rapidement le chemin des coulisses pour échapper à sa colère. Je ralentis ma course, me retourne... Stupéfaction ! Elle est toujours derrière moi, la hache brandie au-dessus de sa tête, l'air plus décidée que jamais... Pris de panique, je repars de plus belle et cours derrière le décor. En tournant la tête, j'aperçois le bref clin d'œil de Martine qui me rassérène... Elle contrôle son impulsion, tout va bien... Mais quelle frousse ressentie en l'espace d'une ou deux secondes... Par l'ouverture opposée, je reviens sur scène avec Martine à mes trousses... Un petit cri d'effroi jaillit de la salle...

« Merci ! » Philippe Mentha vient enfin d'interrompre l'improvisation. Il était le seul à pouvoir le faire, c'était la règle de ces exercices. Martine et moi sommes exténués. L'air épanoui du metteur en scène nous laisse entrevoir qu'il a été enchanté de notre travail. Nous lui en voulons un peu de nous avoir poussés jusqu'à ces limites, mais quelle joie il nous a procurée de nous avoir permis d'aller si loin. Nos camarades sont conscients de la valeur et du résultat positif de cette improvisation. Ils nous ont fait l'amitié de nous manifester leur admiration par un « eh bien ! » significatif. La critique de Mentha est enthousiaste, il ne nous félicite pas directement, mais souligne tous les aspects positifs de notre activité. Il loue notre imagination, notre générosité dans l'action, la justesse de nos intentions, l'intensité qui a découlé de nos comportements. Nous étions comblés...

C'est à partir de ce jour que j'ai compris que le théâtre selon Philippe Mentha ne supportait aucune demi-mesure, que tout était basé sur la rigueur absolue.

Quelques semaines plus tard, Philippe Mentha m'offre la possibilité d'interpréter un petit rôle dans « La poule d'eau », du Polonais Stanislaw Ignacy Witkiewicz, mise en scène par François Simon.

Jouer une première pièce procure un sentiment de joie immense, d'explosion de bonheur difficile à décrire. A l'idée d'effectuer mes débuts, je me sens léger, des frissons de trac et de plaisir parcourent souvent mon épiderme. De plus, j'ai la chance de pouvoir bientôt côtoyer des comédiens chevronnés tels que Marcel Imhoff, Maurice Aufair, Georges Wod et... François Simon. Et puis aussi Philippe Mentha qui joue également dans le spectacle. Les pionniers du Théâtre de Carouge sont presque tous là, des figures désormais légendaires de l'Histoire de l'art dramatique suisse romand, des gens pour qui j'éprouve une profonde admiration. Cette perspective réjouissante m'emballe, j'ai hâte de commencer les répétitions sur la scène du Théâtre Pitoëff.

Lorsque j'arrive dans la salle, la plupart des comédiens ont déjà répété avant moi, depuis plusieurs semaines. Mon petit rôle « d'homme à la lanterne », « d'allumeur de réverbères », n'exigeait pas ma présence dès le début du travail. Il s'agit d'un rôle furtif mais pas dépourvu d'intérêt. Je dois apparaître dans le premier acte, après qu'Edgar Walpor, le personnage principal de la pièce, joué par Simon, eut tiré à la carabine sur Elisabeth Flapy-Puselska, alias la Poule d'Eau. A l'avant-scène, Walpor, carabine à la main, habillé comme les trois prisonniers dans l'édition illustrée de Robinson, converse avec son très jeune fils : ce dernier est interprété par Jérôme Excoffier. Un homme entre alors pour allumer une grande lanterne octogonale située au sommet d'un poteau enfoncé dans un tertre d'un mètre de haut. Intrigué, l'homme écoute un court instant la discussion du père et de son rejeton, puis s'en va. Il ne revient qu'à la fin pour échanger quelques paroles avec Walpor, pour lui dire que « la lanterne est allumée ». Le tertre du premier acte réapparaît subitement, Walpor tue à nouveau la Poule d'Eau, de manière différente, sans son consentement cette fois... Dramaturge sarcastique et métaphysique, Witkiewicz a écrit « La poule d'eau » en 1921. Cinquante ans après, le mécanisme dramatique et le grotesque tragique de sa pièce mettent en exergue des aspects d'un modernisme frappant. Je suis heureux de recevoir mon baptême de la scène avec ce spectacle.

Mon premier contact avec les autres comédiens est plutôt gênant. Tout le monde m'observe en s'efforçant de me mettre à l'aise. Philippe Mentha n'est malheureusement pas là, je dois me débrouiller tout seul. Je suis très content de rencontrer Marion Chalut, qui incarne la Poule d'Eau et dont j'ai fait la connaissance au Conservatoire d'art dramatique de Genève. Sa présence familière me rassure, je ne me sens plus tout à fait en terrain inconnu. Par sa spontanéité de femme-enfant, elle me met tout de suite à l'aise. Sans ambages, elle me présente à François Simon.

Avec beaucoup de gentillesse, Simon m'invite à le suivre dans sa loge afin de m'expliquer ce qu'il attend de moi. L'être inaccessible que j'imaginais, qui impressionnait le jeune comédien de vingt ans que j'étais, faisait place à un homme affable, d'un abord facile. Malgré ce côté rassurant de sa personnalité, il m'intimidait par son charisme. La voix empreinte de douceur, il me désigne du doigt la maquette du décor du premier acte ; le tertre surmonté de la grande lanterne... Il me suggère ensuite de me déplacer sans précipitation, d'enjamber le cadavre de la Poule d'Eau sans lui prêter attention, d'allumer la lanterne, puis de repartir par où j'étais venu. Selon lui, ce déplacement doit se faire pratiquement sans que je quitte des yeux les deux personnages en discussion à l'avant-scène. Cette attitude « de l'allumeur de réverbères » devrait mettre en évidence l'aspect énigmatique de cet homme. Est-il une incarnation du destin ? Une apparition imaginaire ? Le pouvoir inventif du public devait pouvoir fonctionner librement. A partir de ce moment, François Simon m'a laissé la bride sur le cou pour composer ce personnage mystérieux ; la confiance absolue !

Quelques jours après la première, à l'occasion d'un après-midi de cours, Philippe Mentha m'avertit que quelque chose « ne va pas » dans ce que je fais le soir sur scène. Profitant de la présence du décor du premier acte, il me demande de gagner les coulisses et de n'entrer sur le plateau qu'à son signal. J'obtempère et patiente quelques minutes. « Vas-y, entre et effectue le même trajet que celui que tu suis le soir ! » En arrivant sur scène, j'ai la surprise de découvrir à l'avant-scène, à l'endroit où se tient habituellement Simon, l'un de mes camarades de cours debout... sur la tête. J'écarquille les yeux, je marque un temps d'hésitation, puis me dirige vers l'arrière du tertre. Là, je subis un petit choc en manquant de buter contre le corps d'un autre camarade. Son visage figé et hilare me provoque également une émotion ; il paraît mort... Aussitôt je pense que, dans un cas similaire, on vérifie d'abord quel est l'état réel de l'inconnu. Ensuite, lorsqu'on se souvient que l'individu de l'avant-scène possède un fusil, on s'enfuit immédiatement pour aller chercher du secours. Après cette constatation, je sors précipitamment... En revenant sur scène, j'entends Philippe Mentha dire : « C'est mieux ! Tu as compris ? »

En effet, cette recherche de motivations naturelles conjuguée avec une action établie sur la justesse des sentiments ressentis, augmentaient l'impact et la raison d'être du personnage. Cette attitude plus réaliste contribuait paradoxalement à rendre la scène encore plus surprenante. En redevenant plus quotidien au premier acte, « l'homme à la lanterne » prenait un caractère d'autant plus onirique et éventuellement symbolique à l'issue de la pièce. En découvrant une jeune fille fusillée par un individu vêtu d'un costume étrange, mais surtout en perdant sa nonchalance déconcertante devant le cadavre et en récupérant des réflexes plus normaux en pareille circonstance, « l'allumeur de réverbères » donnait une dimension plus tragiquement burlesque à l'épisode. L'onirisme et la couleur dramatique de la scène en sortaient renforcés. En captant mon attention sur la position déconcertante de mon camarade de cours, appuyé sur la tête, Philippe Mentha attisait indirectement la curiosité de « l'homme à la lanterne » sur un habit insolite et sur l'existence d'une carabine. En me causant un choc avec la vision d'un corps inerte, Mentha provoquait un traumatisme à « l'allumeur de réverbères » qui découvrait le cadavre de la Poule d'Eau. C'est par ces petits détails peaufinés, par le soin apporté à toutes les intentions de tous les personnages, que Philippe Mentha parvient souvent à déclencher une ferveur populaire en faveur de la plupart de ses spectacles. Avec la nécessité d'avoir du talent, la clarté dans les desseins, l'esthétisme des formes et la sincérité ont toujours été des sources de réussite au théâtre.

Estimant beaucoup le travail de Mentha, François Simon a certainement pensé que le « maître » guiderait l'« élève » sur la voie la plus judicieuse. Il ne s'était pas trompé...

II

Jacques Dufilho : « *Le plus important pour un co-médien n'est pas d'exprimer quelque chose, mais c'est de savoir écouter.* »

Michel Cassagne évoquait précédemment Jacques Dufilho.
Lorsque l'on parle de la rigueur dans le travail théâtral, ainsi que de talent inné, le nom de Jacques Dufilho revient relativement souvent dans les conversations. Le public suisse a eu plusieurs fois l'occasion d'admirer les capacités de Dufilho. Ayant acquis un réel statut de vedette, qu'il ne revendique d'ailleurs pas, le comédien français est l'exemple parfait de l'artiste célèbre qui place la qualité dans la manière d'exercer son métier avant tout souci d'entretenir une notoriété d'acteur. Dans un cas tel que celui de Jacques Dufilho, la notoriété n'est qu'un couronnement annexe d'une application dans l'art de bien faire ce qu'on aime.
Il arrive que certains spectacles ne recueillent pas l'adhésion générale du public. Il arrive aussi qu'à l'occasion de ces spectacles appréciés de façon mitigée, quelques comédiens parviennent quand même à tirer leur épingle du jeu, en excluant toute tentative déplacée de cabotinage. Contre vents et marées, malgré un texte qui ne tient pas ses promesses ou un metteur en scène qui ne maîtrise pas son sujet, ces même comédiens réussissent à sauver leur personnage de ces enlisements fatals. Jacques Dufilho appartient à cette race d'interprètes qui épatent leurs partenaires en donnant une nature humaine crédible même à des personnages quasiment impossibles à défendre. Ce petit rien indicible, qui marque la différence, s'appelle le talent à l'état pur. Ce dernier pourrait s'expliquer par la possession d'un pouvoir congénital de concentration absolue. Cette faculté permet au comédien de se mettre idéalement dans la tonalité du personnage à composer, et de réaliser un dupli-

cata parfait du rôle dessiné par des répliques. Si celles-ci ne sont pas suffisamment fortes pour donner naissance à un personnage riche, l'acteur génial est souvent capable de sublimer un « original écrit » afin de le transformer en « duplicata plus conséquent ». C'est à ce grand pouvoir de concentration, doublé inévitablement d'un fort pouvoir d'écoute des partenaires, que certains interprètes doivent leur facilité de jeu. Il s'agit probablement des phénomènes essentiels propres à définir le talent et ses mobiles occultes. Tous les comédiens peuvent être talentueux un jour, mais pas tous ont du talent tous les jours...

Il y a un no man's land entre le bon comédien et le génie. Un bon comédien peut franchir cette séparation parfois l'espace d'un spectacle ou seulement d'une représentation, afin de basculer dans ce génie qui lui paraît souvent inaccessible. Pendant cet état de grâce tout semble facile, les mots jaillissent naturellement, les intentions sonnent juste sans effort. Le comédien Michel Galabru parlait un jour de son interprétation du rôle de Georges Dandin. Un personnage de Molière qu'il a incarné avec brio durant de longues années. Un soir, en tournée à Rabat, il a ressenti une « espèce d'éclairage » difficile à décrire. Depuis ce jour, les phrases de Dandin ont coulé de sa bouche comme s'il les inventait au fur et à mesure. Cette représentation a été une révélation pour Galabru, un déclic qui lui a signifié qu'il avait définitivement incubé les particularités du parangon des cocus de comédies.

Lorsque Jacques Dufilho se voit offrir un rôle à la mesure de son talent, le public est sûr de pouvoir vivre un grand moment de théâtre. En 1980, dans le cadre des Galas Karsenty-Herbert, Dufilho effectue une tournée suisse avec « Les aiguilleurs », une pièce de l'auteur irlandais contemporain Brian Phelan. Un ancien charpentier qui se mit à écrire pour le théâtre après avoir construit des décors et fonctionné comme machiniste à la télévision. A l'instar de Dullin dans « L'Avare » ou de Jouvet dans « L'Ecole des femmes », on reparlera un jour de Dufilho dans « Les aiguilleurs ».

« Albert et Alfred, aiguilleurs dans une gare déserte de la banlieue londonienne, vivent dans un univers défini par près de quarante ans de travail commun. Des habitudes ancrées et des réactions issues du tréfonds sinueux de la conscience caractérisent leur existence.

» Leur idiosyncrasie découle de ce sentiment d'inquiétude qu'ils perçoivent, inconsciemment, à l'idée d'exister sans le complément hiérarchique et les rites cultivés que cette situation provoque. Inquiétude aussi de voir leur activité annihilée. Privés de trains, ils poursuivent leurs occupations. Leur sphère ludique, leur cocon protecteur, seront détruits par un nouveau venu : Edward, l'apprenti aiguilleur voyou.

» Des comportements souvent désespérément vrais, une atmosphère peaufinée, un humour déconcertant, une pièce étonnante qui a le ton insolite et la vitalité du théâtre britannique contemporain. Successivement charpentier, constructeur de décors et comédien, l'auteur irlandais Brian Phelan connaît l'armature nécessaire au bon fonctionnement de la dynamique d'une pièce.

» La puissance expressive naît aussi de la précision de la mise en scène de Georges Wilson. Son travail en profondeur témoigne de ses facultés inventives et sensitives. Jacques Dufilho, Henri Virlojeux et Fabrice Eberhard servent avec une grande vérité la cause de Phelan (dont l'œuvre a été adaptée par Isabelle Famchon). Dufilho est un instrument qui a les sons purs d'un stradivarius.

» Le train électrique, les éclairages et le décor de Jacques Marillier nous baignent parfaitement dans ce microcosme désertique.

» Il s'agit du meilleur spectacle Karsenty de la saison 1979-1980. » (1)

En avril 1983, alors à la direction de l'Octogone de Pully, j'accueille un spectacle dont la tournée est organisée par le Théâtre de l'Œuvre de Paris. Il s'agit du célèbre « Gardien », de Harold Pinter, l'auteur anglais qui a l'art de découvrir le côté irrationnel du dialogue. Jacques Dufilho joue le clochard Davies, un rôle considéré comme étant le plus achevé de toute l'œuvre du dramaturge britannique.

Créée à Londres, en 1960, cette pièce a été un grand triomphe de Harold Pinter. Même si on constate un sujet parfois un peu mince et des moments de remplissage, cette œuvre a placé le scénariste du film « La maîtresse du lieutenant français » parmi les meilleurs auteurs dramatiques contemporains. Elle l'a rendu célèbre dans le monde entier. Le sujet met en place un duel entre trois personnages. Aston, une sorte de Bon Samaritain, recueille un clochard agressif, miséreux, un peu mystérieux. Aston a un jeune frère, vaguement voyou. Ambivalent, ce dernier navigue entre un sentiment d'amour et de haine pour Aston. Rendu méfiant par une vie d'errance, le clochard ne parvient pas à croire au désintéressement et à la générosité d'Aston. Il se livre alors à diverses manigances ; la pi-

(1) « 24 Heures », 18 janvier 1980.

tié qu'il inspirait se mue en dégoût. Déçu dans sa quête d'amitié et de compagnie exprimée maladroitement, Aston renonce à essayer d'aider Davies.

Sublime dans le rôle de Davies, Dufilho l'a joué pour la première fois en... 1969, au Théâtre Moderne de Paris, aux côtés de Sacha Pitoëff et Claude Giraud, dans une mise en scène de Jean-Laurent Cochet. Après l'avoir vu, Pinter a déclaré que Jacques Dufilho était, de tous les interprètes du rôle de Davies, le meilleur, le plus authentique et le plus corrosivement comique. Près de quinze ans plus tard, aux côtés de Georges Claisse et Alain Fourès, dans une nouvelle mise en scène de Raymond Gérôme, Dufilho incarne Davies avec la même brillante réussite qu'en 1969.

En 1983, Jacques Dufilho m'accorde un entretien dans l'une des loges de l'Octogone. A près de soixante-dix ans, l'homme me fascine. Il paraît fragile, mais ce n'est qu'une apparence trompeuse, on sent très vite poindre une sorte de force campagnarde. Son regard est troublant. Il dénote d'abord une espèce de lassitude qui n'est qu'une fausse impression ; les rares fois qu'il accroche l'interlocuteur, il traduit la pondération. Sa voix est bien timbrée. Sa facilité d'élocution, le choix de ses mots, ses réflexions, révèlent une intelligence pragmatique et une grande générosité qui n'édulcore pas un esprit critique de bon aloi.

— Au début de votre carrière, vous avez beaucoup travaillé avec Charles Dullin. Pour de nombreuses générations, Dullin a été et restera l'un des phares de l'art dramatique. Comment travaillait-il ?

« Il avait l'avantage sur beaucoup de metteurs en scène d'aujourd'hui d'avoir fait lui-même, quand il était très jeune, des réalisations dans des conditions acrobatiques. Par exemple, il jouait dans un café ou dans une ancienne blanchisserie du quartier latin. Il y avait peu de spectateurs, mais ils étaient de qualité. Dullin avait une manière particulière de travailler. Il avait beaucoup d'antennes qui lui permettaient de voir ce que vous étiez. Il était capable de vous radiographier, de comprendre ce que vous pensiez. Il avait un regard extrêmement percutant, un peu comme celui d'une grand-mère qui vous jauge. Il était capable d'affirmer : « Toi, tu as fait une bêtise ! » Quand il voyait une scène, il écoutait avec beaucoup d'attention, il indiquait les choses avec humilité. Si quelqu'un avait dépassé son rôle, il lui disait : « Non ! Il faut penser à tel ou tel événement qui se passe avant. » Il lui demandait de connaître la pièce à fond et pas seulement une scène. Il fallait tout savoir

34

sur le personnage et son évolution. Je me souviens d'avoir entendu Dullin dire à une élève : « Mais pourquoi pleures-tu maintenant ? C'est à la fin de la scène suivante que tu dois pleurer... Pour le moment, ce n'est pas la peine d'avoir des larmes, tu t'attendris sur toi-même ou sur des idées que tu t'es faites. Ce n'est pas le moment de pleurer. » Par conséquent, il voulait une grande sincérité. Et puis il avait horreur de l'amateurisme. C'est-à-dire des gens qui font du théâtre, mais qui sont extrêmement superficiels et qui ne pratiquent pas ce métier — c'en est un ! — à fond ! Il fallait oublier tout le reste. Quand on disait à Dullin : « Il faudrait que j'arrive à la répétition un peu plus tard, car je vais tourner. » Il répondait : « Qu'est-ce que tu veux faire ? C'est pour payer des impôts ? C'est complètement ridicule ! » Il ne comprenait pas... Il avait aussi un vocabulaire extrêmement réduit. Volontairement d'ailleurs ! Ce vocabulaire était la synthèse de tout. Il pouvait parler avec des gestes et être compris de n'importe quel comédien. Même des étrangers qui n'avaient pas la possibilité de saisir le sens de certains mots ou de certaines longues explications. Il y aurait des pages à écrire sur ce que disent les metteurs en scène actuels et, finalement, au moment de passer à l'exécution, on se demande ce qu'ils ont voulu dire ? C'est leur grand défaut ! Avec Dullin, c'était plus facile ! Il disait : « Tu vois, ce rôle... Au lieu de le faire comme ça... » Il ondulait alors avec sa main comme un poisson, afin de faire comprendre qu'il louvoyait dans tous les sens. Puis, il enchaînait : « Tu dois le faire ainsi... » Il avançait ses deux mains parallèlement devant lui. Tout le monde comprenait ce langage. »

— Quelles sont les qualités minimum qu'un comédien peut demander à un metteur en scène pour l'aider à trouver son personnage ?

« D'abord d'essayer de nous comprendre ! D'avoir une certaine indulgence si nous n'y arrivons pas tout de suite. Il est évident que, dans votre lit, quand vous lisez une pièce ou votre rôle, vous avez du génie ! Quand vous êtes sur scène, tout dégringole... Vous avez affaire à vos partenaires, on vous indique des places que vous n'imaginiez pas, vous êtes un peu perturbé. Il faut que le metteur en scène comprenne que tout ne peut pas venir directement. Par contre, il doit être très exigeant sur la manière dont on exprime quelque chose. Qu'est-ce que cela signifie ? A l'heure actuelle, il y a des comédiens à qui l'on dit : « Je voudrais que tu joues le jeu, je n'entends pas ce que tu dis, je ne vois rien du tout ! » Ces comédiens répondent : « Oui, mais j'essaie de prendre mon rôle par l'intérieur. » Qu'est-ce que cela veut dire « l'intérieur » ? A l'intérieur, il y a des portes fermées partout ! En voulant prendre par l'intérieur, ils sont obligés de rentrer par les fenêtres avant de sortir par n'importe quoi (son regard devient malicieux). Cela ne rime à rien ! Il faut plonger... et avec beaucoup d'humilité ; il ne faut pas avoir peur de se foutre par terre. Quand on tombe plusieurs fois, on sait bien que c'est parce qu'il faut se faire... A mon avis, un bon metteur en scène est celui qui vous permet tout de même d'aller au-delà de votre rôle, d'aller buter contre le mur de droite ou contre celui de gauche — il s'agit d'une image — pour vous faire savoir que vous devez aller entre les deux. C'est une bonne manière de montrer la direction. Il faut tout essayer par rapport à ce que veut dire le personnage, à ce qu'il représente dans la pièce, surtout vis-à-vis de l'histoire. Des auteurs sont parfois enthousiasmés en voyant des comédiens qui savent leur texte aux premières répétitions, qui ne déchiffrent pas. Quand on dit leur texte par cœur, ils sont très contents. Ils ont tort ! Le théâtre peut être comparé à la musique, c'est entre les portées, entre les notes, que se situe le plus important. Si ce n'étaient que les notes qui comptaient, un piano mécanique serait suffisant. Le temps qu'on prend entre les notes, la vie qui se déroule entre les portées, constituent la quintessence. Le plus important pour un comédien n'est pas d'exprimer quelque chose, mais c'est de savoir écouter. Quand vous écoutez un partenaire, il vous sert la soupe ! C'est-à-dire qu'il vous apporte tout par ses propos et son interprétation. C'est celui qui vous parle qui motive votre manière de lui répondre. Vous avez envie de répliquer d'une façon par rapport à son intonation et à l'intention qu'il place dans son intervention. Si on sent le besoin de se mettre en colère, c'est parce qu'il s'adresse à vous agressivement. Ainsi, tout est facile ! La plupart du temps, je pense qu'on doit faire preuve de patience car à partir du moment où l'on a trouvé la couleur du personnage, il faut toujours revenir à ce point de départ. En effet, c'est à partir de ce point de départ, de cette couleur, que l'on continue à le construire, à le bâtir jusqu'au bout. Ce n'est qu'à la fin des dernières répétitions, quand on a vu la pièce du début à la fin, que l'on se rend compte de la véritable consistance de la pièce et du cheminement que doit avoir le personnage. Avant, il est impossible de le savoir précisément ! »

— Vous avez joué des rôles d'envergure, particulièrement dans « Les aiguilleurs », « Le Gardien » ou « Les frères Karamazov ». Quelles sont les motivations qui vous poussent à accepter ou à refuser un rôle ?

« La motivation est extrêmement simple ! On dit : « Ça me plaît ou ça me déplaît ! » « J'ai envie ou pas envie de le faire ! » Lorsqu'on accepte, on ne sait pas du tout comment on va y arriver... En 1968, Eric Kahane m'a contacté alors que j'étais en train de tourner une télévision. Il m'a envoyé le texte du « Gardien » en me disant : « Je souhaite vivement que vous puissiez jouer cette pièce. On vous attend... ». A la fin de 1969, je l'ai jouée. Mais en disant « oui », je ne savais pas où cela allait me mener... En lisant le texte, beaucoup de points obscurs me préoccupaient, j'ignorais comment cela évoluait ? C'est simplement une impression favorable qui m'a décidé à accepter le rôle. Faire confiance à cette impression personnelle est, pour moi, la chose la plus importante pour savoir si l'on peut donner son accord ou non. Quand j'ai lu « Les aiguilleurs », j'ai vu immédiatement que c'était une pièce de grande valeur. Quant à savoir quel rôle me convenait le mieux, j'ai mis un tout petit peu de temps avant de me dire que c'était celui d'Alfred. »

— Connaissiez-vous déjà des pièces de Brian Phelan ?

« Non pas du tout ! »

— Vous ne saviez donc pas qu'il était un bon auteur, c'est seulement en lisant « Les aiguilleurs » que vous avez senti que sa pièce était bonne ?

« J'ai découvert cette pièce comme s'il s'agissait d'une tragédie. C'est-à-dire une vraie grande œuvre dramatique. J'ai tout de suite vu qu'il y avait aussi beaucoup d'humour. Et puis la fin absolument inattendue était très intéressante. Cette lutte entre deux personnages, puis avec ce troisième qui arrive pour essayer de dominer les deux précédents, est un sujet motivant. D'autant plus que le troisième tente d'exercer une domination sur les autres en ne le faisant pas volontairement. Il arrive comme un chien humant et il constate qu'il a brusquement l'occasion de tirer profit de la situation. »

— Qui est Brian Phelan ?

« C'est un homme très intéressant ! Tout à fait Irlandais. »

— Vous avez joué « Le Gardien » près de six cents fois. Après plus de dix ans, comment faites-vous pour retrouver la même spontanéité que lors du premier soir ?

« A partir du moment où l'on possède une bonne mémoire, on retrouve rapidement et automatiquement tous les sentiments trouvés initialement. Les apports physiques propres à l'homme qu'on est nous aident également. Et puis il y a l'écoute de l'autre, dont je parlais précédemment, qui nous permet de nous laisser surprendre tous les soirs comme si c'était la première fois que l'on entendait ses répliques. »

— Les comédiens sont-ils des gens très ouverts aux problèmes de la vie ?

« Cela dépend du comédien ! J'en connais qui sont fermés à tout. Ils ne s'intéressent qu'à eux, les autres problèmes que les leurs les font bâiller... Par le métier qu'ils exercent, ils devraient pourtant être sensibles aux problèmes humains... Mais la plupart du temps, ils sont gonflés de leur sujet, de leur personnage, et n'ont pas beaucoup d'humilité. Ils ont alors un jugement que je trouve un peu douteux. »

— Pourtant, travailler des rôles tels que ceux qu'offrent Tchekhov ou Dostoïevski devrait permettre de développer une grande sensibilité...

« En effet ! Il est évident que ce métier demande beaucoup de qualités : de l'observation, de la concentration, de la décontraction, de l'imagination, mais aussi de l'humilité... »

— Beaucoup de metteurs en scène se réfèrent à différentes tendances. Il y a les adeptes de Stanislavski, de Meyerhold, d'Artaud, de Grotowski, ceux de Brecht, etc. Le comédien n'est-il pas un peu perdu au milieu de toutes ces théories ? Quel comportement doit-il adopter ?

« Je ne sais pas ce qu'il faut faire ? Quoi qu'il en soit, rien n'a été inventé ! On parle de Stanislavski, mais ce qu'il a fait n'était qu'une copie du théâtre d'André Antoine. Dans le cas présent, il s'agissait de revenir à la réalité, d'essayer de moins styliser les choses, de trouver plus de naturel et de vérité. Cependant, ce n'est pas parce qu'on joue dans des décors très réalistes et de façon très naturaliste qu'on détient forcément la clef de la mise en scène parfaite. Je pense même que c'est le contraire du théâtre ! Pour moi, le théâtre est d'abord un art d'illusion : il faut que l'imagination du public puisse travailler. Le fait qu'on ne vous impose pas d'images et qu'on ne sache pas ce qu'il y a de l'autre côté du mur, est une supériorité sur le cinéma. On peut imaginer l'autre versant, quand on est spectateur au théâtre, on a la possibilité de faire soi-même un gros plan sur tel ou tel personnage. »

— Le théâtre a-t-il un avenir ?

« La plupart du temps, on prétend que c'est un art dépassé. Au contraire, il est éternel et d'une grande supériorité. On peut faire du théâtre en plein désert, avec peu de lumière. Autrefois, on a joué en étant éclairé par des bougies, et c'était tout de même du théâtre. On ne peut pas faire du cinéma en plein désert, sans caméra. On peut être rassuré en constatant que le cinéma n'a pas tué le théâtre. La télévision n'a pas tué la radio, alors on peut espérer qu'elle ne tuera pas le théâtre. »

— Est-ce très différent d'interpréter un rôle au cinéma ?

« C'est très différent ! Au cinéma ,on vous demande d'être immédiatement le personnage, d'être tout de suite dans une certaine situation. Comme la scène filmée est très courte, c'est plus facile à jouer. Au théâtre, vous avez des témoins à charge devant vous, c'est ce qui rend l'interprétation plus difficile. On se croit tout seul dans une scène d'intimité, mais, en réalité, il y a peut-être une trentaine de personnes en face de vous. Donc il y a soixante yeux qui vous jugent... Si vous essayez de sourire et que vous sentez que cela accroche, vous éprouvez un sentiment merveilleux. De même lorsque vous parvenez à émouvoir. Le théâtre est l'art de la communication directe. C'est souvent enthousiasmant, mais c'est parfois très gênant... »

— Davies, le gardien, est un personnage naïf, qui manque de générosité. Il est donc à l'opposé de l'homme que vous semblez être. Par quel procédé parvenez-vous à vous métamorphoser en Davies en une fraction de seconde ?

« En sautant dans l'eau depuis un plongeoir, si vous vous posez des questions entre ce dernier et votre réception dans la piscine, c'est fini ! Vous tombez à plat ventre... Tant pis pour vous ! Pour éviter cette expérience douloureuse, il faut y aller carrément. C'est une impulsion, il faut plonger sans hésiter. Ce n'est pas la peine de vous mettre la tête dans un bras et de vous appuyer contre un portant pendant une heure. Cela ne vous aidera pas et ne vous donnera pas du génie. Si vous vous trompez, il ne faut surtout pas y penser. Il est indispensable de continuer à écouter votre partenaire pour lui répondre. »

— Vous avez écrit un livre, vous avez fait de la peinture et de la sculpture, continuez-vous ?

« La peinture et la sculpture, c'est fini ! Ce qui me fait maintenant le plus plaisir, c'est de passer du temps à la campagne. Je possède une paire de vaches dressées, qu'on a du mal à trouver, et j'aime travailler avec elles. Revenir aux choses les plus primitives est l'aboutissement de toute la vie. Qu'on le veuille ou non, qu'on soit un ministre d'extrême droite ou d'extrême gauche, on est obligé de manger du pain, un œuf ou un peu de fromage. Toutes ces richesses viennent de la campagne. On ne s'en rend compte que dans les grands moments de crise. Bêcher la terre, planter des haricots, les voir pousser, constituent les choses les plus importantes de l'existence, qui vous apprennent énormément. Le contact avec la nature est absolument indispensable à l'équilibre de l'être humain. Savoir écouter d'où vient le vent est enivrant. La campagne est une école de la vie.

Elle nous enseigne les choses élémentaires de l'existence dont le goût de l'effort physique. »

— Ecrivez-vous encore ?

« Je suis en train d'écrire une sorte de correspondance entre un père et son fils. J'ai commencé en 1963, il y a beaucoup de corrections à faire, j'en aurai pour trois mois... J'ai aussi commencé à écrire des nouvelles. »

— Une pièce, peut-être ?

« Non, je n'en ai pas envie ! »

— Quelle est la qualité que vous appréciez le plus chez l'être humain ?

« L'humour ! Il n'y a pas d'humour sans générosité. Je ne parle pas de l'humour méchant pratiqué par les hommes politiques, cela n'a rien à voir. Ce que j'entends par humour est la faculté qu'on a de pouvoir se moquer de soi-même. C'est une grande forme d'humilité qui vous permet de faire d'énormes progrès. L'orgueil, la suffisance, l'imbécilité, sont les défauts qui me semblent être les pires chez l'être humain. »

— Vous avez débuté par des sketches humoristiques ?

« Dès 1942, j'ai essayé de faire du cabaret pour pouvoir vivre. C'est uniquement dans ce but que j'ai fait cela. Parallèlement, je continuais à jouer au théâtre. J'avais commencé le théâtre en 1941, chez Dullin, avant de me lancer sur la scène d'un cabaret. Pendant des années, je jouais l'après-midi au théâtre et je faisais du cabaret le soir. Je m'étais habitué à avoir un petit apport un peu plus substantiel afin de pouvoir manger tous les jours. »

— Vous avez connu l'auteur suisse Dürrenmatt ?

« Oui, c'était à l'occasion du « Mariage de Monsieur Mississippi ». Peu de temps après, je jouais une pièce de Marcel Aymé et, pendant la tournée, j'ai pu le rencontrer dans sa maison à Neuchâtel. J'ai beaucoup d'admiration pour lui, c'est un grand observateur. Ce sujet qui s'appelle « La panne » est étonnant ! »

— Pourriez-vous choisir un rôle en fonction d'un thème qui toucherait l'actualité ? Défendriez-vous une cause en jouant ?

« Je pense que si l'on choisit une telle voie il vaut mieux être quelqu'un d'autre qu'un comédien. Comment voulez-vous qu'un avocat défende normalement un accusé s'il n'épouse pas la psychologie de son client ? Je suis capable d'incarner un opprimé qui a des revendications, mais cela ne me gênerait pas de faire le méchant. Je me suis toujours défendu de montrer ce que je suis et de défendre une cause quelconque. Signer des pétitions ou faire partie d'un comité pour l'élection de Monsieur Untel m'ennuyerait beaucoup. Il ne faut pas mélanger le théâtre avec les événements quotidiens. Le théâtre est comme une religion, il est destiné à tout le monde. »

— Le théâtre assimilé à une religion, cela rappelle un peu Dullin ?

« Oui, il était un artisan du théâtre. Il n'avait pas des élèves, mais des disciples qui étaient entrés dans la religion du théâtre. »

— Quels sont les conseils que vous donneriez à un jeune comédien ?

« S'il a envie de faire du théâtre, il doit absolument persévérer. Aller jusqu'au bout ! Il faut qu'il se dise qu'il n'aura jamais terminé son apprentissage, qu'il aura à apprendre jusqu'à la fin de sa vie. Evidemment, apprendre à recevoir des coups c'est parfois difficile ! Cela m'est arrivé... Dans certaines mises en scène, on souffre beaucoup, on est mal à l'aise, parce qu'on ne s'entend pas ou ne se comprend pas. Il faut tenir bon afin de surmonter ces obstacles passagers. Il m'est arrivé de jouer dans une pièce où l'auteur m'avait conseillé pour interpréter mon rôle. Il m'avait dit : « Pensez à Fernandel jeune ! » Après, le metteur en scène m'a dit : « Pensez à Pierre Fresnay ! » Ils m'ont remercié au bout de dix-neuf répétitions... Il ne faut pas se décourager ! »

— Y a-t-il un auteur que vous aimeriez jouer ?

« Je n'ai jamais su répondre à une telle question... Si... Cela m'est quand même arrivé... Un jour, j'ai été convoqué par Jacques Hébertot. Il m'a dit : « Qu'aimeriez-vous jouer ? » Je n'ai d'abord pas su lui répondre, puis j'ai réfléchi. Au bout d'un moment, j'ai dit : « Si, tout de même ! Le rôle de Smerdiakov des « Frères Karamazov » me plairait. Le soir, je suis allé chercher Suzanne Flon au Théâtre de l'Atelier. André Barsacq m'a alors appelé et m'a demandé : « Cela vous dirait de jouer Smerdiakov ? » J'ai pensé : « C'est miraculeux ! »

III

Claude Mathieu : « *Quand un acteur joue un per-sonnage qui ne correspond pas à son physique, il peut développer des choses qu'il a en lui et qu'il n'a jamais pu sentir.* »

« Puis-je empêcher les gens de me trouver aimable ? Et lors-que pour me voir ils font de doux efforts, dois-je prendre un bâton pour les mettre dehors ? », dit Célimène.

Ce ne sont pas des propos aussi accueillants qui ont salué ma venue, au Théâtre de Vidy, quand j'ai cherché à rencontrer Claude Mathieu, la Célimène du « Misanthrope » qu'a monté André Steiger. La jeune comédienne était énervée par des pro-blèmes inhérents à un « raccord » de première, à un décor ré-duit qui faussait les emplacements fixés à Genève et à l'incer-titude provoquée par l'éventuel remplacement d'une camarade souffrante. Eu égard à cet état de tension absolument normal dans de telles circonstances, j'ai préféré remettre ma visite à un moment plus opportun.

Le lendemain, c'est une Claude Mathieu plus détendue, sou-riante et avenante qui m'a reçu. Elle a commencé par me par-ler de ses débuts au Conservatoire de Paris : « Je ne tenais pas à y entrer absolument, car je trouvais que c'était un institut vieillot. On ne faisait pratiquement que soigner la diction, on passait des examens en robe du soir, jusqu'à ce qu'Antoine Vitez arrive et change tout. Il est allé assez loin avec de jeunes élèves heureux de sortir de ce carcan. J'ai eu la chance d'être dans sa classe. » Remarquée dans une audition d'élèves, Claude Mathieu est ensuite engagée par Jean-Paul Roussillon pour jouer Irina dans « Les trois sœurs » de Tchekhov, à la Comédie-Fran-çaise.

Depuis, la jeune Normande est devenue une pensionnaire de la vénérable maison et explique cette décision : « Je m'étais

43

dit pourquoi pas ? Il s'agit d'un beau théâtre, d'une troupe qui a la chance de monter beaucoup de spectacles, il y a de bons comédiens et des metteurs en scène intéressants qui viennent de l'extérieur. »

Après avoir joué Mariane dans « Tartuffe », Claude Mathieu doit attendre neuf mois pour interpréter le rôle de Jane dans « Marie Tudor », de Hugo. Elle demande alors un congé à Jacques Toja, l'administrateur du Français, pour préparer « Le misanthrope » et « L'illusion comique », de Corneille, que Pierre Romans met en scène au Jeune Théâtre National à Aubervilliers. Que pense-t-elle du travail qui a été fait pour « Le misanthrope » ?

« Cela a été une expérience théâtrale et humaine formidable ! J'ai vraiment eu l'impression de « rencontrer des gens » ! En outre, grâce à André Steiger, que j'ai connu par la décoratrice Claude Lemaire, j'ai été confrontée avec une nouvelle méthode de travail passionnante. Surprise au début, je me suis vite adaptée. André avait un parti pris clair, il n'a commencé le travail sur l'acteur qu'après une grande période d'explication autour de la table. C'est aussi un metteur en scène qui sait s'adapter à chaque tempérament. Il est ouvert, il tient compte des propositions faites par les comédiens. »

Claude Mathieu, dont l'un des vœux les plus chers serait de pouvoir interpréter Ysé dans « Le partage de midi », de Claudel, est attirée par l'expérience cinématographique : « Au théâtre, dit-elle, on part de soi intérieurement, mais on doit donner la dimension de la scène, on se sert de son corps. Le cinéma c'est plus subtil, plus fin... Je souhaiterais tourner un film, mais c'est difficile, car c'est un circuit tellement fermé ! »

Claude Mathieu a un physique de jeune première. A ce propos, elle confie : « Je me suis souvent heurtée aux notions d'emploi. Heureusement qu'il y a eu Vitez pour qui un comédien peut interpréter tous les rôles. Quand un acteur joue un personnage qui ne correspond pas à son physique, il peut développer des choses qu'il a en lui et qu'il n'a jamais pu sentir. »

Cette interview a été effectuée au début du mois de février 1981. Pour rencontrer la ravissante Claude Mathieu, j'ai téléphoné à André Steiger, son metteur en scène. « Tu veux voir Mathieu, m'a-t-il demandé ?... Viens demain, à quatorze heures, au Théâtre de Vidy. » Hélas ! Steiger n'avait pas pu prévoir la bronchite, puis l'extinction de voix dont avait été brutalement victime l'excellente comédienne qui jouait le rôle d'Arsinoé, l'amie de Célimène. Ce spectacle, produit par La Comédie de Genève et invité par le Centre Dramatique de Lausanne, avait

44

rencontré un vif succès auprès du public genevois. Il s'annonçait sous de mauvais augures pour cette reprise lausannoise. Ignorant le problème, je suis arrivé à l'heure fixée par André Steiger. J'ai alors trouvé le metteur en scène, les comédiens et les techniciens dans une effervescence inhabituelle. Ebranlée par sa maladie, l'interprète d'Arsinoé était dans l'impossibilité de participer au « raccord ». Chacun était troublé par l'idée de devoir la faire remplacer au pied levé. Cette alternative était d'ailleurs la seule envisageable pour l'instant. De plus, le décor adapté aux dimensions scéniques de La Comédie avait dû être réduit. Ce changement exigeait un « raccord » sérieux à proximité de la première lausannoise. Tous les emplacements des comédiens étaient à revoir en fonction de cette modification. Comment faire en l'absence involontaire de la comédienne malade ? La nervosité gagnait tout le monde.

Malgré la tension qui régnait, Ursula Petzold, l'administratrice de La Comédie, a pris le risque d'annoncer ma venue à Claude Mathieu. « Quoi ?, s'est exclamée l'interprète de Célimène. Merde ! Ça fait chier, ce n'est pas le moment... » Gênée de m'apercevoir subitement, elle a baissé le ton. Puis, de peur sans doute de passer pour une hypocrite, elle a assumé sa mauvaise humeur passagère : « Excusez-moi, mais vous comprenez certainement la situation ? » « Bien sûr, je reviendrai demain si vous le voulez ? » « C'est vrai cela ne vous ennuye pas, m'a-t-elle répondu gentiment ? Oh ! Merci ! Merci beaucoup ! »

Ce rendez-vous différé était la moindre des choses en de telles circonstances. Le lendemain, rassérénée, pimpante, fort aimable, la jeune comédienne s'est engagée dans la conversation avec beaucoup de franchise, faisant preuve d'une intelligence séduisante. La première lausannoise du « Misanthrope » s'est déroulée parfaitement. A grand renfort de soins médicaux énergiques et de courage, l'interprète d'Arsinoé a pu tenir son rôle avec talent. Une performance qui ne fait que corroborer cette réputation de courage dont sont étiquetés les acteurs.

Cet épisode démontre à quel point les nerfs des comédiens sont souvent soumis à rude épreuve. Provoqué la plupart du temps par l'appréhension d'une défaillance de la mémoire, le trac lancinant est à l'origine du relatif état nerveux dans lequel se trouvent les acteurs avant le lever du rideau.

Jacques Charon disait qu'il commençait à ressentir le trac à partir de dix-sept heures. Cela dépend évidemment des tempéraments, mais c'est souvent à ce moment-là que ce phénomène commence à se manifester chez beaucoup d'interprètes. Il s'agit d'une peur légère, ennuyeuse mais pas forcément déplaisante...

Ennuyeuse parce que le comédien peut difficilement faire évader son esprit de son sujet de préoccupation. En outre, cette obsession lui donne un sentiment de malaise concrétisé parfois par des petits maux de ventre. Cependant, ces premiers signes du trac ne sont pas déplaisants parce que l'artiste sent qu'ils sont aussi des symptômes de l'envie qu'il a de se retrouver bientôt sur scène afin de faire ce qu'il aime.

Bien avant d'entrer en scène, le comédien doit être protégé des remous extérieurs, il est important qu'il s'entoure d'un barrage imperméable. Ce dernier doit filtrer et stopper les fluctuations nuisibles à la concentration. Déjà sujet à une certaine nervosité dans des conditions normales, le comédien peut devenir carrément fébrile si des événements imprévus viennent se greffer sur un spectacle bien élaboré. S'il parvient à maîtriser ses nerfs dans les situations courantes, son taux d'adrénaline augmente vite en cas d'arrivée d'un grain de sable dans l'engrenage. Admirablement conditionné par l'aspect aléatoire du fil ténu qui tient le spectacle debout, le comédien développe naturellement son attention et sa faculté de contrôler toute situation devenue scabreuse.

Sous la direction d'André Steiger, Claude Mathieu a avoué avoir vécu une expérience professionnelle des plus enrichissantes. Steiger a toujours été un homme de théâtre au magnétisme puissant.

Depuis 1970, il est l'une des figures de proue de la mise en scène en Suisse. Les premiers comédiens romands à avoir travaillé avec lui ont d'abord été surpris par sa faconde. Claude Mathieu parlait de « grande période d'explication autour de la table avant le travail sur l'acteur ». Dans son livre consacré au théâtre depuis 1968, Colette Godard, journaliste au quotidien « Le Monde », évoque le metteur en scène en ces termes : « En 1966, arrive à l'école (de Strasbourg) André Steiger, redoutable bavard jargonnant, théoricien brechtien qui ne laisse rien ignorer des mystères de la dialectique, du freudo-structuralisme, des missions philosophiques et politiques du théâtre. » André Steiger analyse, décortique, dissèque et disserte pour éclairer exhaustivement sa démarche aux comédiens. Pour chacun d'entre eux, il constitue une source de connaissances prolifique. Le travail sur l'interprétation doit être précédé d'un temps d'incubation inhérent à l'approche méticuleuse de la pensée qui fait vivre la substance dramatique, l'activité ludique du comédien ainsi que son lien établi entre ces deux concepts que sont l'espace et le temps de la représentation.

Pour le public, André Steiger est un vecteur d'intérêt certain. Passé maître dans la virtuosité qui consiste à désintégrer l'erreur des sens ou de l'esprit, qui fait prendre l'apparence pour la réalité, il apprend à son public à détecter, puis à comprendre le sens des signes d'un spectacle. Par l'utilisation de la fameuse « distanciation », chère à Brecht, par des ruptures, des jeux de références ou au moyen de la dérision, il incite le spectateur à percevoir le sens des détails et des grandes lignes gestuelles, décoratives, ainsi que ceux inclus dans les différentes tonalités vocales. L'intention à tous les niveaux prend ici une importance considérable et contribue à définir la signification du spectacle. « Par définition, le théâtre classique est le plus moderne, car il sert constamment à la réactualisation par des relectures, m'a-t-il confié un jour. » Sa « relecture » du « Misanthrope » corrobore ses propos. Ce spectacle a d'ailleurs été l'une des grandes réussites théâtrales romandes de ces dix dernières années.

« Le romantisme a vu en Alceste un janséniste troublé par un amour tragique, un symbole de la manifestation concrète de la morale publique exacerbée. Le puritanisme rousseauiste l'a d'ailleurs considéré comme une victime dotée d'une grande rigueur morale.

» L'idée originelle du « Misanthrope » se fonde d'abord sur la nature asociale d'Alceste et dessine ainsi le profil le plus authentique de ce « héros tragique ». Il repousse une société inquiétante et provoque le rire par ses outrances. Cet homme sincère, qui « veut pouvoir estimer ses congénères », est malheureusement entraîné par la passion, la fausse logique et par une attitude affectée.

» André Steiger, dans sa mise en scène effectuée à la Comédie de Genève que l'on peut voir au Théâtre de Vidy, a tenu compte de tous ces éléments en creusant l'aspect « dissident » d'Alceste et Célimène par rapport à une société qui s'établit. En outre, pour le metteur en scène, la cause de l'incompréhension entre les deux amants provient qu'Alceste reste ancré dans le passé alors que Célimène est en avance d'un siècle. Si la totalité de la vision analytique de Steiger n'est peut-être pas toujours perceptible pour un public non averti, ce dernier subodore aisément les intentions principales et peut se laisser séduire par un spectacle d'une grande rigueur artistique et d'un esthétisme dépouillé. Les profils de tous les personnages sont convaincants ; la plupart sont disséqués « gestuellement » (Alceste et ses excès) et ciselés par une recherche de nuances dans la façon de dire les vers. Ce parfait cadrage des caractères permet de bien sentir le délire passionnel d'Alceste (un Jacques Denis remarquable) ou l'ambiguïté de Célimène (une Claude Mathieu dont on devine la maléabilité dans l'art d'interpréter) et les rôles sociaux inversés qu'ils jouent. L'ensemble spéculaire, qui motive le magnifique décor de Claude Lemaire, donne toute la mesure de la dimension de la « femme divisée » qu'est Célimène, du narcissisme de celle-ci et du besoin de poser qu'a Alceste ; ici, les reflets des grands miroirs sont éloquents.

» Sans enluminures didactiques gratuites, ce spectacle (servi, il faut le rappeler, par des comédiens qui font partie des meilleurs de Suisse romande) est une bonne analyse de motivations qui n'omet pas de restituer une chair aux personnages de Molière. » (1)

En 1978, en collaboration avec le Centre Dramatique de Lausanne et les Artistes Associés de Lausanne, André Steiger monte un autre Molière : « L'Avare ». Le spectacle atteint un haut niveau de qualité.

De « Don Juan » à « L'avare » en passant par le Philinte du « Misanthrope » et les deux versions du « Tartuffe », André Steiger voit une thématique constante : l'éloge du compromis social, seul moyen efficace pour résister aux servitudes contraignantes d'une société autoritaire. Dans « L'avare », Valère, amant de la fille d'Harpagon, met en pratique ce système pour contourner le régime oppressif du personnage central de la pièce. Partant de l'idée que la mort de la femme d'Harpagon a provoqué une névrose — l'avarice — chez ce dernier, André Steiger considère cet attachement excessif aux richesses comme un accident de parcours. Les enfants ne disent-ils pas : « Du temps de notre mère, tout allait bien » ? D'un commun accord avec Roland Deville, son scénographe, Steiger évite de montrer l'avarice par un décor fermé, cadenassé ou grillagé, mais par l'absence de références maternelles. Pour le metteur en scène, Harpagon n'est pas un type d'avare « parfait », mais plutôt un grand bourgeois qui a une perversion constituée par l'avarice. Crâne rasé pour la circonstance, Gérard Carrat donne une dimension étonnante à tous les registres du personnage d'Harpagon. Derrière cette interprétation se profilait incidemment la réflexion de Pierre Gaxotte, de l'Académie française : « Par bonheur, Molière a éclairé son homme de tant de façons, lui a prêté tant de postures que non seulement il fait rire de ce qui aurait pu paraître odieux, mais qu'Harpagon se trouve être de tous les temps, du nôtre comme du sien. »

(1) « 24 Heures », 4 février 1981.

48

En janvier 1976, avec la précieuse collaboration de Martine Paschoud, André Steiger met en scène « Qui a peur de Virginia Woolf », le chef-d'œuvre de l'Américain Edward Albee. Le spectacle, qui a lieu au Théâtre de Poche de Genève, constitue l'un des plus grands moments dramatiques vécus dans la petite salle de la rue du Cheval-Blanc. Conçue comme une sorte de « théâtre de boulevard d'avant-garde » où les échecs névrotiques individuels forment l'essence des plus violents des réquisitoires contre le conformisme de l'« american way of life », « Qui a peur de Virginia Woolf ? » est empoignée vigoureusement par Martine Paschoud et Steiger. Ils « attaquent » le texte dans ses derniers retranchements pour en extraire la quintessence. Monique Mani et Gérard Carrat, qui tiennent les deux rôles principaux, ainsi qu'Harriett Kraatz et François Germond, sont conditionnés pour distiller toutes les subtiles nuances de l'ironie puissante et amère d'Albee. Ce dernier ne demande pas seulement « comment être Américain ? », il surenchérit en posant aussi la question insidieuse « comment être tout simplement ? » La mise en scène va au tréfonds des âmes, elle permet une trouée profonde au cœur des ténèbres de George et Martha, les deux protagonistes de la pièce. Grâce à ce travail d'introspection poussé, le public se délecte de ces réactions en chaîne dont parlait Jean Cau, l'adaptateur méticuleux de cette œuvre. Ces réactions en chaîne, produites réplique après réplique, sont effectivement provoquées par l'explosion, dès la première scène, d'une bombe réglée d'impitoyable façon... La mise en scène de cette nuit mouvementée d'un professeur d'histoire, marié depuis plus de vingt ans à la fille du doyen de l'université américaine où il travaille, qui se livre à une sorte de psychodrame avec sa femme, sous les yeux d'un jeune couple témoin, est la plus inattendue de Steiger. Les repères susceptibles d'aider les spectateurs à identifier les systèmes inhérents à la théâtralité, dont il use, ont provisoirement disparu. Seuls subsistent une analyse exhaustive des personnages et un travail extrêmement professionnel. Le résultat probant semble être le fruit d'une puissante investigation psychanalitique effectuée sur Martha, Robert, Nick et Honey, puis d'une injection du produit de cette recherche dans le moteur impulsif des comédiens. Si la participation de Steiger a sans doute donné l'élan indispensable, la collaboration de Martine Paschoud a certainement été prépondérante dans la réussite de ce spectacle. Cela d'autant plus qu'elle en a peaufiné les détails.

L'itinéraire professionnel d'André Steiger ressemble à bien

des trajectoires de créateurs assidus et idéalistes. On y retrouve cette obstination et cette volonté d'aboutir dans un domaine difficile, qui répond aux aspirations les plus chères ; le désir d'élargir constamment ses connaissances, le besoin permanent d'augmenter son efficience dans la manière de pratiquer son métier, sont aussi des caractéristiques propres aux créateurs le plus exigeants. C'est-à-dire ceux qui approchent du pinacle de leur art.

D'abord élève de Greta Prozor, André Steiger est monté ensuite à Paris afin de prendre la température du théâtre pratiqué dans la capitale. Tout de suite après la guerre, il a été fasciné par trois personnes qui tenaient un langage hermétique à l'une des tables de la Rhumerie martiniquaise, à Saint-Germain-des-Prés. Il ne comprenait pas toujours tous les propos abscons des trois individus. De temps en temps, l'un d'entre eux le prenait à témoin. Steiger était d'autant plus impressionné par les interlocuteurs de la table voisine qu'il s'agissait de Marthe Robert, Antonin Artaud et Arthur Adamov. En 1954, alors qu'il avait décidé de monter «La cruche cassée», de Heinrich von Kleist, adaptée par Adamov, le jeune metteur en scène a contacté l'auteur qui l'avait tant subjugué quelques années plus tôt. Depuis cette date, les deux hommes ont régulièrement travaillé ensemble, Steiger a vécu dans le sillage d'Adamov jusqu'à la mort de ce dernier. En 1983, il le considère toujours plus comme un auteur... d'avenir : « Planchon et moi sommes convaincus que dans la fameuse troïka Ionesco-Beckett-Adamov, née du théâtre d'avant-garde, Adamov est celui qui restera pour avoir su raconter son temps dans toute la complexité de notre temps. Il n'est ni un réducteur de têtes comme Ionesco et n'a pas l'abstrait trop schématique de Beckett. »

Après Paris, André Steiger a participé à bien des réalisations effectuées dans le cadre de la décentralisation française. Outre les nombreuses mises en scène qu'il a signées, il a marqué de son empreinte les cours d'art dramatique de Nancy et Strasbourg. Ne compte-t-il pas parmi ses élèves des noms comme Robert Gironès, Jean Jourdheuil, Jean-Paul Wenzel ou Michel Deutsch ?

En 1970, Richard Vachoux et Charles Apothéloz l'ont contacté pour qu'il revienne travailler en Suisse. De retour aux sources, il y est resté et a donné une nouvelle impulsion à la vie théâtrale romande. Parmi les nombreuses réalisations importantes, dont il est à l'origine depuis 1970, André Steiger a pris une part considérable dans la naissance du T'Act. Le T'Act a réuni plusieurs bons comédiens dans un système original de coopérative de production.

Marcel Maréchal a dit que pour être un bon metteur en scène, il faut être ou avoir été acteur. Au mois de mars 1981, beaucoup de gens qui n'avaient jamais eu la possibilité de jauger la qualité d'interprétation du metteur en scène André Steiger ont eu une surprise agréable. Son inénarrable « train fantôme » restera gravé dans la mémoire de quelques spectateurs privilégiés.

« Assis sur une cuvette de water-closet, André Steiger ôte son chapeau melon et répète : « Je fais le mouvement dada ! » Ce tableau pas banal est l'un des morceaux qui composent l'étonnante « anthologie surréaliste et néanmoins affective » qu'il a montée, à La Passerelle, avec la collaboration de Roland Deville et d'un groupe d'élèves des Beaux-Arts.

» En quarantes minutes, Steiger invite vingt spectateurs à prendre son original train fantôme. Sous sa conduite, les passagers accomplissent un voyage initiatique amusant qui est aussi une succession de surprises subtiles. Au hasard des fins de couloirs sombres ils rencontrent Tzara, Aragon, Breton, Eluard, Soupault, Péret, Crevel, Cravan ou Rigaut. Leur pérégrination les emmène dans une cabine téléphonique, sur une place jonchée de sable et de chaussures, dans une pièce où l'on projette des diapositives ou dans une salle de banquet. Ils traversent des rouleaux servant à nettoyer les voitures ou passent à travers une oreille géante. Ils sont à l'écoute et sont lavés du carcan du raisonnement et de la logique.

» A chaque escale, Steiger, étrange et drôle « Monsieur Loyal », les sensibilise au texte d'un nouveau poète. D'un coup de couteau, il déchire une paroi pour découvrir un nouvel univers où les spectateurs s'aperçoivent dans des miroirs. La tête du guide prend place dans l'ouverture destinée au visage d'un personnage dessiné contre un mur, elle apparaît aussi sur une longue table encombrée de restes d'agapes.

» Enfermé subitement dans une chambre éclairée, Steiger est observé par ses invités qui ne peuvent le voir qu'à travers des petits trous pour les yeux. Alors que des gros ballons multicolores tapotent leurs têtes, les voyageurs retrouvent leur « maître de cérémonie » devant un morceau de mannequin intitulé « véritable femme-tronc ». « Il y a, n'en doutons pas, un abîme sexuel entre les braves gens et moi ! », dit-il. Une lampe d'alarme se met à clignoter, l'hôte évacue ses accompagnateurs par la sortie de secours et leur crie : « Ne tirez pas sur le pianiste, j'ai fait ce que j'ai pu ! »

» Dans ce spectacle qui déborde d'invention plaisante et d'humour, on retrouve le caractère dérisoire des « spectacles-provocations » de Tzara. Les pouvoirs de l'imagination et du rêve chers à Breton sont de la fête. La nature grinçante de Péret n'est point absente. Il s'agit de se laisser aller au plaisir de la découverte d'un spectacle bien conçu et habilement présenté. Même ceux qui ont essayé de comprendre pourquoi Rigaut n'aimait que les femmes à Rolls et pourquoi il s'est tiré un coup de revolver dans le cœur après avoir fait longuement sa toilette, ou pourquoi on n'a plus jamais revu Cravan après qu'il eut pris une barque et ramé au large du golfe de Mexico, abandonneront sans peine leur esprit de logicien. » (1)

(1)« 24 Heures », 20 mars 1981.

IV

Robert Hossein : « *Chez moi, tout passe par le cœur !* »

Avec le Théâtre Populaire de Reims, Robert Hossein a fait plusieurs fois escale à Genève où ses spectacles ont recueilli un vif succès. Ghislaine Dewing, son attachée de presse à la fois sympathique et compétente, m'a avoué un jour : « Vous habitez un pays merveilleux où il fait bon vivre. Chaque fois que nous y sommes allés, nous avon gardé un excellent souvenir de notre passage. Nous souhaiterions d'ailleurs pouvoir nous y installer pour travailler. »

Robert Hossein aime donc beaucoup la Suisse. Mais ce n'est pas pour cette raison que ce créateur génial est l'un de ceux qui m'a le plus enthousiasmé. Sa personnalité si attachante, sa générosité naturelle, son imagination débordante, son idéalisme humaniste, sa façon de vivre ses passions, ainsi que son talent de comédien et de metteur en scène, ont de quoi emballer n'importe qui, même le plus blasé des êtres. Le tracé peu ordinaire de sa carrière prend aussi une grande importance dans l'intérêt que revêt son profil d'homme de théâtre et dans l'attachement que suscite l'homme tout court.

Né le 30 décembre 1927, Robert Hossein ignore où, comment et à quelle heure il est venu au monde, s'il était désiré ou non... Dans son livre, « La sentinelle aveugle » (éditions Grasset), il évoque ses jeunes années avec un brin d'humour : « Il a fallu se faire une raison tout de suite : mes parents me cédaient — malgré eux — dès mon enfance, la responsabilité d'agir à mon gré, l'entière liberté d'assumer mes actes. » Son père persan et sa mère russe s'étaient rencontrés à Berlin dans les années vingt. Son père, beau et cultivé, avait abandonné ses études de médecine pour se consacrer à la musique. Sa mère, également très belle et délicate, avait travaillé dans le monde du théâtre et du cinéma en Allemagne. L'atmosphère dans laquelle il a vécu sa jeunesse l'a sans doute prédestiné à s'orienter vers un métier artistique.

Après une enfance errante, bouleversée par la guerre, Robert Hossein choisit donc à quinze ans de se consacrer à l'art dramatique. Débarqué à Saint-Germain-des-Prés, il découvre une clairière où « ses douleurs accumulées pendant la drôle de guerre se diluent parmi les foyers intellectuels que la Libération suscite. » Il atterrit alors sur « une planète où Sartre, Camus, Genet, Vailland et les autres, attisent des éruptions volcaniques, des frondes philosophiques. » Il commence à fréquenter les cours d'art dramatique : l'école du Vieux-Colombier, Escande, René Simon. « Vivant d'expédients, j'errais. Dormant chez les uns, dînant chez les autres. Répétant quelquefois des scènes avec des filles. », se souvient-il. Jean Genet l'engage ensuite pour qu'il interprète l'un des rôles de sa pièce, « Haute surveillance ». Grâce à Jean-Paul Sartre et à ses interprètes, il reprend le rôle de Garcin dans « Huis clos ». Sa carrière de comédien est lancée.

Un jour, le directeur du Théâtre du Vieux-Colombier décide de programmer « Les voyous », une pièce que Robert Hossein avait écrite durant un séjour dans l'Orléanais. Il y joue le rôle principal. Plus tard, il remplace Daniel Gélin dans « La neige était sale », une pièce de Frédéric Dard, tirée du roman de Simenon et mise en scène par Raymond Rouleau. Il monte ensuite « L'homme traqué » de Carco, dans une adaptation de Dard. C'est ainsi que Robert Hossein fait la connaissance de l'auteur de San-Antonio. Avec « Du plomb pour ces demoiselles », une autre pièce de Frédéric Dard, il poursuit sa carrière au Grand-Guignol. Aventure éphémère qui scelle son amitié avec le célèbre romancier et qui le conduit sur les plateaux de cinéma.

Michel Auclair l'engage dans « Quai des blondes », puis dans « Série noire », film dans lequel il doit insulter Eric Von Stroheim. Robert Hossein tourne sous la direction de grands réalisateurs tels que Jules Dassin, Roger Vadim, Gérard Oury, Christian-Jaque, Julien Duvivier, André Hunebelle, Bernard Borderie ou Sergio Leone. Il joue aux côtés de Brigitte Bardot dans « Le repos du guerrier » et avec Michèle Mercier dans la célèbre série des « Angélique ». A partir de 1955, Robert Hossein se lance dans la réalisation de films. Il en signe treize dont « Les salauds vont en enfer », « Toi, le venin » (les deux interprétés par Marina Vlady qui a été sa femme), « La mort d'un tueur »,

« Le vampire de Düsseldorf », « J'ai tué Raspoutine » ou « Point de chute ».

En 1971, prisonnier d'un personnage cinématographique et lassé de sa vie de vedette de l'écran, Hossein quitte Paris pour s'exiler à Reims. Pendant huit ans, il mobilise toute son énergie dans son entreprise de théâtre populaire. L'expérience est couronnée de succès. Il considère alors que son aventure rémoise lui a apporté un enrichissement spirituel considérable. Dans « Nomade sans tribu », son deuxième livre (éditions Fayard), il affirme : « Pour moi, cette année-là, après dix ans de vie facile et creuse, ce fut Reims. Je suis allé instinctivement au-devant de ma vraie vocation, qui est de rencontrer le public, le plus grand possible. Et de lui offrir des spectacles que je réalise avec tout mon cœur, toute ma sensibilité. »

De retour à Paris, Robert Hossein continue d'incarner la renaissance du véritable théâtre populaire français. Au Palais des Sports, il monte plusieurs spectacles grandioses, magnifiques, d'authentiques fresques vivantes. Il réalise aussi son quatorzième film, « Les misérables », avec Lino Ventura, Jean Carmet et Michel Bouquet dans les rôles principaux. Le succès est à chaque fois au rendez-vous.

Passionné par ce nomade sans tribu, j'ai voulu faire sa connaissance. Emerson disait « qu'il faut créer l'événement ». M'entretenir avec Hossein devait être pour moi un événement qu'il fallait créer. Le 27 décembre 1982, il m'accorde un rendez-vous au Théâtre Mogador. En cette fin d'année, il met en scène Yolande Folliot, Roger Hanin, Paul Guers, Gabriel Cattand, Jean Topart, Michel Beaune, Robert Dalban et quelques autres dans « Un grand avocat », de l'Américain Henry Denker.

En cette fin du mois de décembre, où les rues de Paris sont abondamment décorées pour les fêtes de Noël et de Nouvel-An, le Théâtre Mogador, situé non loin des Galeries Lafayette, va bientôt connaître sa réouverture. Fondé en 1919, le bâtiment possède un passé prestigieux. Il a vu défiler bon nombre de spectacles mélodramatiques à grandes mises en scène, de films grandioses lorsqu'il a fait place au cinématographe, et surtout un vaste répertoire d'opérettes qui en a fait sa gloire, particulièrement à l'époque où Henri Varna en a assuré la direction. Le Théâtre Mogador a aussi connu les grandes heures d'une revue intitulée « Ça c'est Parisien » et animée par l'inoubliable Mistinguett.

Nouveau directeur du théâtre, Fernand Lumbroso le rajeunit et le rénove. Il donne ensuite la possibilité à la Compagnie Robert Hossein de poursuivre son expérience commencée à Reims.

La réouverture s'effectue le 8 janvier 1983 avec « Un grand avocat ».

A l'issue de l'une des dernières répétitions du « Grand avocat », Robert Hossein me reçoit. Blouson de cuir, lunettes noires, voix un peu rocailleuse, il a cet aspect de gentil voyou qui fait une partie de son charme. « Installons-nous à la table de régie, me lance-t-il. » La table en question se trouve face à la scène, au milieu de la salle, entre deux rangées de fauteuils. Le théâtre sent la peinture fraîche, tout est neuf ! Je constate que les murs et le plafond ont été volontairement assombris. Les plantureuses femmes nues, qui ornent le haut du cadre de scène et qui devaient probablement être dorées ou d'un rose délavé, ont hérité d'une peau grisâtre. Constatant ma stupéfaction, Robert Hossein me dit sur un ton goguenard : « On se croirait dans un tombeau égyptien... ». Redevenant sérieux, il ajoute : « L'ambiance des spectacles que nous montons exigeait que nous donnions à la totalité du théâtre un caractère plus approprié ! » Au moment où nous commençons à bavarder, le bruit assourdissant d'une perceuse nous interrompt. Hossein s'adresse alors aux ouvriers en train de s'activer au fond de la salle : « Eh ! les gars ! Vous en avez pour longtemps ? » La réponse affirmative de l'un d'eux nous fait déménager. « Il faut bien qu'ils travaillent, me dit Robert Hossein, comme pour les excuser. » Nous nous rendons dans le hall destiné à accueillir le public, le metteur en scène me désigne une marche d'un escalier : « Asseyons-nous ici, nous serons tranquilles ! » Installés côte à côte, comme deux complices de longue date, nous entamons alors un dialogue où la confiance réciproque s'instaure immédiatement. Cet entretien chaleureux m'a marqué ! Robert Hossein m'a paru être un homme très profond, intelligent, pur. Il m'a séduit par son authenticité, par sa quête de communication et par sa recherche d'anoblissement du commun des mortels. En réussissant à le rencontrer, j'ai effectivement créé un événement dans ma vie. Je ne pense pas que notre rencontre ait été un événement pour la sienne, mais je ne dois pas me tromper ni être présomptueux en affirmant que notre contact fraternel ne l'a pas laissé indifférent. Il ne s'agissait pas d'une banale interview...

— Dans « Nomade sans tribu », vous écrivez qu'il faut se battre contre la laideur sous toutes ses formes, contre le mal, contre l'injustice. Vous menez ce combat idéaliste par le choix des thèmes de vos spectacles. Or le fait que vos spectacles recueillent un énorme succès ou qu'un film comme « Les misérables » attire aussi un public pléthorique ne vous donne-t-il pas un sérieux espoir sur l'avenir de l'humanité ?

« Non ! Pour avoir vraiment de l'espoir, il faudrait que j'apprenne demain que l'on a trouvé un remède contre le cancer, que l'on a découvert un moyen efficace pour supprimer la famine dans le monde, que quelque chose est fait afin d'améliorer les conditions de la vie de l'homme ou pour sauvegarder sa dignité. Je suis pris d'une flambée d'espérance lorsqu'un groupe d'hommes, tel qu'Amnesty ou autre, prend la décision de se battre contre la famine, les exactions, la solitude ou les humiliations que subissent d'autres hommes. Bien que je ne sois pas d'un naturel pessimiste, mon espoir retombe hélas ! au bout d'un moment, lorsque je vois la réalité. Les problèmes de l'humanité, qu'il faut résoudre, me font songer à une voiture que l'on essaie de faire démarrer à la manivelle. Pour nous détruire ou pour humilier l'homme, on a déjà trouvé le moyen de faire tourner le moteur à plein temps. Or pour tout ce qui pourrait embellir ou aider l'être humain, on en est resté aux démarrages laborieux et au fonctionnement sporadique. Pourtant, c'est là qu'il faudrait que le moteur tourne, tourne sans jamais s'arrêter... J'admire tous ces gens qui se battent pour améliorer les conditions de l'homme sur tous les plans, je leur rends hommage. Malheureusement, ce sont souvent des espérances soudaines, des passions violentes qui retombent un peu comme un feu d'artifice. Il y a tellement à faire, on aurait besoin de tellement de bonne volonté pour déclencher les réactions en chaîne capables d'embellir et de sauver l'homme, que la tâche paraît insurmontable. Hélas ! à l'heure actuelle, nous courons à notre perte à une vitesse effrénée. Nous vivons quelque chose de désespéré. A propos de tout cela, « Un grand avocat », la pièce que je monte maintenant, est éloquente. C'est un véritable document qui se situe durant une période de l'histoire du monde extrêmement dure. On y parle de la liberté de la presse, de la diffamation, de la dignité de l'homme, etc. Il s'agit d'une pièce importante, parce que l'on évoque tous ces combats. A la fin de l'année 1983, je vais monter « L'Evangile ». Ce projet revêt aussi une grande importance, parce que l'on va parler de la condition humaine. Malgré le caractère considérable du contenu de ces spectacles, je n'ai pas la prétention de dire qu'ils vont changer le cours des événements. Pour cela, il faudrait qu'il y ait absolument un réveil général, une prise de conscience universelle, il serait primordial que l'homme retourne à ses sources. C'est-à-dire à partir de la nature, à partir de lui-même ! Il serait salvateur qu'il comprenne enfin qu'il est

57

de passage et qu'il n'existe qu'en fonction des autres. Au-delà de tout système, de tout parti, l'homme ne devrait agir qu'en fonction du respect et de l'amour de l'homme. Même par simple instinct de conservation, il faudrait qu'il commence par prendre soin de l'autre. C'est seulement lorsque ce processus aura débuté que j'aurai enfin un petit espoir sur l'avenir de l'humanité. »

— Vos spectacles déclenchent un authentique mouvement de foule. Or tous ces gens sont sensibles à l'importance des thèmes que vous choisissez et à votre façon de les traiter. Ne pensez-vous pas que l'exemple de ce nombre élevé de personnes puisse faire naître un espoir pour qu'une telle démarche soit universalisée ?

« Non, car ma démarche ne fait déjà pas l'unanimité dans un noyau déterminé. Savez-vous que je suis très critiqué par la plupart des intellectuels, parce que, selon eux, tout doit passer par la réflexion et l'analyse. Or chez moi, tout passe par le cœur ! Il y a des êtres extrêmement cultivés et intelligents qui n'adhèrent pas à cette idée. Leur attitude engendre un scepticisme, un doute perpétuel, qui fait que l'on remet toujours tout en question. En réalité, si l'on doit remettre quelque chose en question, cela doit être soi-même. Sans arrêt ! Et puis il faut essayer d'être évident quelque part ou efficace ; on ne peut pas faire que de la théorie toute la journée. Le fait que le public populaire suive de façon aussi enthousiaste nos expériences me console. Il existe donc des gens qui aiment beaucoup ce que je fais, d'autres qui le détestent ou qui ne sont absolument pas d'accord avec ma démarche. L'avis de ces derniers me laisse complètement indifférent. »

— Si, selon certains, tout doit passer par la réflexion et l'analyse, citons l'exemple de Steven Spielberg qui a réussi à toucher des millions de personnes avec...

« (Interrompant la phrase). Je pense que vous voulez parler d'E.T. ? Ben voilà !!! Il y a des esprits chagrins qui ont dit que ce film n'était pas nécessaire ou qu'il était complètement débile. J'ai trouvé cette histoire admirable. Un journaliste m'a demandé quel était l'événement qui m'a le plus frappé en 1982 ? J'ai répondu que les événements tristes étaient faciles à citer, mais que les événements heureux étaient plus rares à trouver. Or j'estime qu'E.T. fait partie de ces événements heureux. »

— On doit reconnaître qu'avec E.T., tout passe effectivement par le cœur et que ce film a provoqué un réel mouvement humaniste !

« Oui, oui, c'est un film généreux, une grande bonté émane de ce thème. D'ailleurs je pense que « Notre Dame de Paris », « Les misérables », « Danton et Robespierre », « Potemkine », c'est-à-dire les spectacles que nous avons montés, ont eu aussi un énorme succès parce qu'il était toujours question de la condition humaine. Les gens sont heureusement sensibilisés par ce thème et par tous les sujets qui touchent leur cœur. »

— Avant que l'on ne vous nomme à la tête du Théâtre Populaire de Reims, vous meniez une existence relativement confortable de vedette de cinéma à Paris. Vous avez subitement bouleversé vos habitudes pour vivre cette fameuse expérience rémoise que vous avez considérée comme une renaissance. En lisant « La Sentinelle aveugle », on sent que ces huit années passées à Reims ont été très importantes pour vous. Ont-elles été à l'origine de votre prise de conscience qui consiste à dire que notre tâche d'humain est d'essayer de gagner en lucidité et de tenter de comprendre ce pourquoi nous sommes sur cette terre ?

« Oui, il s'agit de notre finalité, en fait ! Je pense que nous ne sommes pas simplement un accident... Si c'était par hasard, cela serait vraiment consternant ! Si j'apprenais subitement que nous sommes là de façon incidente, je prendrais tout de suite une tomate et un concombre, je me roulerais sous un arbre, et j'attendrais que ça passe... Mais je suis persuadé que c'est tout de même plus troublant que cela, hein ? Ce n'est pas si simple. Ça leur donnerait tellement bonne conscience... Non, les gars, ce n'est pas si élémentaire ! Il va falloir un peu voir plus loin, il va peut-être y avoir quelque chose après... Et même s'il n'y avait rien, je vous le répète, il faut vivre selon soi-même et en fonction des autres. A un âge donné, comme par exemple au mien, il faut vaguement ressembler à ce qu'on dit, sinon cela devient emmerdant. On ne peut pas tricher toute la vie, il n'est pas possible de raconter toujours des salades. Les années que j'ai passées à Reims ont été déterminantes pour ma prise de conscience. Mon séjour rémois a été une étape importante dans mon existence. Mais, depuis, j'ai eu le temps de mettre les choses en question. A Reims, j'ai eu une position ; aujourd'hui, elle est encore différente. Je veux dire par là qu'il faut tout le temps avancer en évoluant. Je crois qu'il faut toujours se remettre en question, afin d'essayer d'avoir le sentiment d'évoluer et de déboucher sur quelque chose. »

— Le théâtre et le cinéma sont-ils, d'après-vous, parmi les plus efficaces moyens de communication dans le sens fraternel que vous entendez ?

« Le cinéma, c'est sûr ! Le théâtre est un grand moyen de communication lorsqu'il s'agit de spectacles aussi importants que ceux que nous montons. En effet, quand on arrive à réunir 600.000 spectateurs en cent jours, dans une salle de 5.000 places, vous reconnaîtrez que cela représente beaucoup de monde. Dans ce cas, ce sont de grands rassemblements autour de quelque chose qui anoblit l'homme. C'est très sain ! Cela dit, je n'ai pas la prétention de délivrer un message ou de m'assigner une mission. »

— Les jeunes, en général, ont été très sensibilisés par « Les misérables » à travers votre réalisation. Que vous inspire cet engouement de la jeunesse ?

« Oui, les jeunes ont bien réagi. Cela m'a fait plaisir, d'autant plus qu'on m'a assez emmerdé en me rabâchant que j'étais le trente-quatrième à réaliser « Les misérables » au cinéma. J'ai répondu : « Mais qu'est-ce que vous voulez que ça me foute ? Moi je ne l'avais jamais fait ! » A part cela, je pense que ma version est totalement inspirée du fond de l'œuvre littéraire, qu'elle est fidèle à Victor Hugo sur le fond, mais libre complètement sur la forme. C'est sans doute la raison pour laquelle mon récit touche beaucoup plus de jeunes. »

— Tout en montrant la misère sans l'édulcorer, votre version des « Misérables » paraît moins sombre que d'autres précédentes versions. On sort du film ému par son contenu et sa forme mais pas déprimé. On dirait que vous n'avez pas voulu éteindre la petite lueur d'espoir qu'il y a chez l'humaniste que vous êtes, à l'instar d'Hugo. Etait-ce bien votre intention ?

« Hugo avait une passion prodigieuse pour les hommes. Il gardait toujours une espérance et les avertissait. Le résultat de ses espoirs et de ses avertissements n'est malheureusement pas tellement heureux. Sur notre planète, tout le monde hurle et souffre, il y a des exactions partout, on continue à humilier les femmes et les enfants, etc. Si nous poursuivons notre trajectoire à ce régime-là, je pense que le monde est condamné. Nous sommes condamnés ! Pour les non-croyants, ça n'a peut-être pas d'importance puisqu'ils envisagent qu'il n'y a plus rien après... De toute façon, que l'on soit croyant ou non, le problème reste difficile. Je crois que nous pouvons aussi bâtir notre ciel sur la terre ; si on n'y arrive pas, tant pis ! D'autre part, nous sommes de passage et l'univers existe depuis des milliards d'années. Je pense qu'après nous il y aura une autre mutation, il surgira autre chose. L'homme est perfectible, on s'en est aperçu puisqu'on est passé par tous les stades. Cela laisse espérer que nous évoluerons, cela peut signifier que la dégradation actuelle n'a pas d'importance si l'on tient compte du concept que représente l'éternité. Dans l'immédiat, je trouve que cette détériora-

tion est dommage pour vos enfants et les miens. C'est dommage, parce qu'il y a certains couchers de soleil qui sont beaux,
ainsi que certaines odeurs de la mer et d'autres choses qui sont
merveilleuses. J'éprouve une grande nostalgie à l'idée que les
hommes n'auront pas su s'assumer. Ils ont pourtant un côté
plein de contradictions qui est extrêmement bouleversant. Il
faudrait qu'ils évitent de se remettre à dire : « Ah ! Ce n'est pas
de notre faute si on est là... » Une fois qu'on est là, il faut s'organiser les gars ! Je ne vois pas d'autre solution que de s'organiser en fonction du cœur et de la conscience. Je ne dois certainement pas être le seul à l'avoir dit. Gandhi, Einstein, etc., ont
dû aussi opter pour cette solution. Il faut se débrouiller avec ce
qu'on a ! Or on a déjà pas mal et on s'est fourvoyé. On le payera
très très cher. Je ne veux pas jouer les prophètes, les oiseaux
de mauvais augure, mais je pense que le processus de désinté-
gration a commencé. On est en plein dedans ! Même si mon film
trahit une éventuelle petite lueur d'espoir chez moi, cela ne change pas mon opinion au sujet de l'avenir de cette fin du XXe
siècle. C'est dommage, cela aurait pu être tellement formidable...
Et pourtant, je dis tout cela en n'étant pas pessimiste... Victor
Hugo aussi gardait l'espoir. Or depuis qu'il n'est plus là, la situation du monde a encore empiré... »
— Croyez-vous vraiment que ce processus soit irréversible ou,
comme c'est souvent le cas dans l'histoire de l'humanité, il
pourrait y avoir, au dernier moment, une prise de conscience
collective ?
« Cette fois, j'ai l'impression que c'est définitivement cuit ! A
plus ou moins brève échéance, sous une forme ou une autre.
Dans la forme la plus optimiste, ce sera d'une manière, dans la
forme la plus pessimiste, cela surgira d'une autre façon. L'homme a toujours eu envie d'être l'esclave de quelque chose ou de
quelqu'un. Enfin ! Cela ne tourne pas rond... Et pourtant, il y
a en l'homme les choses les plus belles, les plus rares, les plus
admirables. On l'a vu, il se révèle exceptionnel toujours dans
les moments les plus dramatiques de son existence. Pourquoi
ne se montrerait-il pas exceptionnel dans le quotidien de sa
vie ? Pour cela, il faudrait peut-être bouffer un peu moins, travailler un peu plus, être plus honnête et réfléchir un peu aux
autres. C'est dur ! Je vous énumère un tas de principes que j'ai
moi-même de la difficulté à mettre constamment en pratique.
C'est difficile, mais quand même !!! Il faut que l'homme sache
qu'il y va de son existence. Sinon, au moment de la bombe ato-
mique, que nous restera-t-il à faire ? On va prier... (désespérément ironique) ».

— A propos de Jean Valjean et de Lino Ventura, c'est la première fois que cet acteur est aussi touchant dans un film. Il semble avoir été plus loin que jamais dans son interprétation. Comment a-t-il abordé ce rôle ?

« Oui, c'est vrai ! Il est formidable dans ce personnage. Je n'ai pas le sentiment qu'il ait vraiment joué le rôle. Ce qui émane de son interprétation est tellement réel, vrai, que je crois que Lino a été simplement lui-même. Il est le personnage de Jean Valjean à l'intérieur de lui. Il n'est pas du tout tombé dans le mélo ou le paroxysme, il est resté simple. Je suis heureux que beaucoup de gens aient pu apprécier cette interprétation de Lino Ventura. J'ai appris récemment qu'il y avait trois millions et des poussières de spectateurs qui l'ont vu en France, en l'espace de huit semaines. Par mon ami Dard, je sais que le film a aussi bien marché en Suisse. »

— Puisque vous évoquez Frédéric Dard, savez-vous qu'il a réussi à réunir plus de trois millions de francs suisses pour venir à le rescousse des enfants du tiers monde ?

« Cela ne m'étonne pas de lui ! C'est un type exceptionnel, admirable. Je le vois pas mal ces derniers temps pour travailler avec lui. Mon prochain film sera tiré de l'un de ses romans qui est encore inédit. J'adore travailler avec lui, le rencontrer, etc. C'est un être que j'admire beaucoup et que j'aime passionnément. Notre amitié date de tellement longtemps, que je suis partial. Pour moi, il est sacré ! Je ne lui trouve aucun défaut, je le considère comme un grand homme. »

— Quand on lit « La sentinelle aveugle », on sent que, dès votre enfance, vous avez un don d'observation aigu et une facilité à relater les atmosphères. Cette facilité, on la retrouve dans « Les misérables » où vous avez construit méticuleusement une succession d'atmosphères. Comment avez-vous reconstitué ces ambiances ?

« Je parviens à m'adapter par un instinct assez mystérieux. Pour monter « Un grand avocat », j'ai fabriqué l'Amérique. Quand j'ai mis en scène les « Bas-fonds », « Crime et châtiment », j'ai fabriqué un autre pays. Sans savoir pourquoi, j'arrive très rapidement, par des odeurs, des bruits ou des souvenirs, à me plonger complètement dans l'atmosphère d'un endroit où je ne suis même jamais allé. C'est une espèce de vision des choses, une vision d'images, que je ressens très fortement. Quand je monterai « L'Evangile », je sais déjà que je ressentirai les climats de la même façon. »

— Comme Borodine, Tchaïkovski ou Moussorgski, dans leur musique, vous imprégnez vos mises en scène d'une envergure qui semble être propre aux créateurs russes. Pensez-vous que ce style de mise en scène soit dû à vos origines, à l'influence des messes russes de votre enfance, aux sentiments de profondeur que vous inspireraient ces écrivains russes que vous citez souvent ?

« Vous avez parfaitement raison. De par mes origines je subis une influence slave. Slave, absolument ! »

— Durant le tournage des « Misérables», la collaboration d'Alain Decaux vous a certainement été très utile ?

« Et comment ! Alain Decaux est un historien fabuleux. Grâce à ses immenses connaissances, j'ai pu respecter tout à fait le cadre historique. Il a été le complément indispensable de l'instinct dont je vous parlais précédemment. »

— Toujours dans « La sentinelle aveugle », vous dites que Rolf Liebermann vous a proposé de monter un opéra. Vous expliquez les raisons pour lesquelles vous avez refusé. Avez-vous changé d'avis aujourd'hui ? Ne pensez-vous pas que la musique et l'opéra soient aussi un puissant moyen de sensibiliser un public à un thème qui pourrait vous être cher ?

« C'est juste, Liebermann me l'a proposé une fois, Bernard Lefort me l'a ensuite demandé à deux reprises. A chaque fois, j'ai refusé et toujours pour les mêmes raisons. Il est vrai que l'opéra est un moyen extraordinaire pour sensibiliser un public à un thème précis. Je pourrai éventuellement accepter un jour de monter un opéra, à condition qu'on m'en donne les moyens et le temps. Cela n'a jamais été le cas jusqu'ici. Ce n'est absolument pas possible en France. Pour réunir les meilleures conditions, il faut faire comme Patrice Chéreau, c'est-à-dire monter la Tétralogie à Bayreuth. Pour effectuer un travail valable, j'ai besoin de répéter avec les gens. Ici, on répète dans les couloirs, cela ne m'intéresse pas du tout. »

— Dans un chapitre intitulé « gloire aux femmes » (Nomade sans tribu), vous dites que les femmes nous font quand même espérer en l'avenir. Pensez-vous consacrer un futur film ou futur spectacle aux femmes ?

« Oui, j'aimerais bien ! J'ai d'ailleurs une très belle pièce sur les femmes que je souhaiterais monter un jour. J'aime beaucoup les femmes, j'ai une grande admiration pour elles. Je le répète : gloire aux femmes qui permettent que nous soyons encore vivants ! »

— A Reims, vous aviez créé une école de théâtre considérée comme une école de la vie. Cette démarche était importante pour l'esprit dans lequel vous concevez vos spectacles et en fonction du but de l'existence. N'avez-vous pas envie de re-commencer ?

« Cela a failli être le cas ! Dans le cadre d'un théâtre et de co-productions, nous avons envisagé d'ouvrir une école interna-tionale de comédiens chez vous, à Genève. Si le projet avait pu aboutir, cela aurait été extraordinaire. Vous aurez pu le cons-tater, dans mon école, nous n'avons fait ni des stars ni des chômeurs. Nous avons essayé de former des gens qui appren-nent le métier à fond et qui soient capables. J'ai eu beaucoup d'élèves. Je tiens à vous dire que parmi eux, il y avait mademoi-selle Isabelle Huppert et mademoiselle Isabelle Adjani. En ou-tre, j'ai joué un grand rôle dans la vie professionnelle de ma-dame Anémone. Il y a eu aussi pas mal de garçons qui, aujour-d'hui, font beaucoup de choses au théâtre et au cinéma. Au hasard, je cite Jacques Weber, Francis Huster ou Jacques Vil-leret. Ce sont les jeunes qui forment la relève. Tout ce joli monde est sorti de chez moi, de Reims... Un centre international comme Genève aurait été idéal. C'est un lieu où l'on aurait pu jouer des spectacles en coproduction avec plusieurs pays. Il se-rait devenu une espèce de centre européen de la culture fran-cophone. Suisses, Belges, Luxembourgeois et Français auraient pu procéder à des échanges fructueux. En même temps, ce cen-tre aurait pu être coordonné avec des troupes différentes et ac-compagné d'une importante promotion de toute l'entreprise. Hélas ! je ne sais pas si quelqu'un a réellement l'ambition de faire cela. Je crois que tout le monde s'en fout un peu, car il faut des moyens pour réaliser un tel projet. Cela aurait pour-tant pu déboucher sur un résultat étonnant. Cela d'autant plus que mon école n'est pas banale. Je ne veux pas d'un endroit où, après être venu travailler, on rentre chez maman et papa. J'en-visage une école où les gens vivent ensemble, une espèce d'uni-versité du théâtre où l'on apprend l'anglais, le chant, la danse, où l'on pratique l'escrime, le sport et de multiples disciplines. Une ville comme Genève aurait été idéale pour recevoir un tel centre. Mon ami Frédéric Dard est d'accord avec moi... »

— Où en est votre carrière de comédien ?

« Je joue peu. De temps en temps au théâtre. Pour la première fois depuis dix ans, je jouerai dans le prochain film que je réa-liserai. »

— N'est-ce pas difficile d'effectuer une mise en scène et de jouer en même temps ?

« Au théâtre, je l'ai fait pendant que j'étais à Reims. Cela s'est très bien passé. C'est loin d'être insurmontable. »

— Dans « Nomade sans tribu », vous consacrez un chapitre aux animaux que vous aimez en général beaucoup. Vous concluez que l'homme est un animal qui vous passionne encore. Vous-même, vous établissez une comparaison entre le loup et vous. Quand vous effectuez une mise en scène, demandez-vous parfois à des comédiens d'approcher leur rôle en entrant dans la peau d'un animal qui ressemble au personnage, comme le préconisent certains théoriciens du théâtre ?

« D'abord, le loup est un symbole pour moi. C'est un animal que j'aime passionnément. J'ignore pourquoi ? Il m'attire instinctivement. L'image solitaire du loup a hanté mes rêves d'enfance. Et puis il est l'emblème de Reims. On prétend aussi que j'ai le regard chasseur et traqué du loup. Il y a donc beaucoup de choses qui me rapprochent de cet animal fascinant. Quant à la méthode de mise en scène que vous évoquez, je vous avoue que je n'ai jamais fait cela... C'est une démarche très intéressante, sûrement passionnante. Je vais y réfléchir. Pourquoi effectivement ne pas aborder un rôle sous cet angle ? Cela pourrait m'arriver d'utiliser ce procédé. »

— Où et quand allez-vous monter « L'Evangile » ?

« Au Palais des Sports, à la rentrée de septembre 1983. Le spectacle s'intitulera « Un homme nommé Jésus ». Que ce soit pour un croyant ou un non-croyant, il s'agit de l'histoire d'un homme nommé Jésus. Je raconterai l'Evangile comme on narre un fait. »

— Vous vous êtes récemment converti au catholicisme...

« (Interrompant la question.) Non, ce n'est pas tout à fait la même chose ! Je n'avais jamais été baptisé. C'est une décision qui est venue spontanément. A ma naissance, je n'ai pas été baptisé parce que mes parents avaient certainement autre chose à faire. Ils étaient trop jeunes, ils se baladaient dans le monde entier. Bien qu'ils croyaient chacun à leur façon, ils ne pratiquaient pas. En outre, durant toute ma jeunesse, j'ai été élevé loin d'eux. J'ai fréquenté différents collèges : orthodoxes, catholiques, protestants ; j'ai donc connu plusieurs religions. Un jour, j'ai opté pour la religion catholique, qui est celle que je connaissais le mieux. J'étais déjà très croyant, le baptême n'a donc été qu'une formalité. J'ai été baptisé en même temps que mon fils qui avait six mois. Cela s'est passé il y a sept ans. Les témoins ont été Frédéric Dard et l'un de mes camarades comédiens. Si je monte « Un homme nommé Jésus », ce n'est pas parce que j'ai choisi telle ou telle religion. Je le fais parce que le fils de Dieu, l'homme qu'il a été, me bouleverse complètement. Je veux raconter sa vie comme d'autres ont narré la vie de Grandhi ou de Pasteur. Cela dit, je reste très croyant. Pour les connaître un peu, je pense que toutes les religions contiennent des choses admirables. De temps en temps, je donne la messe... C'est-à-dire que je lis l'Evangile. Je l'ai fait il y a peu de temps, à Saint-Roch, ainsi qu'à l'occasion du Vendredi Saint. On doit me prendre pour un dingo, mais peu importe ! C'est ce que je disais du Christ. J'y crois tellement qu'il finira bien par exister... »

— Considérez-vous ce désir de monter « L'Evangile» comme un signe, un appel occulte ?

« (Il sourit.) Ça je ne sais pas, mais je trouve assez étonnante la constatation suivante : cela fait vingt ans que je désirais monter « L'Evangile ». Or au moment où je prends la décision de le faire, j'apprends subitement que le pape déclare que 1983 est... l'année sainte. Juste l'année où le projet se réalise... Surprenant, non ? »

L'entretien se termine sur cette note à la fois humoristique et effectivement un peu troublante. Plusieurs jeunes comédiens arrivent, ils saluent le metteur en scène. J'ai le visage empourpré par l'émotion, par un sentiment de bonheur suscité par un contact vraiment fraternel. Il y a des gens dont les qualités humaines sont telles qu'on a parfois envie d'avoir le privilège de travailler à leurs côtés. De par son humanisme aigu, Robert Hossein possède une force d'adhésion quasiment irrésistible. Sans entamer aucune procédure d'embrigadement, il pousse naturellement son vis-à-vis à ressentir le désir de s'engager avec lui. De s'engager dans un combat sans doute utopique mais ô combien beau : la recherche de la perfectibilité de l'homme ou le travail sur les moyens d'attirer son attention sur la perfectibilité. Ma route a croisé celle d'Hossein. De façon fugitive mais la rencontre tant souhaitée par moi a eu lieu. Au moment de nous quitter, je suis conscient d'avoir vécu cet événement provoqué par ma volonté. Le caractère événementiel de l'entretien est dû aussi à la valeur des propos de Robert Hossein, à la qualité de l'échange. C'est avec nostalgie que je le vois s'éloigner au milieu de ses camarades. Comme guidé instinctivement par le sentiment que j'éprouvais à cet instant précis, il se tourne une dernière fois vers moi, lève une main amicale et me lance un « salut » chaleureux. « Si tu veux voir le spectacle, fais-moi signe ! », ajoute-t-il. Ce tutoiement ne me surprend même pas. Après un dialogue empreint de confiance et d'estime il surgit comme une ultime preuve de complicité entre deux êtres que le destin a réunis pendant une demi-heure ; deux êtres qui se sont compris.

Allez ! Salut, Robert ! Poursuis ton but avec cette même foi ! Continue à faire autant d'émules, à faire naître autant de vocations parmi les artistes et les spectateurs. Laisse jaser les quelques sceptiques que ton œuvre rassemble, ils ne se rendent pas compte...

Lors de cet entretien, il a été question de théâtre, mais aussi et surtout de l'être humain. Il n'y a là rien d'étonnant ! Le théâtre est souvent l'histoire de la vie, il est également un miroir du monde. Il aborde les phénomènes et les problèmes existentiels, vecteurs de bien des situations mouvantes. Il évoque les grandes options de l'homme, il parle de sa petitesse ou de sa grandeur, il fait office de révélateur, de témoignage culturel. Le théâtre n'apporte pas de solution et n'a pas la prétention de le faire. Cependant, il représente un élément culturel qui contribue à ouvrir l'esprit, à sensibiliser l'homme à la quintessence de l'existence : sa survie personnelle qui engendre logiquement celle de son vis-à-vis. La culture et l'une de ses ramifications — le théâtre — est l'un des nombreux moyens pour y parvenir. La musique adoucit les mœurs, le théâtre divertit mais peut faire réfléchir...

Chaque metteur en scène possède en principe un centre d'intérêt plus ou moins important, qui constitue un stimulant essentiel pour son évolution de créateur. Ce centre d'intérêt peut varier ou même changer de cap selon l'évolution du créateur ou selon la nature évolutive du point névralgique cible. « Pour nous, gens de théâtre, le choix d'une œuvre correspond souvent à une trajectoire que nous tentons de suivre dans un travail de création et correspond à un moment de notre propre histoire », m'expliquait Martine Paschoud, directrice du Théâtre de Poche de Genève depuis 1984. Le talent additionné à l'acuité de la trajectoire choisie, puis cet amalgame éventuellement agrémenté d'une expérience personnelle, composent le plus riche bagage d'un metteur en scène. Cet alliage idéal donne souvent les meilleurs spectacles.

Robert Hossein a choisi de monter la pièce « Un grand avocat » parce qu'il y a reconnu la sincérité humaniste des grands textes. Henry Denker, un romancier doublé d'un juriste qui travailla pendant des années au barreau de l'Etat de New York, a tiré sa pièce d'une affaire célèbre aux Etats-Unis. Une grande partie du dialogue n'est d'ailleurs que la retranscription d'un procès authentique. C'est Pol Quentin, l'adaptateur, qui a d'abord attiré l'attention de Roger Hanin sur la qualité de l'œuvre. Puis, ce dernier en a parlé un jour à Hossein. Quelques années plus tard, le metteur en scène s'est souvenu du « Grand avocat », il a jugé opportun de le monter pour la réouverture de Mogador, en réunissant plusieurs excellents comédiens, amis de longue date.

La trame du « Grand avocat » se déroule à la fin de l'époque marquée par l'action du sénateur Mac Carthy. Elle met en présence deux journalistes, deux anciens amis.

L'un, Quentin Reynolds, avait été correspondant de guerre, il avait assuré sa notoriété par ses reportages en direct des toits de Londres pendant les bombardements allemands, puis des tranchées russes lors de l'avancée de l'armée allemande.

L'autre, Westbrook Pegler, était un éditorialiste devenu célèbre par la virulence de ses articles. Il avait acquis la réputation de ne pas hésiter à se lancer dans des accusations d'inquisiteur. Pegler stigmatisait même souvent la politique du Président Roosevelt.

Un jour, Pegler s'attaque à Reynolds. La vie privée et l'action de correspondant de guerre de Reynolds sont malmenées par le redoutable Pegler. Le climat de suspicion fomenté par les partisans de Mac Carthy n'arrange pas la situation, les articles de Reynolds sont systématiquement refusés.

Diffamé, condamné à l'inactivité professionnelle par le résultat d'accusations fallacieuses et calomnieuses, Quentin Reynolds prend alors la décision d'intenter un procès à Westbrook Pegler. Il va trouver Louis Nizer, un avocat de grande envergure. Ce dernier hésite à s'attaquer au puissant groupe de presse qui soutient Pegler. Il finit par accepter.

A la suite d'un procès difficile, dont le dénouement incertain réclamait de l'intelligence et une grande habileté dans la plaidoierie, Reynolds obtient enfin gain de cause.

On comprend pourquoi ce thème qui traite de la dignité de l'homme a séduit Hossein. « Je crois que si ce monde en état critique doit être sauvé, dit Denker, c'est aux modérés qu'il le devra. Méfions-nous des accusateurs et surtout de tous ceux qui veulent contrôler la liberté d'expression sous prétexte qu'elle est subversive — La liberté n'est jamais subversive — Sa suppression l'est toujours — Surtout celle qui sert de la diffamation. » Toute l'importance du contenu thématique est résumée par cette réflexion de l'auteur.

Dans sa mise en scène, où toutes les motivations des protagonistes sont savamment pesées, Robert Hossein rend toute la densité de l'atmosphère de tension due à la gravité de la situation. L'âpreté du combat mené simultanément par l'avocat Nizer et le machiavélique journaliste accusateur va crescendo en maintenant un suspense qui sert à défendre efficacement la cause chère au metteur en scène. Pour rappeler l'ambiance de l'époque et aussi son contexte politique, Hossein meuble les fins de séquences par des projections de diapositives et des commentaires d'actualités. Par une interprétation très réaliste, les comédiens tiennent le public en haleine jusqu'au dénouement espéré. Roger Hanin cadre parfaitement l'envergure du grand avocat devenu Robert Sloane dans la pièce. Transformé en Boyd Bendix, Pegler est servi par un Jean Topart dont l'interprétation magistrale confine au grand art. Son personnage calculateur, antipathique et d'une grande finesse, aboutit à une composition qui transpire la vérité. Chaque comédien est bien à sa place, chaque acteur apporte sa contribution à l'élaboration progressive de cette pyramide dont le sommet doit révéler le verdict souhaité par une salle à bout de souffle.

Une pièce riche en enseignements et bien structurée, un spectacle intense, servi par une mise en scène vivante, par des comédiens rompus aux exigences des rôles solides, et par des décors remarquablement intégrés dans le contexte général. Pour le début du spectacle, le décorateur François de Lamothe a construit une étude d'avocats confortable sur fond de gratte-ciel aux fenêtres éclairées la nuit. Ces grands bâtiments, qui s'élèvent dans l'obscurité de l'horizon, contribuent à créer un climat de tension ascendant, ils rappellent également la dimension des actions de tout genre entreprises dans le pays où se déroule le scénario.

V

François Simon : « La vocation de l'acteur est d'être creux, disponible et habitable. »

Jacques Dufilho disait : « Quand vous écoutez un partenaire, il vous sert la soupe ! » Il précisait : « C'est celui qui vous parle qui motive votre manière de lui répondre. » Etre bien à l'écoute de l'autre est l'un des principes fondamentaux de l'art de bien interpréter au théâtre, d'être à l'aise dans un rôle.

J'ai pu observer cette règle de près en donnant la réplique à un comédien de grand talent : François Simon. Je jouais un rôle qui n'était pas déterminant pour le déroulement de la pièce. C'est pourquoi je pouvais me permettre de m'aventurer dans quelque expérience sans compromettre l'équilibre de la mise en scène. Un changement de caractère de mon modeste personnage ne risquait pas de nuire à la compréhension du spectateur, à condition que cette modification intervienne dans les limites du raisonnable, et qu'elle ne soit pas trop évidente. Si, au cours des représentations, le comédien prend la liberté d'apporter soudainement de trop fortes variations à un personnage comme Othello, ses partenaires pourraient être décontenancés, le rythme du spectacle, trouvé au fil des répétitions, se verrait perturbé. En outre, face à un rôle du gabarit d'Othello, un metteur en scène dirige l'acteur dans une optique précise. Cela conduit le comédien à voir son personnage coulé dans le bronze à la générale, si ce n'est avant. Des détails peuvent être trouvés ou améliorés lors des représentations, mais les grandes lignes doivent rester immuables. Cette règle est valable pour tous les personnages d'une pièce. Par curiosité, je me permettais une dérogation bénigne.

C'est à la suite d'une confidence de l'une des comédiennes du spectacle que j'ai eu l'occasion d'expérimenter pour la première fois le rôle de l'écoute au théâtre. Elle m'avait dit : « Michel (c'est par ce prénom que tout le monde appelait Simon !) m'a avoué que ton personnage lui faisait peur tous les soirs... » Je n'en revenais pas ! Tous les soirs, je lui balançais quelques répliques sans conséquence, je m'étais amusé à composer un bonhomme un peu agressif, un ouvrier fâché d'être dérangé par un emmerdeur, ou une apparition issue des ténèbres — Simon m'avait laissé la bride sur le cou — et il réagissait au quart de tour à ma façon de m'adresser à lui ! J'étais à la fois flatté de l'attention qu'il portait à mes propos dérisoires, j'étais aussi admiratif en constatant avec quelle sensibilité il répondait au contact. Evidemment, pour n'importe quel acteur ou pour n'importe quel être qui réfléchit un peu sur les mécanismes de la communication, la réaction de Simon paraît normale, logique. C'est ce que je m'étais dit en me penchant plus sérieusement sur le phénomène. Les dernières bribes de stupéfaction estompées, j'étais quand même heureux d'être un comédien débutant capable d'entrer dans le jeu stimulant des comédiens expérimentés et de provoquer à bon escient leurs réflexes.

Du personnage sombre initial, j'étais passé à un individu plus ouvert, affable. Le pseudo-messager de l'Apocalypse, que je m'amusais à imaginer, devenait subitement un archange annonciateur de l'Age d'or. Ces motivations intimes n'avaient rien à voir avec le contexte de la pièce, mais dans l'abstrait du contenu, le résultat de ces justifications antinomiques me paraissait intéressant. Il contribuait à accentuer le caractère mystérieux de ma courte intervention. Dans une pièce onirique, où le profil et le rôle de certaines silhouettes sont volontairement mal définis par l'auteur, les motivations les plus audacieuses aboutissent parfois à une réalisation originale.

Le soir où je composais un personnage aimable et éthéré, François Simon changeait aussitôt radicalement sa façon de me répondre. Il perdait sa méfiance, son approche prudente, ses stigmates d'angoisse. Il s'imprégnait de courtoisie, il se sentait rasséréné. C'était le calme avant la tempête, l'embellie qui rendait la scène dramatique suivante peut-être encore plus poignante.

Après les représentations, François Simon m'observait avec un sourire complice. Amusé par mes essais et sans doute convaincu de leur apport bénéfique dans mon apprentissage, il se gardait bien d'intervenir.

Evoquer François Simon n'est pas difficile tant sa personnalité était riche. En novembre 1971, il met en scène « Le fou et la nonne », de Witkiewicz ; je suis son assistant. Au cours de plusieurs mois de travail à ses côtés, j'ai tout le loisir d'apprendre à mieux connaître certaines facettes du fils doué de Michel Simon pour qui le public romand avait les yeux de Chimène.

François Simon aimait beaucoup l'essence particulière des pièces de Witkiewicz. Dramaturge romancier, polémiste, philosophe et peintre, Stanislaw Ignacy Witkiewicz est considéré par certains comme « le plus grand phénomène artistique polonais de la première moitié du XXe siècle. » (voir tome I du théâtre complet de Witkiewicz, éditions La Cité). Dans ses théories, dans ses romans ou son théâtre, Witkiewicz avait toujours pensé que la civilisation européenne s'avançait vers l'anéantissement et que le détonateur de ce processus de destruction entière serait le nivellement social. Le 17 septembre 1939, l'armée soviétique envahit la Pologne par l'est. Witkiewicz estima que le processus redouté était engagé. Pour lui, cette invasion signifia que l'Individu était désormais condamné à être remplacé par l'homme réduit à l'état de robot. Sans espoir pour l'avenir, il se suicida.

« Le fou et la nonne », la pièce choisie par Simon, est peut-être l'une des meilleures du répertoire du dramaturge polonais. Son héros est Mieczyslas Walpurg, un poète que l'on enferme dans un cabanon d'une maison d'aliénés. Sœur Anne, dont la mission est d'essayer d'apaiser Walpurg, devient sa maîtresse. Satire de la psychanalyse, la pièce laisse aussi apparaître une sorte d'essai prémonitoire de l'auteur : dans une société bientôt mécanisée, la poésie passera pour un signe précurseur d'une maladie mentale. Cet univers d'une grande richesse dramatique inspirait grandement la fibre créatrice de François Simon.

Après plusieurs semaines consacrées aux répétitions, je constate que Simon fait énormément confiance à son instinct. Certes, il a beaucoup analysé l'esprit de la pièce, mais sa sensibilité de comédien et son imagination fertile de metteur en scène supplantent le travail purement analytique. Tout en dirigeant fermement ses acteurs, Simon se met en scène lui-même dans le rôle de Walpurg. Sa façon de jouer, sa justesse dans les intentions, suffisent souvent à indiquer aux partenaires le chemin à prendre. Une réplique bien envoyée peut suppléer avantageusement une explication.

Dans ses directives, Simon fait preuve d'une grande fermeté aussi bien avec les jeunes qu'avec les comédiens chevronnés. Je m'aperçois qu'il n'y a pas de hiérarchie, pas de complaisance,

73

chacun est logé à la même enseigne. Il ajoute simplement de la galanterie lorsqu'il s'adresse aux actrices. Il a choisi ses interprètes pour leurs qualités, il tient à tirer le maximum de tous. Cela débouche parfois sur des crises terribles, des colères inoubliables. Ecorché vif et irascible, Simon s'emporte à la moindre contrariété. Dans ces moments d'explosion, chacun reste coi en attendant que l'orage passe. Même si certaines colères semblent injustifiées, les témoins préfèrent s'abstenir de répliquer. Mieux vaut ne pas l'irriter encore plus, le silence est le meilleur moyen de calmer sa fureur passagère. Le silence et... l'initiative de rectifier le tir immédiatement en tenant compte de ses indications ! A force de travailler sous ses ordres, je me rends vite compte quelles sont les causes qui l'incitent à s'emporter. Il réagit vigoureusement contre les consciences professionnelles pas suffisamment affirmées, contre l'absence de conviction dans l'action d'entreprendre ou contre les défaillances de la discipline dans le jeu.

Il ne supportait pas l'à-peu-près. Si un jeune amant ne faisait pas preuve d'assez de générosité dans sa flamme amoureuse, Simon bouillonnait, conseillait, harcelait jusqu'à ce que l'amour trop tempéré du comédien se libère totalement pour éclater sur scène. Si les blocages résistaient à ce traitement de choc, il arrivait que le metteur en scène prenne la place de l'acteur en difficulté pour lui jouer la plus pathétique scène d'un jeune Roméo de cinquante ans. Une leçon d'interprétation tellement forte qu'elle n'était pas forcément la méthode la plus efficace pour aider le comédien empêtré dans ses problèmes de pudeur ou d'impossibilité de trouver des motivations profondes. Si le jeune acteur butait trop longtemps sur ses propres écueils, Simon entrait alors dans l'un de ses accès colériques redoutés. A force de volonté, de persuasion, de harcèlement et de coups de gueule terribles, il finissait par obtenir le résultat escompté. Lorsqu'il l'avait enfin acquis comme un chasseur têtu, il ne lâchait plus sa proie aux aguets. A la moindre déliquescence du tonus, le comédien se voyait repris en main, le soir après le spectacle. Le plus petit relâchement exposait son auteur à un réajustement plus ou moins sévère.

François Simon jugulait aussi vertement les outrances ou les embryons d'excès dans le jeu. S'il constatait qu'un comédien avait tendance à forcer son tempérament, il le reprenait inlassablement jusqu'à ce qu'il efface ses tics ou ses trucs. Il lui arrivait d'être tellement incisif dans ses remarques, que l'acteur concerné s'empressait de se débarrasser de ses petites tentatives de cabotinage volontaires ou non, afin d'éviter d'être un point de mire ridicule. Si le naturel revenait au galop, Simon tançait aussitôt le coupable. Alors pourquoi choisissait-il parfois un comédien enclin au jeu un tantinet chargé ? Parce qu'il connaissait et devinait les qualités pures, sous-jacentes ou non, de tel ou tel acteur. C'étaient ces vertus-là qui l'intéressaient, qu'il s'efforçait d'extraire par un travail fait de patience, d'énervement et d'investigation profonde. Il encourageait l'émulation chez tout le monde. Les comédiens falots acquéraient de la présence, les cabots se mettaient en exergue par leur sobriété, les doués donnaient le meilleur d'eux-mêmes.

Dans « Le fou et la nonne », le travail d'assistant n'est pas de tout repos. L'expression « se former sur le tas » prend ici toute sa signification. Il faut préparer le théâtre avant les répétitions, c'est-à-dire éclairer la scène, placer les accessoires et les éléments de décor aux endroits adéquats selon les actes travaillés. Il faut également suivre le texte, souffler en cas de défaillance de la mémoire, corriger les erreurs dans les répliques ou dans les déplacements. Il faut encore jouer son propre rôle et remplacer tous les comédiens absents. Le travail consiste enfin à observer scrupuleusement les scènes, à être attentif à l'évolution du spectacle, à faire la synthèse des observations importantes pour en faire part au metteur en scène.

La tâche me plaît. Comme les autres, je me fais parfois réprimander par François Simon. Ces colères ne sont évidemment pas les moments que je préfère dans mon travail.

Un jour, alors affairé à la table d'accessoires située derrière la scène, j'entends un braillement terrible de Simon : « Althaus ! Où es-tu ? Espèce de con, viens ici tout de suite, j'ai besoin de toi... » Excédé par les accès de despotisme du metteur en scène, je ne parviens soudainement plus à les excuser. La fierté et le plaisir de travailler avec un maître ne suffisent subitement plus à lénifier mon envie de réagir avec vigueur. Je me précipite en ruminant vers les fauteuils de la salle où il a pris place. Voyant mon rictus déterminé, Valérie Quincy, la comédienne française qui incarne la mère supérieure, m'arrête.

— Qu'as-tu ?, me demande-t-elle inquiète.

— J'en ai assez de ses sautes d'humeur, je vais lui avouer ce que je pense de son attitude !, lui dis-je.

— Mais ne t'en fais pas, rétorque-t-elle ! S'il réagit comme ça, c'est parce qu'il t'apprécie beaucoup... Tu n'as pas encore compris ? Dès que tu n'es plus à ses côtés, il se sent perdu. Je suis persuadée que ta présence le rassure. Il a besoin de toi, tu es un appui important pour lui, son facteur apaisant...

Son raisonnement plutôt flatteur n'était pas dénué de bon

sens. Je savais, je sentais que Simon m'aimait bien. C'est la raison pour laquelle je ne comprenais pas ses réactions. Or j'avais pour habitude de faire confiance à l'intuition féminine. Et puis François Simon était aussi le confident de ces dames, il leur disait également baucoup de choses, Valérie devait peut-être savoir... De plus, son explication me permettait de mieux saisir la personnalité un peu déconcertante du metteur en scène. Ses explosions volcaniques n'étaient sans doute pas étrangères à son affectivité.

Quelques jours après, à l'issue d'une répétition, je retrouve des amis dans un café proche du théâtre. Un quart d'heure plus tard, François Simon s'installe à une table voisine en compagnie du réalisateur Claude Goretta. Il m'aperçoit, me fait un signe amical, puis s'adresse à Goretta en me désignant : « Ce jeune comédien a du talent, je m'en porte garant ! Il faut absolument le prendre pour un prochain film... » Pendant que le cinéaste me scrute comme si j'étais un Australopithèque sorti fortuitement d'une toundra antédiluvienne, Simon me fait un clin d'œil malicieux ; il ajoute : « Tu n'oublieras pas mes dix pour cent ! » Ses recommandations n'étaient pas des propos de bistrot gratuits. Il m'est arrivé ensuite de pouvoir tourner un film et des bancs d'essais grâce à son coup de pouce.

Tel était François Simon ! Capable d'incendier ses collaborateurs, il les aidait de façon efficace et désintéressée dès qu'il le pouvait. Son altruisme et son action généreuse à mon égard corroboraient l'opinion de Valérie Quincy.

Bien qu'il connût son métier sur le bout des doigts, François Simon n'hésitait pas à demander conseil, à consulter ses collègues. Philippe Mentha et lui se témoignaient une grande estime réciproque. Simon aimait bien recueillir l'avis de Mentha sur ses mises en scène. J'ai même vu un jour le premier, complètement découragé, demander au second de poursuivre sa mise en scène : « J'en ai marre, je ne suis peut-être pas capable de le faire... Philippe, continue, je t'abandonne la mise en scène ! Avec toi, ça ira ! » Mentha n'a évidemment pas accepté cette proposition faite sur un coup de tête passager. Avec beaucoup de tact, il a persuadé Simon de reprendre son travail en le convaincant de l'existence bien réelle de ses qualités et des résultats positifs déjà obtenus. Ce revirement de François Simon n'était pas un caprice de diva ni une lacune dans sa panoplie de directeur d'acteurs. C'était une simple dépression due à une grosse contrariété ; une dépression qu'il a d'ailleurs rapidement maîtrisée pour repartir avec une énergie nouvelle. Cet épisode démontre que sa sensibilité de créateur le rendait vulnérable. Cependant, c'est à elle qu'il devait une grande part de son talent. Il démontre aussi qu'il n'appartient pas à cette famille de metteurs en scène égotistes que rien ne touche. C'est également par ses rares moments de doute, surmontés avec célérité, que Simon accentuait le côté attachant de son personnage. Dans ces moments, il savait aussi demander et écouter les avis de ses camarades, y compris des jeunes en qui il avait confiance.

Un soir alors que nous répétons le début de l'acte II « Fou et la nonne » dans une salle de paroisse, je vois François Simon préoccupé par un mouvement.

A la fin de l'acte précédent, Sœur Anne se donne au poète Walpurg. Le lendemain à l'aube, Walpurg se réveille en constatant que sa maîtresse a déjà quitté le lit de la cellule.

Simon cherche alors la motivation juste qui puisse lui déclencher la surprise due à l'évaporation de la religieuse bien-aimée. Il joue plusieurs réveils, recommence patiemment, en vain ! Aucun de ses résultats ne lui donne satisfaction, son expression trahit un sentiment d'impuissance. Avec un regard apitoyant de chien battu, il me fixe en silence. « Je n'y arrive pas, dit-il ! Althaus, essaye de m'aider... Qu'est-ce que tu ferais à ma place ? » C'était le moment de se montrer à la hauteur ! Le maître me demandait à moi, jeune comédien, assistant pour la première fois, mon opinion ! Cela faisait déjà un moment que j'avais senti un mouvement pour sa scène, mais que je n'osais pas lui suggérer de peur de passer pour un présomptueux. En tentant de masquer mon trac, je lui explique qu'il devrait d'abord s'étirer, puis palper délicatement la place où était censée dormir Sœur Anne. La sensation de l'espace vide devrait ensuite lui faire prendre conscience de l'absence de sa maîtresse, ce qui l'amènerait à redresser brusquement la tête, puis le buste. Il trouve l'idée bonne, il l'essaie aussitôt. Ça marche ! Son mouvement est très naturel, on y croit... J'étais évidemment fier d'avoir su le dépanner au bon moment.

Les jours suivants, il me demanda encore mon avis sur certains détails du même genre. Il adopta la plupart de mes propositions. Je ressentis un certain plaisir en le voyant les mettre en pratique, puis les améliorer au fil des semaines. Le fait de savoir être à l'écoute de tout et des autres lui permettait de garder l'esprit ouvert, de soigner encore plus la qualité naturelle de son jeu en butinant à l'extérieur. Le propre du bon créateur est de ne pas vivre en autarcie. Son attitude était une grande leçon pour tous. Du moins pour ceux qui savaient observer et... écouter.

VI

Molière : « *Tâchez donc de bien prendre, tous, le caractère de vos rôles, et de vous figurer que vous êtes ce que vous représentez.* »

Un spectacle dramatique fait penser à une traversée maritime. Chaque comédien est un membre de l'équipage, le metteur en scène est le capitaine. Chacun donne le meilleur de lui-même pour que le navire arrive à bon port. Il y a des traversées agréables, d'autres plus mouvementées. Quoi qu'il en soit, chaque voyage ménage son lot de surprises et une somme de difficultés qu'il faut surmonter.

Un spectacle est aussi un microcosme éphémère. Il s'agit d'une ruche bourdonnante qui fusionne momentanément plusieurs tempéraments différents pour les amener à atteindre le même objectif. Ce sont les personnalités des protagonistes, mais surtout le sujet de la pièce et la façon dont le metteur en scène l'empoigne qui donnent la couleur, l'atmosphère du microcosme. Cet univers artificiel, dont le destin est de paraître souvent naturel, vit au rythme imprimé par les réactions affectives de chacun, par les réflexions et l'enthousiasme de tous. Cependant, c'est la plupart du temps le charisme, le talent et le savoir-faire du metteur en scène qui sont à l'origine d'une empreinte artistique, d'une ambiance, d'une réussite. On l'a vu précédemment, les démarches différentes d'un Philippe Mentha, d'un André Steiger ou d'un François Simon, leur manière de réagir ou leur façon de diriger, inculquent une âme à leur spectacle.

Il se peut aussi qu'un metteur en scène évalue mal ses possibilités par rapport à un thème, qu'il manque d'autorité et de psychologie et qu'il perde imperceptiblement le contrôle de son bâtiment. Dans ce cas, il dérive et rate son escale. Il risque aussi de s'échouer... Heureusement, les naufrages sont rares !

Au fil des répétitions, les comédiens sentent rapidement s'ils ont pris place dans un bon spectacle. Les premières représentation leur confirmeront leurs impressions, leurs appréhensions ou leurs espoirs. Un spectacle qui marche suscite l'émulation collective, il provoque un sentiment de joie profonde. Un spectacle raté ou à demi-réussi engendre soit la sensation de traverser un tunnel interminable, soit une morosité contagieuse.

En décembre 1975 et janvier 1976, j'ai la chance de jouer dans un « spectacle qui marche », dans l'une de ces entreprises réussies qui donnent un pouvoir euphorisant au métier de comédien.

Tout a commencé quelques mois plus tôt. Recommandé par le comédien André Faure à Leyla Aubert, je suis invité à me rendre au domicile de la doyenne du Conservatoire de Genève. Comédienne aux qualités reconnues dans la cité de Calvin, Leyla Aubert monte le « spectacle de ses rêves » : « Les femmes savantes », de Molière. Elle désire me rencontrer pour m'auditionner. Je souhaite alors correspondre à l'idée qu'elle se fait du personnage qu'elle compte éventuellement me donner à interpréter. Je me réjouis déjà de pouvoir peut-être travailler avec elle. D'abord parce qu'elle a la réputation d'être une femme intelligente qui connaît parfaitement son métier, ensuite parce qu'on prétend qu'elle sait toujours parfaitement bien déterminer ses buts. En outre, les résultats positifs de son action au Conservatoire d'art dramatique sont de notoriété publique ; les jeunes issus de cette institution repartent avec un bagage professionnel appréciable. Pour toutes ces bonnes raisons, j'ai envie d'être dirigé par elle.

Le premier contact est très courtois. Elle me sent un peu intimidé, elle me met tout de suite à l'aise. Elle m'offre à boire, me prie de m'installer par terre, sur les confortables coussins de son salon. A la bonne franquette ! Pendant qu'elle va et vient, je l'observe discrètement. C'est une belle femme dont la maturité ne laisse pas un jeune homme indifférent. Son regard est pénétrant, sa voix grave et bien posée. Sa prestance naturelle impose le respect. De temps en temps, ses magnifiques siamois débordent d'affection ou recherchent les caresses en se frottant lascivement à moi. Leur présence ne me surprend guère. Leur esthétisme animal entre parfaitement en osmose avec l'image de cette femme racée.

Leyla s'assied à côté de moi, elle me donne une brochure. Après m'avoir dit qu'elle pensait me confier le rôle d'Ariste, elle m'explique clairement sa démarche. « Pour voir si nous sommes d'accord, s'empresse-t-elle de préciser ! » Si son optique était appelée à me séduire, elle me ferait lire des passages de la pièce, des répliques d'Ariste, afin de se rendre compte si j'étais l'homme de la situation.

En résumé, sa réalisation consistait simplement à voir et entendre ce spectacle qui lui était cher. Pour elle, la mise en scène était l'irruption de la poésie et de la fantaisie dans un monde — théâtral et monde tout court — où l'on voudrait qu'il y en ait plus. Leyla Aubert pensait aussi que la vertu de l'œuvre de Molière est qu'elle puisse changer de forme, de nuance et de sensibilité. C'est ce « remuement » même qu'elle considérait comme la marque du génie de l'auteur des « Femmes savantes ». Leyla avait aussi beaucoup d'affection pour ces dernières. Son parti pris en faveur de leur « soif de connaissances » légitime devait d'ailleurs apparaître en filigrane. Plus tard à propos de Molière et de cette pièce, elle écrira quelque part : « Je ne lui permettrais pas de dire du mal de moi : puisque je suis femme et que j'ai tellement envie d'être savante. »

Sa façon d'aborder la pièce m'intéresse, je suis prêt à envisager le travail dans cette optique. Après deux heures de lecture et de discussions sur le spectacle, j'ai réussi l'examen d'entrée. Leyla Aubert me convie à accepter le rôle. Bien entendu, je ne me fais pas prier. A l'issue de cette première entrevue, je suis emballé. Son intelligence, cette façon douce qu'elle a de mettre le comédien en confiance, ses idées, m'ont convaincu. Au début de notre rencontre, elle m'avait dit : « Il paraît que vous avez un tempérament gai ? » En me dévisageant, elle avait ajouté : « A voir les petits plis à chaque côté de vos yeux, on devine que vous aimez rire... J'ai besoin de cela pour Ariste ! » Dans la pièce, Ariste est le complice des amoureux Clitandre et Henriette. Il va manigancer pour les aider à réaliser leurs desseins. Leyla souhaiterait qu'Ariste soit un personnage un peu facétieux, plein de tendresse pour sa sœur Bélise, qu'il soit aussi très ami avec le jeune Clitandre et bon copain avec son frère Chrysale dont il secoue la mollesse. Ariste tend un piège à Trissotin, le faux philosophe, le coureur de dot sans scrupule qui a dupé Philaminte, l'épouse de Chrysale. Ariste agit pour faire entendre raison à tout le monde, il met de l'ordre dans la maison en douceur. Leyla le veut amusant, sympathique et un peu maladroit dans ses mouvements. La famille qu'elle met en scène vit au rythme de ses dissensions, mais ces discordes sont atténuées par l'affection que se témoignent ostensiblement ou non chacun des membres.

Le premier succès de Leyla Aubert est d'avoir su restituer une ambiance familiale avec les douze acteurs qu'elle dirige. Chacun évolue très vite comme si l'autre était réellement sa femme, son frère, sa sœur, sa belle-sœur ou sa fille. Sans débordement d'analyses, avec beaucoup de patience, avec un calme toujours égal, ainsi qu'avec des indications claires et jamais contradictoires, Leyla instaure une atmosphère chaude, propice au découpage de portraits moliéresques truculents qu'elle entame. Son sens de la psychologie, l'amour de son métier, sa foi dans son spectacle, et sa merveilleuse manière d'entourer le comédien d'une sphère de confiance, portent rapidement leurs fruits. Si un comédien bute sur la musicalité des alexandrins, elle le rassure aussitôt, puis l'aide en les lui ingurgitant à la cuillère : « Ne te décourage pas, nous mettrons le temps qu'il faudra, mais nous y arriverons ! » Et chacun y parvenait ! Ce climat de sérénité d'amitié, renforcé par la compétence du metteur en scène, donnent de l'assurance aux comédiens. Chacun travaille en toute quiétude et a l'impression d'avancer rapidement en direction d'un point précis. L'attitude de Leyla, sa gentillesse, l'impulsion donnée par elle, contribuent à créer et maintenir l'entente qui règne. Il y a bien quelques petites crises inévitables, mais rien qui puisse compromettre cette harmonie.

Pour accueillir cette famille, Leyla Aubert a demandé à Frédéric Robert, un jeune issu des Beaux-Arts, de lui construire un immense grenier encombré de meubles, statues, malles et autres objets hétérogènes. Ainsi, elle évitait le conventionnel salon bourgeois du XVIIe siècle tant utilisé, peu original. Ce grenier est le lieu de rendez-vous des amants, la cachette pour la paresse de Chrysale, le laboratoire destiné aux expériences et études des « femmes savantes ». Les cornues prennent ici toute leur importance symbolique. Ce décor est magnifique, terriblement réaliste, rempli de recoins sympathiques, de poutres imposantes, de trappes d'escaliers. On a envie de l'habiter, on s'y sent bien. Plus tard le public de La Comédie de Genève l'applaudira à chaque lever de rideau.

Une bonne direction d'acteurs, une ambiance chaleureuse, un décor et des costumes qui font plaisir, tout est là pour augmenter la joie de répéter. Ce sont les symptômes caractéristiques d'un spectacle voué à marcher, destiné au succès.

Comme mes camarades, je suis heureux d'être embarqué dans ce spectacle qui a le vent en poupe. Je m'entends bien avec Leyla, elle m'aide à surmonter mes gaucheries naturelles en adaptant mes déplacements à cette inhabileté ou en l'exploitant carrément. Claire Dominique joue le rôle de Bélise, ma sœur. J'apprécie depuis pas mal de temps les vertus de cette comédienne attachante, elle aime mon abattage, notre communication s'effectue dans des conditions idéales. Notre rapport frère-sœur s'établit sans difficulté, dans l'esprit souhaité par Leyla.

Mon frère est interprété par Fernand Berset. Un comédien suisse qui poursuit une belle carrière à Paris. L'un de ses rôles à succès a été celui d'un inspecteur de police un peu balourd dans un célèbre feuilleton produit par la télévision française. Guy Tréjan était son chef. Enfant, j'avais beaucoup ri en suivant les tribulations de cet inspecteur. Sans ambages, je le lui dis à notre première rencontre. Il semble flatté. Petit à petit, nous nous entendons comme larrons en foire, comme... deux frères unis. Fernand m'amuse. En plus, il a un métier consommé, j'essaie d'en tirer profit. Leyla nous transforme en deux frangins un tantinet Dupont-Dupond sur les bords. Grandes perruques, grosses moustaches, victimes de gags désopilants, Chrysale et son petit frère Ariste provoquent l'hilarité par leurs mésaventures et leur comportement. De temps en temps, ils ôtent leurs perruques pour se chercher des poux. Le réalisme est poussé jusque-là ! Leyla Aubert soigne les détails d'une véritable reconstitution historique d'une vie familiale au XVIIᵉ siècle.

Le metteur en scène estime que ces bourgeois contemporains de Louis XIV devaient posséder des animaux. Elle décide alors de laisser errer l'un de ses chats — pas l'un des siamois, un autre ! — dans le grenier de la maison de Chrysale. Un petit chien est également embrigadé pour jouer les figurants. Le metteur en scène envisage même la présence d'un rat dans un endroit destiné à entreposer un ou plusieurs paniers de légumes...

Quelques jours plus tard, Uranie fait ses débuts sur les planches d'un théâtre ! Il s'agit d'une splendide rate blanche dénichée et baptisée par Leyla Aubert. Leyla décide de la faire apparaître sur une poutre située côté jardin. Uranie doit sortir d'une minuscule cage en bois pour aller grignoter quelques légumes déposés plus loin, puis il est prévu qu'elle disparaisse dans la coulisse. Pour éviter qu'elle ne prenne la poudre d'escampette en semant la panique dans le public, elle est retenue au moyen d'un fil de nylon par une personne cachée derrière le décor. Lors des dernières répétitions, le scénario se déroule comme prévu. Uranie est très douée pour la comédie. De son côté, Fernand Berset observe la rate avec beaucoup de suspicion. A la scène IX de l'acte II, Fernand et moi dialoguons en mangeant des carottes. A l'une des ultimes répétitions, il aperçoit Uranie en train de s'approcher du panier contenant les carottes. « Ah ! Non ! me dit-il. Je ne veux pas que cette bestiole vienne farfouiller dans les légumes qu'on doit bouffer ! Ça traîne partout, ces sales bêtes ; c'est bourré de saloperies... » Il demandera à Leyla de tenir Uranie à bonne distance de notre pique-nique.

Privée de carottes, la rate prend sa revanche le jour de la première, en se mettant involontairement en vedette ! Apeurée par la présence massive du public, elle modifie subitement les plans savamment établis par le metteur en scène. Au lieu de sortir de sa petite cellule pour grignoter des légumes, puis de filer en coulisse, Uranie amoncèle les navets, poireaux et patates autour de sa cage afin de se protéger du regard des spectateurs. A l'issue de la représentation, Fernand Berset fulmine. L'œil mauvais, rivé sur son ennemie la rate, il ironise : « Quand je pense qu'on s'est cassé le c.. à jouer en finesse, à trouver des nuances subtiles... Tout ça pendant que ce sac à puces tirait la couverture en construisant Fort Chabrol ! »

Sans le vouloir, Uranie était devenue un sujet de discussion drôle ou de préoccupation bénigne pour les comédiens. Marie-Claude Joliat, l'Armande du spectacle, craignait ces mammifères rongeurs et objets de bien des légendes ou d'écrits. La présence d'Uranie finissait par la troubler. Même si la rate était retenue par les barreaux de sa cage ! « Il me semble que je viens de voir passer un rat, chuchote-t-elle un soir en traversant les coulisses. » Après un instant d'arrêt, elle se remet à marcher. Un sourire de coin remplace la grimace d'inquiétude qui assombrissait son visage. Elle a l'air de se moquer d'elle-même, de rire de son appréhension, de cette peur des rats qui lui faisait avoir la berlue.

Le spectacle de Leyla Aubert rencontre le succès pressenti par tous. L'originalité de la mise en scène est révélée par le public et la presse. On constate généralement que chaque personnage a acquis une dimension extrêmement intéressante. Intéressante parce que peu ordinaires et très vivantes sont les compositions.

J'aime personnellement beaucoup la composition effectuée par Erika Denzler, une comédienne dont la personnalité est grande. Une jeune femme étonnante, très douce, enjouée. Elle surprend toujours par la coupe peu conventionnelle et les couleurs flamboyantes des vêtements qui constituent sa garde-robe. Elle a même réussi à personnaliser sa loge, l'une de ces loges habituellement si anonymes. Par son goût des tissus légers, amples, transparents et colorés, elle l'a rendue intime et chaleureuse. Garni de voiles éclatants, le miroir destiné à faciliter le maquillage a pris un air de fête orientale. Il flotte dans l'atmosphère une odeur d'encens ou de cigarette indienne. Sur le coin de la table, la photo d'une sorte de gourou chevelu et barbu.

Dans le spectacle, Erika Denzler joue le rôle de Philaminte. De par la richesse, l'originalité de son caractère, elle est parvenue à dessiner une Philaminte qui sort des sentiers battus. Une épouse de Chrysale pas traditionnelle mais plausible et surtout profondément humaine. C'est-à-dire un personnage creusé pour échapper aux clichés réducteurs.

Isabelle Villars, la doyenne de la distribution, m'épate par son tempérament. Je la connais par mon grand-père. Elle jouait déjà du temps où il entama sa carrière de chef électricien à La Comédie de Genève. Elle semble affectée d'asthme, mais enlève une scène difficile avec une fougue admirable. Elle incarne Vadius, le bel esprit de salon, l'auteur gonflé de vanité, qui se querelle avec Trissotin. La scène commence sur le ton de la préciosité. Elle s'achève avec une virulence impressionnante. Isabelle Villars perd subitement son langage châtié pour se ruer dans un échange verbal où elle révèle un accent de titi faubourien camouflé jusque-là. L'épisode est irrésistible. A l'issue de la scène, je la retrouve au pied de l'escalier situé sous la trappe où elle doit descendre. Chaque soir, je l'aide en la débarrassant de son encombrant cartable rempli de papiers. Chaque soir, son état suscite mon admiration et mon inquiétude. Elle ruisselle de sueur, souffle fort et vite, elle est à deux doigts de la syncope. Dans son engueulade avec Trissotin, elle se donne à fond, elle frôle la crise d'apoplexie. Le métier de comédien ne souffre pas de demi-mesures. Pour convaincre le spectateur à chaque représentation, il faut jouer intensément. Que l'on soit malade ou accablé de soucis, qu'à cela ne tienne, le spectacle doit continuer.

Chaque soir amène une joie supplémentaire. Une fois, j'éprouve du plaisir à observer, depuis les coulisses, la pédanterie sublime que réussit à jouer André Faure, notre Trissotin de service. Lui habituellement si gentil, si simple, il parvient à composer un personnage d'une fatuité parfois insupportable.

Une autre fois, j'attends impatiemment la réplique de Martine, la servante de cuisine, interprétée par Laure Della-Santa, qui dit : « La poule ne doit point chanter devant le coq. » La grimace et l'accent rustique dont Laure se sert pour parler sont hilarants. Chaque fois qu'elle sort cette réplique, une partie du public masculin applaudit frénétiquement... Les « revendications » féministes que pourrait laisser entrevoir le comportement des femmes savantes ne sont pas du goût de certains spectateurs. Ils marchent, ils réagissent comme s'ils étaient au théâtre de Guignol. La mise en scène de Leyla ne laisse personne indifférent, chaque réplique, chaque scène, sont travaillées pour tenir le public en éveil, pour le distraire, pour le faire réfléchir sans qu'il s'en doute.

Il y a aussi une couleur clownesque dans le spectacle de Leyla Aubert. Elle a tenu à placer quelques gags bien amenés pour ajouter de la fantaisie. « A Hollywood, il y a des gagmen chargés de trouver des incidents comiques pour les films, nous avait-elle dit. Essayez de m'en inventer quelques-uns que nous puissions placer çà et là ! » C'est la raison pour laquelle il m'arrivait de tomber dans une malle en voulant m'asseoir sur le couvercle que je croyais fermé. C'est également pour cela que Fernand Berset recevait tous les soirs un gros panier sur la tête ; un panier dont la chute était provoquée par l'explosion du laboratoire de Philaminte. L'ambiance était follement gaie, notre joie de nous retrouver et de jouer était communicative pour le public.

Quand l'ambiance d'un spectacle est bonne, lorsque le succès couronne la qualité du travail, le comédien nage dans le bonheur. Dans ces moments privilégiés, il a tendance à oublier un peu les fins de mois difficiles, les problèmes inhérents à son métier. A propos de la situation aléatoire dans laquelle ont toujours vécu les acteurs, La Bruyère a écrit : « La condition des Comédiens était infâme chez les Romains et honorable chez les Grecs : qu'est-elle chez nous ? On pense d'eux comme les Romains, on vit avec eux comme les Grecs. » Malgré les progrès sociaux accomplis pour améliorer la situation précaire des acteurs, la considération de La Bruyère demeure encore souvent d'actualité au XXe siècle. Pour la grande majorité d'entre eux, les emplois sont trop sporadiques pour leur assurer un minimum de confort matériel. Parmi eux, certains ont carrément du mal à survivre. De plus, ils exercent une profession qui attise la méfiance dans une société fondée sur d'autres critères d'appréciation des valeurs. Certaines régies immobilières, par exemple, estiment que la fonction d'acteur n'est pas fiable ; elle n'offre donc pas assez de garantie pour l'octroi d'un appartement. Souvent philosophe, amoureux de la vie, de l'art et de la beauté, le comédien parvient à surmonter ce genre d'aléas. Il dispose d'un pouvoir spirituel réel qui lui fait envisager l'existence sur des bases élevées. Il aime passionnément son travail, il vit un acte d'amour avec son métier qu'il aborde aussi comme un sacerdoce. Ces facteurs stimulants lui permettent de maîtriser les basses réalités de la vie organisée par l'homme.

VII

Marthe Keller : « *Le don d'observation constitue la chose essentielle.* »

Le théâtre a souvent été à l'origine de la carrière de bon nombre de stars du cinéma. D'autres y sont arrivées après avoir déjà assuré leur notoriété sur le grand écran. Quoi qu'il en soit, le théâtre a toujours exercé une attraction puissante sur n'importe quel acteur.

A dix-sept ans, Isabelle Adjani fut la benjamine douée de La Comédie Française. Avant de devenir la vedette cinématographique révélée par « Histoire d'Adèle H », de François Truffaut, Isabelle Adjani fut au théâtre une inoubliable Agnès dans « L'école des femmes ». Après plusieurs années consacrées exclusivement au cinéma, elle effectua un retour à la scène en jouant « Mademoiselle Julie », d'August Strindberg, au Théâtre Edouard VII.

Ce n'est que fort tard que Michèle Morgan se décida à jouer au théâtre. Avec une certaine appréhension, elle se lança dans la création de « Le tout pour le tout », de Françoise Dorin. Un titre de circonstance ! Rassurée et comblée par sa première expérience, Michèle Morgan tenta une nouvelle aventure théâtrale en interprétant le rôle de Léa, l'héroïne de la pièce de Colette, « Chéri ».

Comme son père, Jane Fonda voulut d'abord être une actrice de théâtre. A l'Emma Willard School de Troy, elle donna ses premières répliques en travaillant avec la troupe de l'école. Durant les vacances d'été 1955, elle joua pour la première fois en public dans « The country girl ». De retour à New York, sa ville natale, Jane Fonda fut engagée par Joshua Logan pour interpréter le principal personnage féminin de « There was a little girl », une pièce de Daniel Taradash. Avec ce spectacle, Jane Fonda découvrit les sentiers stimulants de l'art dramatique. Dans le livre que lui a consacré Gilles Gressard (éditions PAC), elle donne un éclairage intéressant sur sa profession. Ce témoignage date de « There was a little girl » : « J'ai découvert que les problèmes de Jane Fonda l'actrice sont exactement les mêmes que ceux de Jane Fonda l'être humain. Je sais que plus j'existerai en temps qu'individu, meilleure comédienne je deviendrai... Le véritable comédien essaie de saisir la vérité d'un personnage. Mais, pour cela, il faut avoir une parfaite connaissance de soi-même. Je n'avais pas l'habitude de plonger en moi-même. Et quand j'ai travaillé sur ce rôle, j'ai d'abord été surprise de trouver quelque chose en moi. J'ai été ensuite étonnée de voir combien cela avait été particulièrement bien enfoui. » Au fil des ans, Jane Fonda devint effectivement une comédienne au talent sans cesse grandissant. La suite est connue : ce fut « On achève bien les chevaux » (Sydney Pollack), « Klute » (Alan J. Pakula) qui lui valut l'Oscar de la meilleure actrice, « Julia » (Fred Zinnemann), « Coming home » (Hal Ashby), etc.

Si Catherine Deneuve n'entama pas sa carrière par le théâtre, elle fut toutefois influencée par l'art dramatique. Maurice Dorléac, son père, fut avant tout un comédien de théâtre. Lorsqu'une progéniture est élevée dans un climat artistique aussi caractéristique, il est presque naturel qu'elle trouve sa voie dans un métier qui consiste à jouer la comédie.

Oscar du meilleur acteur en 1933 pour « La vie privée d'Henry VIII, l'interprète britannique Charles Laughton fit d'abord ses preuves sur les planches. Il apprit les rudiments de la profession en suivant les cours de l'Académie Royale d'Art Dramatique, puis fut l'un des meilleurs comédiens du Barnes Théâtre de Londres.

C'est grâce au succès qu'il obtint en jouant dans « Picnic », à Broadway, en 1953, que Paul Newman fut engagé par la Warner Bros pour tourner son premier film en 1954.

Liv Ullmann, qui fut la femme d'Ingmar Bergman et la grande interprète de la plupart des meilleurs films de son ex-mari, se fit connaître sur la scène du Théâtre Rogalund de Stavanger, et en étant la première actrice du Théâtre national d'Oslo.

Une autre Scandinave illustre dut l'origine de sa carrière cinématographique à la scène : Ingrid Bergman. Elle s'initia au théâtre dans des troupes d'amateurs, puis compléta son apprentissage à l'Ecole royale d'art dramatique de Stockholm.

Les débuts de Dustin Hoffman sont aussi significatifs. Il étudia l'art dramatique à la Pasadena Playhouse, puis à l'Actor's Studio. En 1966, il fit ses premiers pas au théâtre en jouant deux

pièces « off-Broadway » : « Journey of the fifth horse » et « Eh ? »
Cette dernière pièce lui valut d'être choisi par Mike Nichols
pour incarner le personnage principal du fameux « Lauréat ».

Fille de l'actrice Maureen O'Sullivan, Mia Farrow gagna
d'abord un prix d'art dramatique en Californie. Avant de devenir l'extraordinaire interprète de « Rosmary's Baby », elle
commença sa carrière par une pièce d'Oscar Wilde jouée dans
un théâtre « off-Broadway ».

Diana Rigg, l'Emma Peel du feuilleton télévisé « Chapeau
melon et bottes de cuir », est l'une des plus grandes interprètes shakespeariennes d'Angleterre. La célèbre associée de l'élé-
gant John Steed est au bénéfice d'une solide formation théâtrale.

Marcello Mastroiani se fit remarquer dans le cadre des théâtres universitaires puis travailla à la scène sous la direction
de Luchino Visconti.

L'acteur Vittorio Gassman également si apprécié à l'écran est
en premier lieu un homme de théâtre. Ancien élève de l'Académie nationale d'art dramatique, il fut enrôlé en 1941 dans la
compagnie d'Aldo Barelli. Il passa du Teatro Nazionale au Teatro d'Arte Italiano, puis fonda à Rome le Teatro Popolare Italiano.

Oscar de la meilleure actrice en 1977 pour « Network »,
Faye Dunaway tâta du métier de comédienne en jouant « Mé-
dée », un spectacle monté par une troupe universitaire en Flo-
ride. A Boston, elle suivit les cours de Ted Kazanoff. Faye Dunaway fut choisie pour interpréter le rôle principal dans « Les
sorcières de Salem », d'Arthur Miller. Elle obtint une bourse
Fullbright pour poursuivre ses études à l'Académie Royale d'Art
Dramatique de Londres. Entre-temps, Lloyd Richards, le metteur en scène des « Sorcières de Salem », conseilla à Robert
Whitehead et Elia Kazan de l'auditionner. Ces derniers l'attirè-
rent dans la Company Lincoln Center Repertory, elle renonça
à la bourse Fullbright. Faye Dunaway venait de commencer
une grande carrière théâtrale et cinématographique.

Après avoir été délinquant, plagiste sur la Côte d'Azur, puis
vendeur de savonnettes, Gérard Depardieu s'appliqua à suivre
le cours Dullin au TNP et ceux de Jean-Laurent Cochet. Bien
lui en prit, l'avenir lui donna raison d'avoir choisi cette voie !
Après des débuts fulgurants au cinéma, Claude Régy le fit revenir au théâtre en lui demandant de jouer dans « Les gens
déraisonnables sont en voie de disparition », de Peter Handke.

Bien qu'elle ne se produisit jamais sur la scène d'un théâtre,
la ravissante Nastassia Kinski, fille de l'acteur allemand Klaus

Kinski, aborda la comédie et perfectionna son jeu grâce aux théories de Stanislavski. Alors qu'elle faisait des photos de mode à Munich, Roman Polanski lui conseilla de lire « La formation de l'acteur ». Peu de temps après, elle fut révélée par « Tess », un film de... Polanski.

Il n'est guère étonnant que la grande majorité des vedettes du cinéma aient commencé par suivre des cours d'art dramatique ou par jouer au théâtre. Les réalisateurs peuvent être attirés par un physique, par une personnalité, mais ils préfèrent éviter de prendre des risques. Un minimum d'expérience et de bases techniques sont alors souhaitées par eux. C'est la raison pour laquelle ils recrutent presque tous leurs acteurs encore inconnus dans les cours d'art dramatiques sérieux ou, mieux encore, au théâtre. Des acteurs confirmés peuvent leur recommander tel ou tel jeune comédien. Cependant, ces « têtes d'affiche » engagent leur responsabilité ; s'ils se permettent d'avancer un nom, c'est parce qu'ils ont eu l'occasion d'apprécier les vertus du nouveau venu en jouant avec lui au théâtre ou en qualité de spectateur. Certains réalisateurs possèdent des assistants chargés d'aller au spectacle afin de repérer les nouveaux talents papables. Ils ont recours aussi aux annuaires professionnels ou aux ordinateurs spécialisés. La photo, la physionomie du comédien, jouent un grand rôle, mais ses références et antécédents sont déterminants.

De ces considérations de réalisateurs, il résulte que la meilleure filière à suivre par les acteurs en herbe est constituée par les cours et la pratique du théâtre.

En outre le théâtre jouit d'une excellente réputation auprès des réalisateurs et producteurs cinématographiques. Pour tenir un rôle sur scène, il convient d'avoir non seulement du talent, de la présence, mais aussi une forte volonté de travail en profondeur et il faut accepter de s'astreindre à une discipline relativement stricte. Le jeu au théâtre peut s'apparenter à l'exercice du funambule. Un faux pas risquerait de compromettre sérieusement le numéro. Les excès nuisibles à la concentration sont à proscrire, la précision est indispensable, l'application et l'attention doivent être aiguisées en permanence, la réflexion ne doit pas manquer. Le comédien doit également s'employer à conserver éveillées ses facultés de contact avec le ou les partenaires. Il doit faire preuve d'humilité pour mieux servir le texte, il est nécessaire qu'il développe son esprit de communication afin de maintenir l'homogénéité de la distribution. Pour que son jeu reste dans la ligne pure de l'authenticité dans les sentiments exprimés sur scène, l'acteur doit écarter résolument toutes les facilités que l'expérience ou la présence d'un public peuvent faire surgir de façon pernicieuse.

Les comédiens de théâtre sont souvent les mieux aguerris pour devenir les meilleurs acteurs de cinéma. Le jeu au théâtre est certainement plus difficile qu'au cinéma. Sur scène un sentiment doit être exprimé directement, à un instant assez précis devant plusieurs centaines de spectateurs. Il n'y a pas de filet pour rattraper les erreurs, l'intention doit obligatoirement être juste au moment où elle intervient. Si elle est ratée, il n'y a plus moyen de recommencer, de revenir en arrière ou de refaire la scène comme c'est le cas au cinéma. Lors d'un tournage, il est fréquent qu'un réalisateur décide de reprendre plusieurs fois un plan. Il pourra ainsi choisir celui qu'il estimera être le plus réussi. Le théâtre exige une concentration de longue haleine pour que la pyramide de sentiments qui est construite devant témoins soit un succès. Contrairement aux réalisateurs, ces témoins n'ont pas la possibilité de sélectionner les sentiments les plus justement exprimés parmi une dizaine de même nature. Ils doivent pouvoir croire tout de suite à celui qu'on leur joue...

Au théâtre, l'histoire se déroule en une ou quelques heures. Au cinéma, le jeu inhérent à la même histoire s'échelonne sur plusieurs jours ou plusieurs semaines de travail. Pendant un tournage, les scènes à jouer ne s'enchaînent pas, elles sont divisée en séquences de une à plusieurs minutes. La majeure partie du temps, elles ne sont pas filmées dans leur ordre de passage final. Pour tourner une ou plusieurs minutes, une longue préparation est nécessaire. Il s'agit d'installer le matériel, d'arranger le lieu à filmer, de soigner les détails, de faire des essais pour le cadrage, le son et la lumière. Lorsque tout est prêt, les acteurs donnent le maximum pour une durée relativement infime. Dans ce cas, le jeu est facilité parce qu'il est concentré dans un laps de temps court. Ici, il est plus aisé d'exploiter les réactions nerveuses profondes. Il est plus facile de se mettre dans un état précis après s'être mis en condition quelques minutes avant que la caméra fonctionne. Il existe aussi des trucs ! Si une actrice doit pleurer, il arrive qu'on lui humecte les yeux pour les rougir avant le début du tournage... Il s'agit d'une astuce parmi tant d'autres. Au théâtre, il s'agit de faire le même effort de concentration qu'au cinéma, mais il est plus difficile parce qu'il dure pratiquement le temps d'une représentation et même un peu plus. En outre, les scènes s'enchaînent, il s'agit donc d'être prêt au moment précis, il n'y a donc pas de possibilité de demander un départ de séquence différé.

Le théâtre implique un engagement de la totalité de l'être. Il constitue l'une des rares aventures humaines qui demeurent au XXᵉ siècle. Il donne le petit frisson que certains recherchent peut-être inconsciemment ; il procure aussi la joie de la rencontre avec un public qui réagit. C'est pourquoi beaucoup d'acteurs reviennent souvent à leurs premières amours. Par la discipline qu'il exige, le théâtre est une source d'équilibre salvatrice pour des acteurs de cinéma soumis à une vie enthousiasmante mais souvent trépidante. Pratiqué à un haut niveau, le cinéma peut faire dériver les acteurs sur des chemins dangereux pour la salubrité de leur identité.

Marthe Keller, l'actrice suisse qui poursuit une brillante carrière cinématographique en France et aux Etats-Unis, analyse avec beaucoup de clairvoyance son métier d'actrice internationale. Dans un entretien qu'elle m'a accordé en août 1982, la Bâloise évoque l'importance qu'elle attache à la pratique du théâtre. Un art qui a la faculté de jouer un rôle d'anticorps contre les éventuelles vicissitudes engendrées par la pratique intensive du cinéma.

Cela faisait longtemps que je souhaitais rencontrer la partenaire de Dustin Hoffman dans « Marathon man ». Il y a des êtres dont on devine qu'ils ont vraiment « quelque chose à dire ». Ce sont des personnalités avec qui la conversation s'enrichit d'observations issues d'une réflexion profonde, fruit d'une intelligence innée. Il me semblait intéressant de bavarder avec une actrice convoitée par Hollywood, une actrice qui réagit avec ses qualités de femme, une femme qui aime le théâtre pour ses vertus insoupçonnées.

Le théâtre a toujours occupé une place prépondérante dans l'itinéraire professionnel de Marthe Keller. A ses débuts, elle est successivement engagée à Heidelberg et au Schiller Theatre de Berlin où elle interprète notamment Shakespeare, Goethe, Brecht, Goldoni, Molière et Tchekhov. En 1970, elle débute sur une scène parisienne avec la création de « Un jour dans la mort de Joe Egg », de Peter Nichols. Dans ce spectacle joué plus de trois cents fois à la Gaîté Montparnasse, Marte Keller a Jean Rochefort pour partenaire. En 1978, Lucian Pintillé la met en scène au Théâtre de la Ville dans « Les trois sœurs », d'Anton Tchekhov. Elle joue avec ses bonnes amies Nelly Borgeaud et Sabine Haudepin. En 1982, Nelly, Sabine et Marthe se retrouvent pour une nouvelle expérience scénique au Théâtre des Mathurins. Un lieu artistique créé par Sacha Guitry, puis dirigé successivement par des personnalités telles que Georges et Ludmilla Pitoëff, Jean Marchat et Marcel Herrand, madame Harry Baur, Henri de Menthon. Au Théâtre des Mathurins, Nelly Borgeaud, comédienne suisse née à Lausanne, signe la mise en scène d'« Emballage perdu », une pièce de Vera Feyder choisie par les trois compagnes.

C'est à l'occasion de cet événement que j'ai pu rencontrer Marthe Keller. Grâce à l'intervention déterminante d'un employé du Théâtre des Mathurins, j'ai eu la chance d'obtenir un rendez-vous avec la « demoiselle d'Avignon ». Débarqué à mon hôtel parisien, un message laconique m'attend : « Prière de rappeler le Théâtre des Mathurins dès votre arrivée ! » Avant mon départ de Lausanne, on m'avait prévenu : « Nous allons faire ce que nous pouvons pour vous mettre en rapport avec elle... Ce n'est pas certain qu'elle puisse vous recevoir, mais venez quand même... Accepteriez-vous de lui poser éventuellement vos questions au téléphone ? » J'avais évidemment répondu affirmativement. Mieux valait cela plutôt que de rentrer bredouille !

En composant le numéro du secrétariat du Théâtre des Mathurins, j'évacue de ma pensée l'idée d'un refus. Le cœur battant, j'entends la voix de mon correspondant. Sa phrase me libère aussitôt : « Marthe Keller accepte de vous recevoir, il faudrait que vous vous rendiez à son appartement à dix-sept heures... » Je suis ravi, je me confonds en remerciements tellement je suis reconnaissant à mon interlocuteur d'avoir favorisé ce rendez-vous. Je suis d'autant plus heureux que je n'ignore pas que beaucoup d'intermédiaires s'ingénient à dresser des barrages entre les vedettes et les journalistes. Ils ont toutefois des circonstances atténuantes ! Parmi les journalistes, il existe une cohorte de parasites sans scrupule, baptisés plus prosaïquement « fouille-merde ». Des gens dont l'éthique est passablement chancelante, voire inexistante. Des individus prêts à déformer, utiliser, manipuler des déclarations pour exhumer un éventuel aspect sensationnel et malsain. Je me disais que j'avais eu raison de préciser que j'avais été comédien. Cet aveu avait peut-être contribué à faciliter le rendez-vous.

Afin d'être sûr de ne pas arriver en retard, je me fais déposer par un taxi devant le domicile de Marthe Keller quinze minutes avant l'heure fixée. Son appartement se situe à proximité de la Tour Eiffel, dans le quartier qui abrita le général De Gaulle durant sa traversée du désert.

Après avoir repéré les lieux, remis de l'ordre dans mes idées, consulté ma montre pour être certain de débarquer à l'heure pile, je sonne... La lourde porte s'ouvre, une concierge bon chic, bon genre m'accueille.

— Bonjour Madame ! J'ai rendez-vous avec madame Keller, lui dis-je.

Elle m'explique qu'il faut traverser la petite cour, puis monter les escaliers jusqu'au troisième.

Je me dirige vers une maison cossue ; elle est là-haut, elle m'observe peut-être depuis l'une de ses fenêtres, j'ai le cœur qui palpite... En grimpant les larges marches, je constate que les murs de chaque étage sont ornés de grandes fresques luxueuses. Arrivé devant la bonne porte, je suis de plus en plus fébrile, je sonne... Au bout de quelques secondes, je perçois des bruits de pas précipités. J'ai l'impression que la personne — probablement Marthe Keller — marche à pieds nus... Un claquement dans la porte me fait comprendre que cette dernière est fermée, qu'il est impossible de l'ouvrir même de l'intérieur... Soudain, j'entends la voix charmeuse, l'accent légèrement teuton et fortement charismatique de Koba, princesse de Kurlande... Affirmer que je me sens alors défaillir n'est pas un poncif...

— Oh ! C'est trop bête, dit-elle. La porte est fermée et je n'ai pas la clef pour l'ouvrir. Excusez-moi ! Pourriez-vous retourner chez la dame de l'entrée, elle vous indiquera par où passer !

A grandes enjambées, je descends les escaliers afin de retourner en direction de la loge de la concierge. Après quelques explications de celle-ci, je prends le chemin de la cave où je découvre la porte d'un petit ascenseur. Lorsqu'il s'immobilise enfin, j'ai l'impression de sortir du labyrinthe grâce au fil que cette Ariane tant désirée m'a tendu.

— Comme un bon Suisse, vous êtes à l'heure, lance-t-elle en me charriant gentiment.

En m'ouvrant la porte de son magnifique appartement, elle me met tout de suite à l'aise en me demandant du feu pour la cigarette qu'elle tient entre ses doigts. Marthe Keller est là, devant moi, rayonnante et décontractée. Pieds nus, vêtue d'un déshabillé blanc ravissant, un charme fou émane de sa personne. Elle est comme je me l'imaginais : de grande taille, belle, étonnamment belle. Gentille aussi, très hospitalière. Tout au long de notre entretien, elle m'apparaîtra sensible, intelligente et très équilibrée. Elle me propose une bière ou un Perrier, m'apporte la boisson choisie et un verre, puis elle s'installe confortablement en face de moi, de l'autre côté de la table. Sur la chaise qui nous sépare, elle allonge ses longues jambes harmonieusement musclées. Leurs formes musculeuses trahissent la skieuse habituée des montagnes suisses qu'elle est. Tout près de moi... ses pieds croisés. Ils me paraissent grands, grands mais beaux parce que dépourvus de malformations disgracieuses.

Son regard dégage une profondeur d'âme qui me rive à l'aura de bonté qui l'enveloppe. Les fossettes qui creusent les coins relevés de sa bouche souriante me laissent penser qu'elles sont l'une des principales sources du charme éclatant des expressions de son visage.

La confiance s'établit rapidement entre nous. Elle me livre ses confidences sans retenue. Des confidences dont une partie a été publiée par le quotidien lausannois « 24 Heures » :

— Ce n'est pas la première fois que vous travaillez avec Nelly Borgeaud et Sabine Haudepin. Votre entente semble parfaite, on dirait qu'elle constitue la principale motivation de vos retrouvailles sur la scène d'un théâtre ?

« C'est vrai, nous avons beaucoup de plaisir à travailler ensemble ! La première fois, c'était en 1978. Nelly, Sabine et moi avions interprété « Les trois sœurs », de Tchekhov. Nous nous étions très bien entendues. Après, nous nous sommes rencontrées une fois par semaine et nous sommes restées très amies. Un jour, Sabine a trouvé, dans une librairie de femmes, « Emballage perdu », de Vera Feyder. La coïncidence a voulu que l'auteur soit une amie de Nelly. Nous avons fait une lecture et avons décidé de créer la pièce, à la condition que Nelly effectue la mise en scène. Je suis allée voir le directeur du Théâtre des Mathurins, qui a été merveilleux, en nous faisant tout de suite confiance. Ensuite, le travail s'est très bien passé. Comme nous nous connaissions déjà bien, nous n'avons pas perdu de temps à nous rencontrer, à apprendre qui nous étions. Il n'y a pas eu de malentendus ou de rapports de forces comme c'est parfois le cas au théâtre. S'il y a eu quelques crises de nerfs, elles étaient dues à la fatigue, et à rien d'autre. C'est ainsi qu'il faut travailler : dans l'amitié. Dans l'amitié, mais avec le talent, sinon, ça ne serait pas professionnel... »

— Trouvez-vous le jeu au théâtre très différent du jeu au cinéma ?

« Oui ! Au théâtre, je suis complètement sujet ; au cinéma, je suis objet. Au cinéma, on peut revoir les scènes, les couper, les manipuler. En outre, quand on fait un film, c'est pour le futur et quand on le voit, c'est déjà le passé. Le théâtre, c'est tous les soirs le présent, il représente aussi le contact avec le public.

J'aime autant les deux, mais j'ai un besoin physique du théâtre que je considère comme une forme de thérapeutique. Apparemment, j'aime me provoquer et avoir peur ! »

— Comment abordez-vous un rôle ? Vous référez-vous aux méthodes de certains théoriciens de l'art dramatique ?

« Je pense qu'on ne devrait pas le dire, car il ne faut pas trop vendre ses recettes de cuisine. Et puis je trouve que cela fait un peu prétentieux... Cependant, j'ai énormément d'admiration pour Lee Strasberg dont les théories m'ont souvent bien aidée. Je n'utilise pas sa méthode Actor's Studio, mais j'ai mes petites roues de secours qui viennent de lui. Quand j'étais à New York, j'habitais la même maison que Lee, et j'ai suivi quelques-uns de ses cours. C'est un être inoubliable, un ami que j'aimais beaucoup. Certaines choses de l'école peuvent être critiquées, mais cela n'atténue en rien l'être qui était formidable ! A part cela, je travaille beaucoup, sans m'identifier forcément aux personnages, car je trouve plus merveilleux d'incarner quelqu'un qu'on n'est pas. »

— Vous avez effectué des études de sociologie et de psychologie. Ces disciplines vous aident-elles à trouver la sincérité des personnages que vous interprétez ?

« A vrai dire, j'étais très amoureuse de quelqu'un qui était sociologue. J'avais vingt ans, je voulais être aussi intelligente que lui et j'ai suivi régulièrement les cours de l'Université parallèlement au cours d'art dramatique. Mais je n'ai pas la prétention de me mettre à la hauteur d'Adorno, et je ne souhaite pas donner l'impression d'être une intellectuelle. Observer les gens, les enfants et les animaux est une bien meilleure approche que les cours de psychologie pour travailler des rôles. Cette manière de procéder est surtout valable lorsque l'on doit s'identifier à certains êtres. Pour travailler les classiques il faut une autre préparation. Quant aux cours d'art dramatique, ils sont importants pour la formation — surtout pour la voix qu'il faut beaucoup travailler pour le théâtre — mais je persiste à prétendre que le don d'observation constitue la chose essentielle. »

— Vous êtes une actrice complète, parce que vous pouvez jouer dans tous les registres. Avez-vous une préférence entre les comédies et les rôles plus tragiques ?

« J'aime bien faire rire ! C'est faire preuve de générosité que de provoquer le rire chez les autres, surtout lorsque la vie est de plus en plus difficile. Mais, ce sont finalement les qualités d'une pièce ou d'un film qui m'attirent plus que leur caractère drôle ou tragique. Mon auteur préféré est Tchekhov, parce qu'il a écrit des tragédies en faisant des comédies. J'aime cette balance entre le rire et les larmes ; c'est le cas dans « Emballage perdu ». Au cinéma, au théâtre comme dans la vie privée, c'est l'émotion qui m'intéresse. Je fais ce métier pour avoir la chair de poule, je ne vis que pour ça, tant pis si on le paie et si cela coûte cher. »

— En France, vous avez surtout joué des comédies. Comment les réalisateurs américains ont-ils découvert votre talent d'actrice tragique ?

« Par hasard, John Schlesinger m'a vue dans « Un jour dans la mort de Joe Egg ». La pièce était un peu dure. Malgré des moments drôles, elle avait un côté tragique. C'est après m'avoir observée dans ce spectacle qu'il m'a donné le premier rôle féminin dans « Marathon man ». En outre, aux Etats-Unis, les comédies sont presque exclusivement réservées aux actrices américaines. Ce n'étaient donc pas mes éventuels dons comiques qui pouvaient les intéresser. Pour les Américains, j'évoque un certain mystère parce qu'ils m'assimilent à une Allemande ou à une ressortissante nordique. A mon sujet, ils disent souvent « la nouvelle Bergman », « la nouvelle Garbo »... Cela m'ennuie ! Malgré toute l'admiration que j'ai pour ces deux grandes actrices, je pense que les comparaisons ne sont pas nécessaires. On doit apprécier une comédienne pour ses qualités propres. Greta Garbo avait les siennes, nombreuses. Moi, j'ai les miennes, elles sont différentes ; je suis moi-même ! Pour revenir au mystère auquel les Américains songent en me voyant, j'ai constaté que les mystères mouraient souvent à la fin des films. C'est pourquoi j'ai surtout joué des films tragiques aux Etats-Unis, des scénarios qui débouchaient sur ma mort. Dans les derniers ça va mieux! (rire) Ils commencent à me laisser vivre ! (rire). »

— Vous avez travaillé avec les plus prestigieux acteurs américains. Qu'est-ce qui vous a frappé chez eux ?

« J'ai effectivement la chance immense d'avoir pu jouer avec Hoffman, Pacino, Brando ou Scott. Ils ont en commun un grand talent ! J'ai énormément appris à leur contact. Ils savent observer, ils ont une façon de travailler en permanence, où ils se déchirent littéralement. A mon avis, ils se donnent presque trop, l'identité en prend un coup ! Brando, par exemple, est complètement brûlé. Il a trop donné, il a été trop abusé par le public. Il reste un génie, mais il ne peut plus retenir un texte. C'est un métier qui peut être très dangereux. C'est pour cela qu'il faut toujours garder un pied au théâtre. Le théâtre est comme le sport, c'est très sain, on ne peut ni boire, ni se droguer. Au cinéma, il ne faut pas se laisser griser par le succès ou miner par les échecs. Il est indispensable d'être bien entouré, de sa famille, d'amis sincères et de choses qui ont de l'importance. Sinon, on peut vite sortir du virage ! J'ai la chance d'être née en Suisse, j'ai les pieds sur terre ; je touche du bois, je ne suis pas encore atteinte... ».

— La façon de travailler des Américains est-elle très différente de celle des Européens ?

« Très ! Chaque film est préparé par des répétitions trois semaines avant le début du tournage. Cela débouche sur un gain de temps pendant la réalisation, parce que l'on va dans la même direction ; on évite ainsi les malentendus et les disputes. En France, lors du premier jour du tournage, il arrive que l'on se retrouve dans un lit. On dit : « Excusez-moi, je vous gêne ? » et on doit enchaîner par une scène d'amour, c'est atroce ! Aux Etats-Unis on apprend à mieux se connaître, on analyse plus. Les Américains ont tous besoin de faire un bon film. En France, ils veulent tous être bons dans un film. Dustin Hoffman veut que chaque petit acteur, que chaque réplique soient parfaits. Il répète inlassablement avec tout le monde, y compris le plus petit rôle. Il donne de l'espoir et son enthousiasme est contagieux. Dans une scène, je devais avoir une conversation téléphonique avec lui. Il s'agissait en réalité d'un monologue, car on ne l'entendait pas. Le jour du tournage, il avait donc congé. Quand j'ai décroché l'appareil, j'ai eu la surprise de constater qu'il était au bout du fil... Pour m'aider dans les répliques il avait tenu à être présent ! »

— Pour une actrice, la présence est-elle essentiellement naturelle ou peut-elle se travailler ?

« Il doit y avoir un fond, sinon on ne peut pas le cristalliser ! Presque chaque acteur a une part de timidité en lui. Entre treize et vingt-cinq ans, j'étais immensément timide. Je rougissais tout le temps ! J'étais à l'aise dans mon corps parce que j'avais pratiqué la danse, mais j'avais l'impression de ne pas être à la hauteur. Avec la routine, le travail, le temps, on acquiert de l'assurance. On peut ainsi tricher un peu, c'est-à-dire masquer ou atténuer ses complexes et ses points faibles. C'est quand on parvient à effacer ces scories que la présence surgit naturellement. Je ne suis jamais sûre de moi, j'ai encore parfois des doutes, mais le fait d'avoir eu la chance de travailler avec de très grands acteurs m'a donné une force intérieure, une plus grande assurance. C'est cette dernière qui amène la présence. »

— Vous avez eu des contacts avec différentes cultures, avec des mentalités ou des doctrines propres à différents pays. Je suppose que ces expériences vous ont beaucoup apporté ?

« J'ai vécu aux Etats-Unis, je vais souvent à Prague parce que j'y ai de bons amis, je connais bien Berlin-Est, j'ai donc vu de près les sociétés capitalistes et communistes. Ces contacts m'ont énormément apporté ! Je suis profondément troublée par tout ce qui se passe dans le monde. Je ne pourrais plus me situer politiquement, mon esprit est confus. Tout cela me remue, parce que j'ai vécu un peu partout, j'ai vu sur place et que je ne sais plus où l'on va. L'aspect positif réside dans le fait que l'on sait que ce n'est jamais blanc ou noir, mais qu'il y a des couleurs pastel et que c'est la vie. J'aurais plutôt tendance à protéger les gens de l'Est que ceux des Etats-Unis. Même si le professionnalisme américain me laisse à genoux, je n'aime pas cette espèce de froideur qui court après l'argent et le succès. Je ne m'identifie pas à cette vie, je préfère les gens qui bouquinent, qui traînent. Ils ont peut-être moins de succès, mais ce n'est pas grave. »

— Je crois que vous n'aimez pas tellement qu'on parle de « La demoiselle d'Avignon » ?

« Non, ce n'est pas vrai ! On a dit que j'en avais marre de ce feuilleton, que je voulais qu'il disparaisse à jamais du petit écran. C'est absolument faux ! Des journalistes ont déformé mes propos et je le déplore. Cette série m'a fait connaître partout, c'est la chose la plus généreuse que j'aie faite. Cette jolie histoire, bien écrite, répond à un besoin de rêve des gens et je l'aime beaucoup pour cela. Il s'agit du film préféré de mon fils et je le respecte aussi pour ça. »

— Vous parlez couramment plusieurs langues, vous jouez dans plusieurs langues, cela me semble difficile ?

« Non, ce n'est pas le cas ! Cela peut être délicat pour improviser, pour trouver un synonyme en cas de défaillance de la mémoire ; autrement cela ne pose pas de problème ! Ce qui est difficile, c'est de ne plus savoir qui on est ! En effet, quand il m'arrive de parler français avec mon fils, allemand avec ma mère, anglais avec mes collaborateurs, italien dans mon dernier film, j'ai la tête qui explose... »

— Quels sont vos projets ?

« J'en ai beaucoup, mais rien n'est signé. Et comme je suis superstitieuse je préfère ne pas en parler. »

— Avez-vous le temps de revenir souvent en Suisse ?

« J'y vais dès que je le peux ! J'ai d'ailleurs une maison à Verbier. J'adore la Suisse, c'est mon pays préféré. J'ai besoin de la Suisse comme j'ai besoin du théâtre. »

Avec « Emballage perdu », Nelly Borgeaud signait sa première mise en scène. De son côté, Vera Feyder était une romancière belge quasiment inconnue. De plus, le spectacle commença le 3 juin 1982, c'est-à-dire à une période de vacances où Paris se vide. Malgré ces handicaps, le spectacle fut un succès. Durant l'été, jusqu'en octobre de la même année, le Théâtre des Mathurins ne désemplit pas.

Si la notoriété des trois protagonistes a peut-être joué un rôle dans la réussite de cette création, le talent, l'amitié et l'enthousiasme avec lesquels le projet fut réalisé, démontrent à quel point ces trois facteurs sont indissolubles du travail théâtral.

L'histoire d'« Emballage perdu » met en présence Léna (Marthe Keller) et Julie (Sabine Haudepin), deux amies, deux personnages complémentaires qui ont un rapport très ludique. Elles se parlent à travers des jeux ; leur amitié dépourvue d'ambiguïté est traversée de spasmes occasionnés par le personnage absent de la pièce : l'homme. Un absent extrêmement présent dans l'idiosyncrasie des deux femmes. Tout le spectacle se déroule dans une chambre construite par Hilton Mc Connico, l'un des chefs de file du « Nouveau Décor » (il est l'un des auteurs de la réussite de « Diva », le film de Jean-Jacques Beineix). Sa chambre traduit le désordre de Léna ; un désordre qui sert de refuge à cette dernière. Il s'agit d'un lieu qui lui permet de soigner ses blessures en attendant l'homme qu'elle aime. Petit animal sauvage, Julie se révèle vulnérable tout en ayant l'air de s'émerveiller de tout. Comme l'expliquait Marthe Keller, la force de la pièce réside dans cet équilibre entre le rire et les larmes qui surgissent sporadiquement au cours des dialogues.

Dans sa mise en scène, Nelly Borgeaud, l'Elvire du fameux « Tartuffe » de Planchon, a joué sur du velours en misant sur la complicité naturelle des deux comédiennes. Cette direction instinctive a donné naissance à un spectacle plaisant, drôle, émouvant, rythmé avec justesse par deux actrices bien inspirées par une écriture jaillie du cœur.

VIII

Une peur bleue du vert.

Le théâtre est un phénomène culturel dont toute la richesse provient d'une originalité irrationnelle. Cette particularité motive des comportements qui alimentent à leur tour la richesse évoquée précédemment. Ce mouvement perpétuel assimile le théâtre à une pile infinie dont l'énergie produit, puis maintient des traditions contribuant à enrichir cet art d'un halo magique et agréable, susceptible de raffermir le plaisir de tout hédoniste attiré par lui.

Le théâtre possède, collectionne, entretient des traditions, des superstitions, appelées à codifier et à solidifier le caractère légendaire de la scène.

L'histoire qui suit est la conséquence d'un héritage des codes entretenus dans l'univers de l'art dramatique :

En dépit d'une jambe amputée, en 1915, après un accident, Sarah Bernhardt fit sa rentrée au théâtre. Ce soir-là, le public attendit la grande comédienne avec curiosité, voire avec compassion. Devant le rideau fermé, il se demanda comment Sarah Bernhardt allait se déplacer sur scène ? Allait-on la porter dans un fauteuil ? Se mouvait-elle grâce à un pilon ? L'attente fut interrompue par les battements précipités du « brigadier », suivis par les trois coups frappés lentement. De la salle, un critique notoire s'écria : « La voilà ! »

Cette célèbre histoire tragi-comique, narrée jadis par Sacha Guitry, est authentique. Elle émane de la fin d'une période théâtrale quasi mythique, où les traditions et superstitions, héritées des siècles passés, étaient encore bien ancrées dans les mœurs. En 1983, le « brigadier », ce solide bâton orné d'un pommeau d'étoffe, fixé par des clous cuivrés, a de plus en plus tendance à servir de support aux toiles d'araignées. Les trois coups sont frappés... de constater qu'on les néglige toujours plus. Depuis plusieurs décennies, les préjugés, les impératifs techniques ou l'évolution des théories dramatiques, ont fait tomber en désuétude bien des coutumes. Cependant, le théâtre n'échappe pas au système de la mode... Il ne serait pas impossible de voir un retour en force de certaines habitudes en voie de disparition. Il suffit souvent d'un ou plusieurs metteurs en scène à la mode intéressés par ces traditions ou superstitions. Pour l'instant, lesquelles subsistent ? Quelles sont leurs origines ?

« Seuls les mots techniques issus du XVIIe siècle ont la vie dure, affirme Jean Montardy, régisseur général de la Comédie Française, la maison où les traditions étaient entretenues avec une assiduité presque sacerdotale. » « Ce vocabulaire provient du langage maritime, précise Philippe Mentha, directeur du Théâtre Kléber-Méleau, à Lausanne. » Les premiers machinistes de théâtre furent des charpentiers-marins en chômage ou en fin de carrière. A l'époque, l'heure de la retraite maritime sonnait tôt, les encore jeunes loups de mer devaient envisager une reconversion relativement précoce. Le théâtre devint leur voie de garage de prédilection. De leurs balluchons, ils sortirent des mots tels que « cintre », « guinde », « fil », ou des verbes comme « appuyer », « charger ». Cette dernière expression fut évidemment attachée au jeu outrancier des cabotins. Sur un bateau, le mot « corde » était banni. Servant à pendre ou à sonner la cloche en cas de naufrage, la corde était redoutée ; les marins évitaient de prononcer ce nom, ils conjuraient le mauvais sort en le remplaçant par « guinde » ou « fil ». « J'ai connu les derniers marins-machinistes au Théâtre du Vieux-Colombier, il y a plusieurs années, confie Jean Montardy. Maintenant, les machinistes n'ont plus rien à voir avec la marine. » Il ajoute : « A la Comédie Française, quand l'un d'entre nous lâche le mot « corde », il doit payer la tournée... »

Louis XIV fut à l'origine d'expressions ou traditions théâtrales. Pour désigner la droite et la gauche, on dit « cour » et « jardin ». « Cela vient du fait que le roi assistait au spectacle du côté cour, où se trouvaient les appartements, explique Montardy. Le public était assis du côté jardin, c'est-à-dire proche de l'extérieur du bâtiment. En outre, comme sur les bateaux où l'on dit tribord et bâbord, pour éviter les confusions, il fallait trouver des repères au théâtre, afin de situer commodément la gauche de la droite. Les marins ne sont pas étrangers à cette astuce... »

A propos de l'origine des fameux trois coups, trois versions existent. La première vient d'une superstition datant de la période médiévale, où était représenté sur scène le Mystère de la Passion. Le métier de comédien étant mal vu par l'Eglise, les acteurs de l'époque conjuraient les sanctions en ponctuant le premier des trois coups par « au nom du Père », le suivant par « au nom du Fils », le dernier par « et du Saint-Esprit ».

On prétend aussi que les trois coups étaient destinés à obtenir le silence d'un public bavard, plus soucieux d'exhiber ses toilettes somptueuses que de voir une pièce.

« La version que je préfère, confie Jean Montardy, est celle qui se rapporte à Louis XIV. La troupe du roi, qui était celle de Molière, annonçait l'arrivée de Sa Majesté en faisant crier, après chacun des trois coups : « Messieurs, le Roy ! » Quand ce dernier n'était pas là, on signalait son absence en frappant deux fois trois coups. Aujourd'hui, à la Comédie Française, nous frappons encore deux fois trois coups. » En règle générale, ces coups lents, martelés par le plus ancien des régisseurs, sont précédés par le roulement précipité constitué de cinq, sept, neuf ou treize coups rapides. Ils n'ont pas de significatiion précise.

Pourquoi a-t-on baptisé le « bâton frappeur » brigadier ? « Celui qui frappe les trois coups, dit Jacques Bert, l'un des deux directeurs du Théâtre de Vidy, à Lausanne, est considéré comme le chef de la brigade des machinistes. D'où le rapprochement entre son instrument et ce grade. » Au théâtre, les trois coups tendent à disparaître. « Ce n'est pas uniquement à cause de la tradition qui se perd, analyse Philippe Mentha. Il y a aussi une question d'adaptation aux circonstances nouvelles. Cela dépend désormais du rapport scène-salle. Pour des raisons économiques, les théâtres deviennent plus petits. Il n'y a donc plus besoin de frapper les trois coups pour demander le silence, comme c'était le cas avec le public d'une grande salle. Par contre, à Chaillot, Jean Vilar utilisait un gong parce que les trois coups ne s'entendaient pas. A Kléber-Méleau, nous changeons souvent de scène. Nous devons alors adapter les « brigadiers » à la nature du sol, afin qu'ils résonnent le mieux possible ». Domingos Semedo, directeur du Théâtre Les Trois Coups, à Lausanne, ne possède pas de « brigadier ». La raison qu'il donne est pour le moins paradoxale : « Nous avons estimé que les trois coups n'étaient pas nécessaires puisqu'ils figurent déjà dans le nom de notre théâtre. »

Une vieille tradition veut que lorsqu'un régisseur part à la retraite, il doit prendre son « brigadier ». La Comédie Française cultive encore cette coutume.

Certaines traditions théâtrales émanent d'impératifs techniques. « Si les pièces d'autrefois comptent cinq actes et si chaque acte dure vingt minutes, ce n'est pas dû au génie inventif des auteurs, dit Jean Montardy. Les chandelles se consumaient en vingt minutes, il fallait les changer après ce laps de temps, d'où la nécessité de fractionner les pièces. » Si les personnages des tragédies ne mouraient pas sur scène, poursuit-il, c'est parce que les marquis avaient le droit de voir le spectacle depuis la scène. Or, quand le rideau se fermait et que le « mort » se relevait pour saluer, on craignait que cela fasse ridicule. Les personnages allaient donc mourir dans la coulisse. Si, dans « Andromaque », Oreste meurt sur la scène, c'est parce que d'autres personnages l'emportent dans les coulisses. On pense souvent que les auteurs ou les metteurs en scène font des trouvailles scénographiques géniales. Or, elles sont, la plupart du temps, le fruit d'impératifs techniques. C'est encore le cas aujourd'hui. »

La couleur verte est l'objet d'une superstition tenace. « Celle-ci date du XIXe siècle, précise Jean Montardy. Dans une pièce de Musset, des décorateurs avaient peint un banc en vert. Pendant le spectacle, les acteurs s'y sont assis. Comme la peinture n'était pas sèche, il est aisé de deviner la suite. La pièce a été un four. Des générations de comédiens ont ensuite craint cette teinte. Par exemple, c'est le cas de Pierre Dux. Avant, le vert n'était pas honni. Il s'agissait de la couleur préférée de Molière. Et puis l'habit du Misanthrope doit être garni d'un ruban vert... »

S'il attire les ennuis de façon occulte, par suggestion ou par coïncidence le vert au théâtre constitue un mythe en voie de disparition. De même que le sifflement. « Il est déconseillé de siffler sur un plateau, dit Richard Corena, régisseur au Grand-Théâtre de Genève. On a peur que le public l'entende et que cela l'incite à faire de même. »

Alors que j'étais encore comédien, il m'arriva de croiser l'un des résidus de la superstition inhérente au vert. Je jouai « La Cerisaie », de Tchekhov, au Théâtre de La Comédie de Genève, aux côtés de quelques acteurs chevronnés et particulièrement connus du public suisse romand. Parmi eux : William Jacques et le regretté Sacha Solnia. Le décorateur eut l'idée de confectionner une robe vert d'eau à la comédienne Irène Vidy. Un tantinet superstitieuse elle manifesta ses craintes. Aucune suite ne fut donnée pour atténuer son inquiétude.

Un soir, je fis une boutade. Avant d'entrer en scène, je me tournai vers un jeune camarade et lui lançai : « Ce soir, je vais brûler les planches ! » Je me dirigeai ensuite vers la scène en imitant la démarche d'Orson Welles... En pénétrant sur le plateau, quelle ne fut pas ma stupéfaction lorsque je vis le plancher en train de brûler. Un projecteur renversé avait commencé à griller la moquette ; les pompiers maîtrisèrent rapidement ce début de sinistre. Un petit vent de panique avait néanmoins soufflé dans la salle, Irène Vidy ne put s'empêcher de grimacer en regardant sa robe...

IX

Benno Besson : « *Les comédiens expriment autant par leur corps que par le verbe.* »

« A Kléber-Méleau, le théâtre retrouve toujours sa fonction première : nous faire pénétrer une situation autre. L'ancienne usine à gaz se transporte, cette fois, dans la Cité des Doges et nous plonge dans l'atmosphère vénitienne du milieu du XVIIIᵉ siècle. Avec « Les rustres », Philippe Mentha fait vivre l'une des transcriptions les plus joyeuses de la vie de l'époque de Goldoni.

» Dans ses « Mémoires », Carlo Goldoni confie avoir voulu peindre une catégorie d'hommes de manières rigides, insociables, attachés aux usages d'autrefois, ennemis de la mode, des plaisirs et des mœurs de leur temps. L'auteur s'est élevé contre la prétention de s'opposer à la liberté qui fait sauter les limites d'une armature sociale surannée. Il nous fait penser que la tradition doit transiger avec le progrès. Par une perception intuitive des êtres, des nuances fines et un dialogue qui atteint la perfection, Goldoni crée une bonne compénétration de plusieurs éléments d'un organisme vivant. Par sa remarquable maîtrise du contenu sémantique des mots, Mentha donne aux onze personnages une authenticité et un relief admirables. Si le décor de Jean-Marc Stehlé paraît moins éclatant que d'habitude, il prend une fonction pratique de changement rapide de lieux, ainsi qu'un aspect esthétiquement dépouillé qui fait mieux émerger la notion de jeu vrai et sans artifice. Les comédiens ont bien profilé leurs personnages en s'imprégnant du rythme, des tempéraments et gestes latins.

» Lise Ramu, Cathy Bodet et Anne-Marie Kolly sont très attachantes en femmes de rustres qui complotent sans mauvaise intention dans le dos de leurs drôles d'époux. Emmanuelle Ramu est une nature merveilleuse de fraîcheur et a trouvé la juste acuité malicieuse de Lucietta. Philippe Mentha, Jacques Ami-ryan et Jean-Marc Stehlé exhalent littéralement la rusticité de leurs rôles par les pores. »

Cette critique que j'ai commise le 20 mai 1981, dans « 24 Heures », pourrait servir de prétexte pour évoquer Carlo Goldoni et la rivalité qui l'opposa au comte Gozzi.

En effet, dans les années 1750, Gozzi égratigna à plusieurs reprises l'auteur des « Rustres ». Il lui reprochait de demander aux acteurs un pourcentage sur les recettes, alors que lui-même écrivait uniquement pour le prestige et le plaisir. Gozzi déplorait aussi les lacunes dans le style de Goldoni dues à sa trop grande célérité. Il était contre son réalisme inspiré du théâtre français et désapprouvait la tendance qu'il avait à peindre des faiblesses chez les nobles et des vertus au sein de la petite bourgeoisie.

En réalité, la critique précitée, qui met une fois encore en exergue un spectacle réalisé par Philippe Mentha, n'est là que pour m'amener à parler du rival de Goldoni, de l'une de ses pièces, et surtout d'un succès qu'en tira le metteur en scène suisse Benno Besson. Il s'agit de « L'oiseau vert ». Un spectacle que le public suisse accueillit triomphalement à la fin de l'année 1982. Une mise en scène qui obtint la consécration suprême à Paris, au Théâtre de l'Est parisien, au printemps 1983.

D'abord, il convient de rappeler qui est Benno Besson, cet homme de théâtre de grande envergure, connu surtout en Allemagne.

Né en 1922 dans un village situé près d'Yverdon, la capitale du Nord vaudois, Benno Besson monta ses premières pièces dans les années quarante. Possédant déjà un solide instinct du théâtre le jeune Besson parvint à tirer le meilleur de ses compagnons yverdonnois moins doués. Ensemble, ils créèrent un spectacle intitulé « Le grand jeu de notre vie » ; leur premier objectif était de prouver que le théâtre pouvait être le lieu d'une réflexion conséquente. La troupe des « Escholiers », rebaptisée par la suite « Troupe des Sept », mit en scène successivement « La jalousie du barbouillé », de Molière, et « Christophe Colomb », de Claudel. Dans ce dernier spectacle, Benno Besson interpréta le rôle principal. A l'instar du Grec Thespis, ancêtre des saltimbanques, la « Troupe des Sept » déambula d'un village vaudois à l'autre à bord d'un char. Chaque étape était un lieu de représentation nouveau.

La jeune troupe, placée sous l'égide de la Ligue vaudoise, fut invitée à Lyon par la section locale de Jeune France. Ce groupement avait été initialement fondé par des pétainistes pour former des moniteurs de jeunesse. Lors du séjour lyonnais de Benno Besson et ses camarades, le mouvement était noyauté par les premiers résistants. Pendant leur mois passé en France, les membres de la « Troupe des Sept » prirent alors conscience de ce qu'était le nazisme et le régime du maréchal Pétain.

De retour en Suisse, Benno Besson s'installa dans la région alémanique, à Zurich plus précisément. Pendant la guerre, cette grande ville industrielle devint l'un des plus importants foyers culturels d'Europe. Ce phénomène était dû aux nombreux artistes en exil, parmi lesquels beaucoup d'Allemands, qui apportèrent une impulsion décisive dans la vie artistique et intellectuelle de Zurich. Durant cette période culturelle faste, Benno Besson fit la connaissance du grand dramaturge allemand Bertolt Brecht...

Quand Brecht et son épouse, la comédienne Helena Weigel, ainsi que Caspar Neher, Erich Engel et Ernst Busch, fondèrent en 1959 le Berliner Ensemble, à Berlin-Est, ils engagèrent Benno Besson. C'est à partir de là que commença l'irrésistible ascension de Benno Besson. En 1958, il quitta le Berliner Ensemble et travailla notamment pour le Deutsches Theater à Berlin. De 1969 à 1977, il fut directeur artistique de la Volksbühne de Berlin-Est.

En plusieurs années sa réussite se concrétisa par une cinquantaine de mises en scène importantes aux quatre coins d'Europe.

Le 1er juillet 1982, Benno Besson entama sa fonction de nouveau directeur du Théâtre de La Comédie de Genève, où il remplaça Richard Vachoux, démissionnaire. Sa nomination fut le résultat d'un véritable plébiscite ! Le 8 février 1981, je parvins à l'atteindre au Dramatens de Stockholm où il mettait en scène « Sainte Jeanne des Abattoirs », de Brecht. Il m'expliqua comment il s'était décidé à venir travailler à Genève : « Cela s'est produit par hasard ! J'ai reçu de Genève une lettre signée par un grand nombre de personnalités du théâtre qui me demandaient de poser ma candidature. J'ai été très touché par l'intérêt que l'on me témoignait ! J'ai alors étudié le projet, puis j'ai accepté de postuler. »

A l'époque, Benno Besson me confia quelles avaient été ses motivations profondes lorsqu'il prit la décision d'effectuer un retour au bercail : « Pour moi, la boucle se ferme un peu ! Après avoir travaillé en France, en Allemagne avec Brecht, et dans d'autres pays d'Europe, j'avais envie de revenir en Suisse et je pense que mes expériences précédentes pourraient servir à répondre à des question particulières qui se posent en Suisse romande, dans notre métier. J'étais parti de mon pays pour des « raisons suisses romandes », je reviens pour des « raisons suisses romandes ! »

En ce mois de février 1981, je demandai alors à Benno Besson pourquoi il avait prévu d'occuper son poste seulement à partir de l'été 1982 ? « Ce délai m'est nécessaire, m'avoua-t-il ! Je veux mieux connaître le fonctionnement du théâtre suisse romand, les comédiens et tout ce qui touche au théâtre avant d'entreprendre quoi que ce soit. Ce round d'observation est indispensable... Jusqu'au 1er juillet 1982, je me rendrai souvent en Suisse pour étudier la situation et afin de prendre des contacts. Parallèlement, je ferai probablement deux mises en scène à l'étranger dont une au Dramatens de Stockholm. Lors du même entretien téléphonique, Benno Besson observa une certaine prudence quand je le questionnai au sujet de ses projets pour La Comédie. « Il est prématuré d'en parler, dit-il ! Tant que je n'aurai pas pu faire une analyse exhaustive de la situation, je ne pourrai pas établir de programme précis et définitif. »

Benno Besson mit à profit cette période d'observation qu'il s'était accordée, afin d'étudier sérieusement la situation et le fonctionnement du théâtre suisse romand. Le retour de l'enfant du pays était attendu avec impatience ; son arrivée à Genève fut saluée avec enthousiasme par la presse et le public locaux.

Pour démarrer la saison 1982-1983 du Théâtre de La Comédie, Besson jeta son dévolu sur « L'oiseau vert », une pièce de Gozzi, créée le 9 janvier 1765 à Venise par la troupe de Truffaldino Sacchi. La version choisie pour La Comédie de Genève fut écrite par Benno Besson lui-même !

Cette version reste fidèle aux grandes lignes de la trame originale. Cependant, les caractères des personnages ont été modifiés, Benno Besson valorise l'amour de soi pour en faire la source indispensable de l'amour pour autrui.

Pour présenter ce spectacle, La Comédie évoqua la controverse survenue entre Gozzi et Goldoni. L'analyse dramaturgique démontra aussi la différence fondamentale entre le style de l'un et celui de l'autre. Il ressort de cette investigation que Gozzi s'est donné une forme de théâtre qui autorise une mise en jeu très riche et libre de la réalité, tandis que Goldoni s'en est tenu à l'observation scrupuleuse, annonciatrice du vérisme cinématographique.

Basant sa démarche sur cette étude, Benno Besson utilisa subtilement cette transformation incessante de la réalité qui

110

caractérise l'univers de la pièce du comte Gozzi. Le résultat de son travail fut éclatant. Cette mise en scène aboutit sur un spectacle divertissant, onirique, drôle, très beau sur le plan visuel et poétique.

Le metteur en scène exploita toutes les possibilités de jeu théâtral vivant offertes par le comportement des quatorze personnages de « L'oiseau vert ». Par une invention mue par une imagination débordante et bien maîtrisée, Besson donna des couleurs vives à ce conte traditionnel. Cette histoire de Renzo et Barbarina, les jumeaux du roi Tartaglia et de la tendre Ninette, vit l'intérêt de chacune de ses scènes relancé par une nouvelle trouvaille de mise en scène bien intégrée dans l'action totale.

Avec ses décors faits en matières souples, qui se déforment constamment pour suggérer une succession de lieux et de climats divers, Jean-Marc Stehlé — encore lui ! — esprit créatif riche, fut la cheville ouvrière du spectacle. Il dessina un univers fabuleux dans lequel Renzo et Barbarina, abandonnés par Truffaldino et Smeraldina, le couple qui les avait recueillis, luttent contre leur grand-mère cruelle, la vieille Tartagliona. Avec l'appui du dévoué Calmon et de l'Oiseau vert, les jumeaux surmontent des épreuves considérables, au terme desquelles leur égoïsme se révèle bénéfique au genre humain... Les décors de Stehlé furent une source de rebondissements visuels sporadiques. Chaque nouvel endroit, surgi de l'imagination du décorateur, possédait un souffle mythologique. Des statues qui marchent, un monstre gigantesque à la gueule béante et aux incisives acérées, furent les deux éléments de mise en jeu scénographique les plus attractifs.

Chaque personnage se vit cadré par un masque réalisé par le spécialiste suisse Werner Strub. Toute la signification de ces masques fut remarquablement expliquée dans le programme conçu pour le spectacle : « L'avantage du masque, s'il fallait le résumer, serait donc d'aider l'acteur à concrétiser le personnage qu'il doit porter, de lui faciliter l'accès à l'exceptionnel de ce personnage, riche de l'expérience de générations, et, en même temps, de permettre au spectateur de se trouver en plein dans le propos de la pièce sans être distrait (agréablement ou désagréablement) par la personne privée de l'acteur.

» C'est évidemment aller à l'encontre d'une tendance favorisée surtout par le cinéma qui est d'élever l'acteur au rang de personnage (généralement en le cantonnant dans un certain emploi) et c'est aussi froisser certaines susceptibilités, car, le visage étant le siège de la personnalité (comme si le corps ne

111

comptait pour rien) le cacher équivaut à une sorte de lèse-majesté. Qu'il soit permis, dans un théâtre qui se veut non vériste, de commettre de temps à autre ce crime-là. »

Pour défendre la pièce de Gozzi et son option de metteur en scène, Benno Besson fit appel à quatorze comédiens bien imprégnés de l'idée générale et de l'atmosphère originale du spectacle. Parmi eux : la Française Françoise Giret, Véronique Mermoud, Jacqueline Burnand, Hélène Firla, Carlo Brandt, Franck Colini, Alain Trétout, Michel Kullmann, Pierre Byland, etc.

Quelques mois plus tard, Benno Besson s'attaqua au classique des classiques : « Hamlet ». Autre pièce, autre spectacle, même succès ! En mai 1983, je vais lui rendre visite à Genève pour qu'il me parle de ses deux réalisations qui furent autant de succès. Débarqué à La Comédie, je croise Gérard Mandonnet, l'un des techniciens du théâtre. Par curiosité, je lui demande comment il trouve le travail avec Benno Besson. « C'est dur, répond-il ! C'est très dur avec lui ! »

Comme tous les maîtres emportés par leur passion, Besson est exigeant. Avec ce genre de créateurs, il ne s'agit pas d'essayer de tenir un horaire régulier ou normal. Ces grands metteurs en scène sont souvent des hommes qui travaillent beaucoup. La flamme créatrice qui les anime les porte à se surpasser, elle les pousse à exiger la même chose de la part de leurs collaborateurs. On l'a déjà vu, ils se ressemblent presque tous sur ce point-là !

A La Comédie, Roger Cuneo, le responsable des relations publiques du théâtre, me conduit au bureau de Benno Besson. Situé dessous la scène, le local est petit, très ordré. Placé sur une petite table, le téléphone sonne tout le temps... Benno Besson m'accueille avec courtoisie. Il a l'air fatigué... On m'a dit que sa mise en scène de « Hamlet » a demandé un gros investissement de sa personne... Et puis son métier a la réputation d'user les nerfs... Je sollicite son autorisation d'enregistrer nos propos, afin qu'ils soient fidèles... « Vous savez, je ne parle pas comme un livre, me confie-t-il sur un ton sincèrement modeste ! »

Tout au long de notre entretien, le téléphone ne cesse de nous interrompre. Les appels proviennent de partout. L'homme est très demandé, son emploi du temps doit être démentiel ! Il lui arrive de converser au téléphone en allemand, puis de poursuivre notre dialogue dans... la même langue. Au bout d'un moment, il se reprend, s'excuse en disant : « Quand il faut parler plusieurs langues l'on ne s'y retrouve plus ! » Il est évident que ma visite intervient sans doute à un mauvais moment de la saison. L'homme semble un peu victime du stress occasionné par ses lourdes responsabilités. Cependant, il prend le temps de répondre à mes questions ; ses réponses hachées par une volonté de bien choisir ses mots, sont d'un intérêt certain :

— Hamlet est considéré comme le prototype de l'inquiétude et de la frénésie moderne. Cette modernité se retrouve aussi dans sa façon d'aborder le problème métaphysique de l'existence dont il dénonce l'inanité. Qu'en pensez-vous ?

« C'est vrai ! Il y a d'ailleurs une conception de la finalité de l'existence qui est particulière, puisque la conscience qui se développe chez ce personnage légendaire est celle d'un être humain qui s'appartient à lui-même. Cette particularité n'était pas habituelle dans la société tribale ni dans la société féodale, mais elle s'est développée dans la société bourgeoise et moderne. Hamlet considère ses forces individuelles comme étant les siennes, il en a l'entière propriété. Cela le plonge dans des conflits qui ressemblent peut-être à la plupart de ceux auxquels nous nous heurtons dans le monde moderne. »

— Ce qui corrobore le fait qu'il est le produit d'un état de crise ?

« Evidemment, puisque c'est la fin de la société féodale et la mise en doute de toutes les valeurs qui pouvaient déterminer l'éthique féodale. »

— Est-ce vrai que le personnage d'Hamlet est le plus difficile à interpréter de tout le répertoire théâtral ?

« Je ne sais pas ? Tous les rôles sont difficiles, en fait... Il est vrai qu'Hamlet de par le volume, de par la somme verbale et par le déploiement physique, est, en effet, un rôle écrasant. Surtout si on le joue à fond, comme il se doit ! Je ne pense pas qu'il soit plus difficile qu'un autre, même s'il sollicite l'acteur de façon particulière. »

— La pièce est un monument du théâtre...

« (Interrompant la question.) Oui, c'est d'ailleurs ennuyeux ! Il s'agit d'une pièce essentielle dans le répertoire du théâtre européen mais ce n'est pas une raison pour qu'on en fasse une chose intimidante pour le public. Ce n'était pas l'objectif de Shakespeare au Théâtre du Globe. Il voulait seulement en obtenir une certaine compréhension. C'est l'effort que nous avons fait... ».

— Le public pense peut-être aussi qu'elle est intimidante pour les comédiens et le metteur en scène. Comment avez-vous franchi les obstacles qui jalonnent une telle mise en scène ?

« Il y a effectivement de multiples obstacles, comme dans n'importe quelle pièce de théâtre. Mais là, les difficultés s'accumulent. Pour nous, metteurs en scène d'origine française, la complication provient de ce que la dramaturgie élisabéthaine n'est pas du tout celle avec laquelle nous avons grandi, c'est-à-dire celle du XVIIᵉ siècle français. Il n'y a pas de séparation entre le tragique et le comique, l'un et l'autre s'interpénètrent.

» D'autre part, il n'y a pas d'unité d'action, pas d'unité de lieu. C'est un théâtre différent qui montre les rapports humains par des mouvements et non par des états d'âme. Le texte n'est que la pointe d'un iceberg qui entend et qui signifie tout un concret théâtral, historique, culturel, etc. »

— Votre approche de mise en scène est-elle très différente de celle de « L'oiseau vert » ?

« Pour moi il n'y a pas eu de différence d'approche. « L'oiseau vert » a quelque chose de commun avec « Hamlet ». En utilisant le même dispositif scénique et non le même décor, j'ai voulu souligner que « L'oiseau vert » est écrit avec une technique qu'on pourrait qualifier d'élisabéthaine. La pièce de Shakespeare est une légende, celle de Gozzi un conte. Il n'y a pas d'analogie, mais des parallèles. »

— Pensez-vous que les personnages de « Hamlet » puissent encore surprendre les gens en 1983 ?

« C'est plutôt à vous de répondre ! Je pense que oui ! Dans la tradition de représentation de « Hamlet », on a généralement répété la légende d'où était parti Shakespeare et je ne sais pas si l'on a bien observé les différences entre l'histoire que raconte l'auteur et l'histoire que narre la légende nordique de Saxo Grammaticus. »

— Après « L'oiseau vert », vous avez à nouveau travaillé avec Jean-Marc Stehlé pour la réalisation des décors de « Hamlet ». C'est une collaboration qui semble vous réussir ?

« Oui ! Et puis nous avons profité de l'expérience accumulée avec « L'oiseau vert » pour souligner une parenté dramaturgique entre les deux pièces. »

— Vous utilisez à nouveau des masques, quel est leur rôle ?

« Ils servent à souligner le caractère de légende. D'autre part, je pense qu'ils ont un certain avantage pour le public. Ils le laissent beaucoup plus libre de projeter son quotidien sur ces personnages légendaires. Sans penser qu'il est identique à eux, il peut projeter ses expériences personnelles. »

— Dans vos mises en scène, les mouvements et la façon de dire le texte sont indissolubles. Cela fait penser à la phrase d'Antonin Artaud qui dit que le comédien est un « athlète affectif ». Qu'en pensez-vous ?

« J'espère que le comédien n'est pas seulement un athlète affectif, mais aussi un être pensant et capable de réflexion ! Cela me paraît être tout aussi important que le côté affectif ou athlétique. Je me méfie un peu de cette définition qui fait ressembler les comédiens aux « bêtes de théâtre ». Elle fait penser à une ménagerie, c'est gênant !

» Au théâtre, j'estime qu'on prend beaucoup dans ce que l'on voit et l'écoute est faite aussi de ce que l'on voit... Si les gens disent qu'ils n'ont rien entendu, cela signifie plutôt qu'ils n'ont rien vu. L'écoute est fixée par l'œil et vice versa. Ce rapport entre l'œil et l'oreille est important.

» Les comédiens expriment ce qu'ils ont à exprimer à partir de leur texte. Des textes comme ceux de Shakespeare sont extrêmement corporels. On y entend quelque chose de très concret, toujours chargé de réalité vivante que les comédiens expriment autant par leur corps que par le verbe. »

— Comment travaillez-vous avec les comédiens ?

« Nous faisons d'abord une lecture de texte, puis nous montons tout de suite sur le plateau avec tous les embarras qui peuvent contraindre un comédien, c'est-à-dire le masque et le costume de répétition, les accessoires, les particularités d'un décor, etc. »

— Vous avez longtemps travaillé avec Brecht. Quelle est la part d'héritage brechtien dans vos mises en scène ?

« Il m'est difficile de le définir ! Le goût que j'éprouve en m'appuyant sur les réalités de la vie du quotidien, historique, de la scène et du public, est l'un des héritages de Brecht. Il y en a certainement beaucoup d'autres je n'en sais rien... D'autre part, Brecht n'a jamais voulu signer une mise en scène avec moi, il estimait qu'il n'avait fait que m'aider et qu'il aurait procédé tout autrement. Donc, je n'ai jamais fait du Brecht ! »

— On prétend que beaucoup de metteurs en scène français ont donné de Brecht l'image d'un théoricien dogmatiste. Quel est votre avis ?

« Il y a une certaine tradition brechtienne en France... Je préfère ne pas en parler... »

— D'après vous quel devrait être le rôle d'un spectacle ?

« C'est une question qui nous emmène très loin ! La première des choses que l'on devrait pouvoir exiger d'un spectacle est qu'il ne soit pas ennuyeux. Il doit en tout cas divertir... »

— Un spectacle peut-il influencer le comportement d'un être ?

« Il y a des spectacles qui ont influencé le reste de ma vie, c'est évident ! »

— Jean-Louis Barrault a dit que le théâtre gomme tout ce qui peut séparer l'homme, qu'il sert à le réunir... Partagez-vous cette opinion ?

« Remarquez qu'il peut aussi servir à le diviser... Dans « Hamlet », le spectacle dont je viens de terminer la mise en scène, il y a toujours cinq ou six personnes furieuses qui s'en vont à l'entracte. D'autres attendent la fin et sortent enthousiastes. On ne peut pas être d'accord avec tout le monde, je n'ai jamais été d'accord avec tout le monde, il est impossible de s'accommoder de tous les gens. Ce n'est d'ailleurs pas forcément mon but... »

Notre entretien se termine sur cette considération. Benno Besson m'invite à l'accompagner pour voir un spectacle qu'il a accueilli dans son théâtre. Ce sont de jeunes acteurs qui l'ont monté, il me le recommande vivement. Les maîtres de la mise en scène sont toujours ouverts aux travaux des jeunes.

Sourcils épais, regard intelligent et perçant, cheveux grisonnants et broussailleux, moustache à la Mark Twain, l'air pensif, la démarche rapide, Benno Besson est un alerte sexagénaire. A soixante ans, son imagination fertile est loin d'être tarie. Comme la plupart des grands créateurs, il se bonifie en prenant de l'âge. Ce phénomène est d'autant plus actif chez Benno Besson, parce qu'il possède une vertu rare — sa vertu principale — un pouvoir inventif absolu.

X

Antoine Vitez : « *Une mise en scène est un travail humaniste qui implique la culture.* »

Claude Mathieu, jeune première de La Comédie Française, disait le plus grand bien d'Antoine Vitez, son professeur au Conservatoire d'art dramatique de Paris. Pour plusieurs générations de jeunes acteurs, Vitez a été le créateur du renouveau. L'homme dont le travail de mise en scène s'effectue au niveau du langage afin de lui restituer sa splendeur originelle. Antoine Vitez a souvent marié la poésie avec les obsessions fantasmatiques, l'activité ludique avec les arts plastiques ou les objets susceptibles de contourner l'illusion au bénéfice du développement critique, de l'historicité et de la mise en question. On comprend que ce dépoussiérage systématique ait séduit beaucoup de jeunes comédiens. A l'instar de Benno Besson ou André Steiger, Antoine Vitez remet sans cesse en cause ses propres créations, il part du principe que le théâtre n'est pas un art immuable, qu'il faut proposer constamment des approches nouvelles. Le « théâtre élitaire pour tous » c'est aussi Vitez ! Un créateur qui réussit à polariser sur lui l'attention, les critiques ou l'admiration de l'opinion. Rarement un homme de théâtre provoque autant de mouvements divers, autant de remous, autour de l'originalité de sa démarche.

En octobre et décembre 1980, Antoine Vitez effectue une tournée en Suisse avec « Bérénice », de Racine. Il passe successivement au Théâtre de Vidy et au Théâtre de La Comédie. Sa venue constitue un événement dont on parle beaucoup ! Son spectacle attisera les controverses dans le public et la presse. Peu avant son arrivée à Lausanne, je lui téléphone afin de lui poser plusieurs questions pour le quotidien « 24 Heures ». Nous évoquons sa carrière et évidemment « Bérénice ». L'homme est affable, il répond vite et dans un français impeccable. On devine qu'il a un sens inné du verbe. Il fait toujours rapidement la synthèse de ses idées, va droit au but en faisant preuve d'une grande célérité dans ses raisonnements :

— Antoine Vitez, vous êtes connu comme metteur en scène, acteur, professeur, vous avez aussi été traducteur. Vous avez obtenu un diplôme de russe à l'Ecole nationale de langues orientales vivantes et traduit des ouvrages de l'allemand, du russe, ainsi que du grec ancien et moderne. Vous auriez été capable de traduire tous les auteurs que vous avez mis en scène, vous l'avez d'ailleurs fait avec « Le précepteur » de Lenz et « Electre » de Sophocle. Pensez-vous que, malgré une traduction déjà effectuée par d'autres, il soit indispensable de connaître la langue de l'auteur dont vous montez la pièce ?

« (Rire) C'est drôle comme question ! Cela n'est pas nécessaire ! Je ne peux pas ériger une loi qui ne regarde que moi. Cela me gêne personnellement beaucoup de ne pas pouvoir lire le texte original, car j'ai la manie du langage. Je voudrais monter un Shakespeare, mais j'hésite parce que je connais mal l'anglais. Néanmoins, il doit être intéressant d'entamer le jeu de la confiance. Faire confiance à l'inconnue, à la trace et à l'ombre que d'autres ont projetées par une traduction. J'ai envie de commencer ce jeu avec la réalisation d'œuvres japonaises. »

— Vous avez été élève de Tania Balachova et secrétaire de Louis Aragon. Que vous ont apporté ces deux personnalités ?

« Tania Balachova était un professeur d'art dramatique génial qui faisait appel à l'imagination des acteurs et qui m'a appris que le comédien est un créateur. Je lui dois beaucoup comme acteur et pédagogue. Louis Aragon a constitué mon université. Je n'ai pas fait d'études supérieures, je considère que l'école de langues est peu de chose par rapport à l'université et Aragon m'a apporté ce qui me manquait sur ce plan. »

— Outre vos activités au sein de divers établissements culturels français, vous avez été directeur d'études à l'université du Théâtre des Nations, professeur à l'école de mime de Jacques Lecoq, vous dirigez la classe la plus importante du Conservatoire national d'art dramatique et vous êtes directeur du Théâtre des Quartiers d'Ivry. Vous étonnez de par la diversité de vos talents et il semble que la remise en question permanente soit votre voie privilégiée ?

« J'ai l'impression que dès que je commence dans une voie, j'ai envie de me subvertir moi-même ! Pour éviter de tomber dans le piège de mon propre académisme, j'ai tendance à faire autre chose ! »

— Dans « Bérénice », vous jouez le rôle d'Antiochus. Pourquoi avoir choisi ce personnage et pensez-vous qu'il soit important qu'un metteur en scène soit aussi comédien ?

« C'est très important ! Il y a d'ailleurs des exemples illustres avec Jouvet ou Stanislavski. En outre, il est primordial de partager la vie et le sort de la troupe. A propos d'Antiochus, j'avais envie de jouer ce rôle parce que je désirais vivement représenter avec mon corps l'excès des passions amoureuses. »

— On dit que vous êtes l'homme de spectacle le plus exigeant et le plus intransigeant d'aujourd'hui, celui dont la théâtralité est la plus pure. En outre, vous ne faites aucune concession formelle à la facilité politique ou esthétique. Etes-vous d'accord avec cette définition ?

« C'est très flatteur, je suis gêné d'être d'accord ! »

— Votre recherche s'effectue dans le prolongement des travaux de Stanislavski, Meyerhold et Brecht. Il s'agit d'un travail exhaustif et rare ! Que pensez-vous des choix faits par beaucoup de troupes ? Certaines sont exclusivement brechtiennes, d'autres se réfèrent seulement à Stanislavski, etc.

« Pour tous les gens de ma génération, Brecht a joué un rôle important. Ne serait-ce que sur un plan historique ! Néanmoins, mon travail n'a pas un grand rapport avec l'esthétique de Brecht. La filiation essentielle que je me reconnais est surtout celle de Stanislavski et Meyerhold. Je me fais une certaine idée de la mise en scène, elle est traduite dans le sens des conceptions d'Europe centrale. Pour moi, une mise en scène est un travail humaniste qui implique la culture. L'art de la mise en scène est essentiellement maïeutique et l'on doit avoir la sensation de porter la culture contre la barbarie. Un metteur en scène génial mais inculte n'est pas un exemple à suivre ! Pour répondre précisément à votre question, j'avoue ne pas comprendre que l'on puisse se cantonner dans une seule théorie dramatique. Il faut avoir beaucoup de références culturelles, ainsi que théoriques, et rester soi-même par l'invention. »

— Vous avez été inscrit au Parti communiste français. Que représente cette phase de votre existence et pourquoi avez-vous démissionné ?

« J'ai d'abord été sympathisant du PCF pendant dix ans, puis membre durant vingt ans. Le parti est une culture. Il s'agit aussi d'un engagement qui représente tout ! J'entretiens une relation passionnelle avec le PCF et il m'est difficile de résumer l'acte douloureux constitué par ma démission. L'invasion de l'Afghanistan par les troupes soviétiques n'est pas l'unique cause de mon départ. Ce dernier est le fruit d'une évolution profonde et d'un aboutissement. C'est l'appartenance au parti qui m'était devenue impossible et pas seulement la politique et les idées. »

— A propos de « Bérénice », un critique a dit qu'une partie du public vient pour comprendre cette tragédie dans sa limpidité première et que ces spectateurs sont déroutés par ce que vous y ajoutez. Il s'agirait d'un lyrisme parcouru par d'étonnantes ruptures baroques ! Comment avez-vous abordé la pièce de Racine ?

« Je suis surpris par cette remarque. J'ai eu plutôt l'impression de la monter d'une façon limpide... En abordant cette pièce, j'ai eu envie de montrer les passions amoureuses qui constituent le sujet de tragédie par excellence ! Ce qui m'a intéressé ce sont le rapport entre le pouvoir et le jeu amoureux, l'extrême et le caractère abominable et indécent des passions amoureuses. Cette pièce est un jugement moral sur ces dernières ! Je voudrais ajouter que Madeleine Marion, que je considère comme une actrice exceptionnelle, interprète le rôle de Bérénice. Elle joue à partir d'un travail du texte tout à fait rare, elle répond, pour moi, au mythe de la grande actrice et j'ai eu envie de mettre en scène une grande actrice dans le rôle de « la grande actrice » ! Un mot encore à propos de Pierre Romans qui joue le rôle de Titus. Il représente à merveille l'image de la jeunesse et du pouvoir. »

Toute la pièce de Racine a été placée sous le signe de la représentation. Les protagonistes évitent de se toucher, ils reconstituent ainsi une règle conforme aux usages de la tragédie classique. Les gestes décisifs sont stoppés peu avant leur terme, évoquant ainsi le goût des figures prises en mouvement, goût cher à l'art pictural baroque. Les étoffes et les coloris des costumes réalisés par Claude Lemaire, la décoratrice du « Misanthrope » de Steiger, rappellent ceux des toiles de Rembrandt. Les décors de Claude Lemaire, composés d'un parquet, de quatre pilastres, d'un toit muni d'un impluvium, d'une sortie ornée d'une grande fresque romaine, contribuent à favoriser cette emphase baroque que recherche Vitez.

Dans ce spectacle, chaque personnage revêt une enveloppe picturale qui permet au comédien d'aller jusqu'à la limite de la théâtralité offerte par le rôle. La justification de l'utilisation de celle-ci est motivée par une volonté de décrire méticuleusement le processus conflictuel déclenché par les vecteurs de ce drame racinien. Dans ce contexte, la « théâtralisation » de « Bérénice » prend un caractère inévitable, naturel...

120

La mise en scène d'Antoine Vitez fait entrer en osmose le système narratif avec les obsessions fantasmatiques à essence culturelle. Ici, les corps et les objets rares prennent une signification précise par la succession de tableaux christiques qu'ils évoquent. Dans un ouvrage fort intéressant, intitulé « Vitez. Toutes les mises en scène » (Editions Jean-Cyrille Godefroy), Anne-Françoise Benhamou les énumère : « Pieta - Bérénice à genoux derrière le corps inerte de Titus ; Christ aux outrages : Antiochus, adossé à un pilastre, les mains comme attachées dans le dos, la tête tournée à droite, à gauche, violemment, par une flagellation imaginaire ; bras en croix de Titus, lors du monologue de l'acte IV, avec partout, au bout des doigts, cette rose qu'il respire parfois et caresse — emblème courtois qui dénonce la présence de la casuistique médiévale dans ce texte « janséniste ». »

Bérénice, Titus et Antiochus ne parviennent pas à aboutir dans la liaison, ils se heurtent à l'impossibilité de trouver une conformité d'efforts et de pensées. Cette mésintelligence débouche sur un parti pris de différences, de jeux étrangers l'un à l'autre. Trois jeux intelligemment analysés par Anne-Françoise Benhamou : « Madeleine Marion, formée à la diction la plus classique, recherche la plénitude du corps et de la voix ; elle porte l'alexandrin à sa musicalité maximale. Le jeu d'Antoine Vitez est fait de contrastes et de ruptures, de mouvements violents excessifs et rares ; il évoque presque, dans son irréalisme des images du Nô — le costume aux larges manches y contribue, ainsi que la mise en valeur des mains, souvent portées au visage ; sa diction enfin, selon un « code inventé » exalte l'alexandrin en l'écartant de l'accentuation de la langue parlée, en en redoublant l'artifice. Pierre Romans, moins apprêté, moins expert dans son jeu, donne alors surtout une image d'enfance, sa silhouette est instable, il dit les vers avec effort, projetant les mots douloureux, amour, gloire, Rome. »

Depuis son dernier passage en Suisse avec « Bérénice », Antoine Vitez a été nommé à la direction du Théâtre national de Chaillot. Fidèle à son image, il reste le même créateur soucieux d'être à l'avant-scène des mouvances riches de l'art dramatique. Dans le numéro 8 de la revue française « Acteurs », il déclare : « Le Théâtre national de Chaillot a une vocation moderne. Je pense que je vais gagner l'enjeu et le pari : nous allons trouver un public que le travail qui s'accomplit ici sur le déplacement des formes théâtrale intéresse. Le théâtre doit de nouveau être le lieu de la bataille des idées. » Il ajoute dans le numéro 5 du

Journal de Chaillot : « Je voudrais que Chaillot devienne un lieu où les contradictions circulent, où l'esprit se manifeste, et qu'il soit aussi un lieu où les gens éprouveront le plaisir de travailler ensemble et de nouer des liens avec un public qui ne se contente pas d'assister aux spectacles, mais qui en parle. C'est ce lien qui rend à un théâtre sa figure exemplaire, car ce dont je rêve ce n'est pas d'un réceptable qui accueillerait les bonnes ou les mauvaises pièces. »

Cela ressemble à une définition du « théâtre élitaire pour tous » !

XI

Julia Migenes-Johnson : « *Si l'on se sert d'une émo-*
tion négative pour trouver la sincérité de son per-
sonnage, on risque de voir l'émotion recherchée
devenir chronique. »

Dans son livre « Actes et entractes » (Editions Stock), Rolf
Liebermann, ancien administrateur de l'Opéra de Paris, porte
un jugement sévère sur les comédiens. Ses critiques souvent
excessives ne me semblent pas bien fondées. Ayant assuré pendant un an la direction intérimaire du Schauspielhaus (théâtre
dramatique) de Hambourg conjointement avec celle de l'Opéra, Rolf Liebermann a comparé la profession de chanteur avec
celle d'acteur. L'on peut regretter qu'il ait formulé certains re-
proches de façon péremptoire en ne s'en tenant qu'aux généra-
lités.
   Celui qui réussit à redonner son lustre au Palais-Garnier, a
un peu trop facilement tendance à assimiler les acteurs à des
êtres victimes d'un dédoublement de la personnalité et les actrices à des divas horripilantes.
   Rolf Liebermann argumente : « Le comportement des acteurs,
tel que je viens de le décrire, est la conséquence d'une maladie
professionnelle : la maladie du faux-semblant. Les comédiens
connaissent un dépérissement de la personnalité, dû à l'incarnation régulière et répétée des héros de répertoire. Il se trouve
que les chanteurs d'opéra, eux, sont moins séduits par cette
possibilité de s'approprier le verbe et la pensée des autres. Un
grand chanteur ne peut pas tricher ; un grand comédien, si. (...)
Dans l'art lyrique, il est impossible de faire prendre des ves-
sies pour des lanternes, et qui a vu Nicolas Ghiaurov chanter
Philippe dans Don Carlos a compris qu'il faut être littéralement
pétri de douleur pour interpréter ainsi le grand air du cinquiè-
me tableau. De même, l'Ave Maria d'Othello vient du cœur de

Mirella Freni et les tremblements de Kiri Te Kanawa, qui met une demi-heure à se ressaisir après la fin de Don Giovanni, ne sont pas feints. »

Après avoir lu cet ouvrage passionnant, j'ai eu envie de faire la connaissance de l'une de ces chanteuses lyriques dont Rolf Liebermann vante les mérites. Je voulais savoir comment un artiste d'opéra abordait un rôle. Malgré la discrimination faite par Liebermann, j'étais convaincu qu'il existait des ressemblances dans la manière de travailler, que le même sérieux était apporté de part et d'autre, et que la sincérité momentanée était le véritable objectif d'un chanteur lyrique aussi bien que d'un acteur.

En février 1983, j'ai eu le privilège de rencontrer Julia Migenes-Johnson, la grande cantatrice de demain ! Ses propos pertinents nous font découvrir une personnalité, mais nous donnent aussi un éclairage sur le métier de chanteuse lyrique, sur l'interprétation à l'opéra.

Née à New York, de père grec et de mère portoricaine, elle est l'étoile qui n'en finit plus de monter. Après Broadway et le Metropolitan Opera de New York, elle fit ses grands débuts au cinéma, durant l'été 1983.

Entre-temps, en janvier et février 1983, Julia Migenes-Johnson fit un malheur au Grand Théâtre de Genève. Toutes les représentations furent jouées à guichets fermés. Devant les bureaux de location du célèbre théâtre de la place Neuve, les files d'attente n'en finissaient plus de s'allonger. Tout le monde se bouscula au portillon pour voir celle que la presse appela « le phénomène Julia Migenes ».

Sylvie de Nussac, critique redoutée de « L'Express », connue pour ne pas savoir mâcher ses mots, écrivit : « Pour Migenes, qui fut danseuse et le demeure de la tête aux pieds, Béjart a réglé un solo digne de figurer dans une anthologie de ses chorégraphies ; ce qu'elle en fait vaudrait à lui seul le voyage. Mais sa voix ? Pas plus volumineuse, c'est vrai, que sa personne. Soprano léger, rien à voir avec les grands sopranos dramatiques qui ont marqué le rôle, comme Léonie Rysanek, Gwyneth Jones ou Birgit Nilsson (mais, franchement, Nilsson en Salomé...). Ce qu'on perd en décibels, on le gagne en vraisemblance, en pureté, en intelligence, sans parler d'une musicalité infaillible. » La terrible épistolière continua sa critique en affirmant péremptoirement : « Bouleversante, la Migenes, dans cette scène avec la tête coupée de Jochanaan, la plus sublime scène d'amour de d'histoire de l'opéra... »

Quand la porte de l'appartement genevois de Julia Migenes-Johnson s'ouvrit, je découvris une femme de petite taille dont la magnifique crinière bouclée est la première particularité qui frappe. Son regard, pétri de malice et de gentillesse à la fois, parvient à capter rapidement l'attention de l'interlocuteur. « J'espère que vous aimez le café ? », me demanda-t-elle en présentant le plateau sur lequel la cafetière et la tasse avaient déjà pris place. Après s'être acquittée de sa tâche de parfaite maîtresse de maison, elle s'installa confortablement sur un grand divan, les jambes en tailleur. Complètement décontractée, l'attachante petite Américaine s'empara d'un tricot et commença tranquillement sa besogne. « Voilà, je suis prête, vous pouvez y aller ! »

— Vous êtes montée sur les planches très jeune. Comment se sont effectués ces débuts précoces ?
« J'étais dans une école où l'on demandait à des enfants de jouer à la télévision, au music-hall et à l'opéra. A quatre ans, j'ai interprété le rôle de l'enfant dans « Madame Butterfly ». A cinq, j'ai fait un soldat dans « Carmen » (rire). Lorsque j'ai eu six ans, je suis partie en tournée avec un spectacle de music-hall. »
— Cet univers du spectacle vous a sans doute plu immédiatement et vous a décidé de continuer dans cette voie !
« Absolument ! »
— Vous avez suivi ensuite les cours de la Music and Art High School de New York. Il s'agit, je crois, d'une très grande école ?
« Oui, comme dans le célèbre film « Fame ». C'est exactement pareil. »
— Les écoles artistiques américaines sont réputées pour dispenser une formation très complète. Vous sortez de l'une de ces « universités de l'art » et vous vous produisez aussi bien au music-hall qu'à l'opéra ou dans les opérettes. Vous jouez dans des genres complémentaires mais très divers. Votre éclectisme vous a-t-il été donné par la Music and Art High School ?
« Je n'y ai pas appris la danse. Par contre, c'est bien là que j'ai bénéficié d'une formation musicale exhaustive. On y apprend tout sur toutes les musiques, Vivaldi, le jazz, etc. Comme j'ai toujours voulu danser, j'ai pris des leçons à côté de cet enseignement. A New York, on a la possibilité d'étudier tout ce qu'on veut et de façon extrêmement professionnelle. »
— Les artistes américains ont d'ailleurs la réputation d'être les plus grands professionnels du monde !
« Je pense que les Européens produisent autant d'artistes de

talent que les Américains. Pour une question de tradition, ces derniers ont besoin de suivre des études rigoureuses. C'est uniquement cette tradition qui fait dire aux Européens que les Américains sont plus professionnels qu'eux. »

— Combien d'années êtes-vous restée à la Music and Art High School ?

« J'y suis entrée à l'âge de quatorze ans, j'en suis sortie quand j'ai eu dix-sept ans. »

— Je crois savoir que c'est Leonard Bernstein qui vous a réellement lancée dans la carrière ?

« Il m'a vue dans une audition à la Music and Art High School et m'a aussitôt engagée. J'avais alors seize ans. Après, j'ai chanté dans « Le violon sur le toit » et dans « West Side Story ». Le fait de travailler à Broadway, sous la direction du metteur en scène Jérôme Robbins m'a permis de poursuivre efficacement ma carrière lancée par la confiance que m'avait témoignée Bernstein. »

— Fille de parents pauvres, puis petite élève inconnue qui est choisie dans une audition par un grand compositeur et qui devient une tête d'affiche à Broadway, c'est un rêve ! Il s'agit d'une histoire qui ressemble étrangement à un joli scénario de comédie musicale !

« Oui (rire tendre et enthousiaste) ! Ça c'est typiquement New York ! C'est peut-être la seule ville au monde qui puisse permettre à quelqu'un de partir de rien et d'être propulsé. »

— Pour les Européens, Broadway est une sorte de mythe merveilleux. Quelle est la réalité ?

« Malgré les choses moches qui existent aussi là-bas, Broadway reste un lieu artistique fantastique. Ce qui est positif à Broadway l'est totalement ! On peut dire qu'on y crée les meilleurs chanteurs, les meilleurs danseurs et les plus fortes personnalités artistiques du monde. »

— Après les Etats-Unis vous avez travaillé dans plusieurs pays ?

« Oui, un peu partout en Europe. J'ai eu l'occasion de faire des choses très diverses, y compris de nombreux shows télévisés. »

— Est-ce difficile de passer de la comédie musicale à l'opéra, puis de l'opéra à l'opérette et vice versa ?

« C'est effectivement délicat ! A l'opéra, on chante avec une technique particulière qui n'est pas la même que celle que l'on utilise au music-hall. Il faut donc pouvoir s'adapter à tous les genres. L'opéra demande une plus grande rigueur, on n'a pas le droit de changer les notes. Une note doit être tenue aussi longtemps que le compositeur l'a demandé. Dans une comédie musicale, on a la possibilité de changer, de chanter plus lentement ou plus vite que l'orchestre, on dispose de plus de liberté pour personnaliser son interprétation. Il faut aussi savoir interpréter un texte parlé, il est également nécessaire d'avoir une bonne condition physique. La comédie musicale exige beaucoup sur le plan physique. Mais, un opéra comme « Salomé », mis en scène à Genève par Maurice Béjart, demande aussi énormément de résistance. »

— Récemment, à la télévision suisse romande, Maurice Béjart a déclaré : « Cela faisait vingt ans que je cherchais Salomé, je l'ai enfin trouvée en la personne de Julia Migenes. » Comment vous a-t-il découverte ?

« (Rire heureux.) Il a dit ça ? Il est vraiment gentil ! Il m'a connue en voyant une émission de télévision. Je chantais et dansais « Olympia » d'Hoffmann, je dansais aussi « West Side Story », je chantais Desdémone, des chansons de music-hall dans plusieurs chorégraphies. Quand il a vu tout cela, il a dit : « C'est Salomé ! » Il m'a ensuite contactée par le truchement d'une agence. J'ai d'abord répondu négativement, parce que j'ai eu peur. J'étais ravie de sa proposition, mais j'avais des craintes, car je n'ai pas la voix de Birgit Nilsson. Je me suis rendue chez mon professeur de chant pour lui demander son avis. Nous avons fait un essai, elle a dit : « Oui, ça ira, mais il faut beaucoup travailler. » Alors je me suis lancée, j'ai énormément travaillé et cela a bien marché ! »

— Effectivement ! D'ailleurs tout le monde le dit !
(Rire de joie.)

— Comment s'est déroulé le travail sous la direction de Maurice Béjart ?

« Fantastiquement bien ! Béjart a un humour merveilleux, cela rend le travail très agréable. Je trouve cela important, d'autant plus que j'aime rire ! Nous avons répété comme des fous en rigolant comme des fous. Au début, nous avions décidé de consacrer deux semaines uniquement à la partie dansée. Le travail a été tellement intense, que nous avons été obligés d'arrêter au bout de trois jours pour changer notre fusil d'épaule. Après un certain laps de temps, le travail est devenu encore plus intense et j'ai perdu provisoirement mon humour. Je ne pouvais plus détourner mon esprit qui était concentré exclusivement sur le but à atteindre. J'avais le corps couvert de bleus à cause des chutes sur le sol ; je ressentais des courbatures partout... L'enjeu était tellement important que je n'avais plus de place pour être légère. Quand les résultats sont devenus concrets, mon humour est revenu très naturellement. »

— Est-ce que Maurice Béjart envisage déjà une nouvelle collaboration avec vous ?

« Oui, il souhaiterait mettre en scène « Les sept péchés capitaux », de Bertolt Brecht et Kurt Weill. Il songe à me donner un rôle dans cet opéra. »

— Vous allez tourner un film prochainement. Il s'agit de « Carmen » de Bizet. Où en est ce projet ? (rappelons que cet entretien eut lieu en février 1983).

« Nous avons enregistré la musique, nous allons tourner les séquences en Espagne l'été prochain. Je me réjouis beaucoup de travailler sous la direction de Francesco Rosi. »

— Avez-vous vu la « Carmen » mise en scène par Peter Brook à Paris ?

« Oui, c'est un spectacle superbe ! »

— Sur un plan personnel, que vous apporte le métier que vous exercez ?

« Je suis très sensible à la spiritualité. J'essaye de garder une attitude constamment positive. Je m'efforce de conserver toujours la volonté de réussir tout ce que j'entreprends. Cette optique me donne beaucoup de force dans la vie, elle me permet de retirer le maximum de satisfactions dans la profession que j'exerce. »

— Pensez-vous que cette manière de voir les choses soit à l'origine de votre réussite ?

« Oui, mais pour ne jamais être déçu, il faut garder les pieds sur terre et se dire qu'on peut aussi essuyer un échec. Si l'on n'a pas le succès que l'on escomptait obtenir, il faut se consoler en se disant que l'on a travaillé de son mieux et dans la joie. Si le succès couronne le tout, c'est d'autant plus formidable. Quoi qu'il arrive, l'essentiel est de ne jamais se laisser déprimer. »

— On vous sent d'ailleurs très à l'aise dans la vie et dans votre façon d'aborder votre métier !

« Oui, je crois que c'est vrai ! Dans tout ce qu'on entreprend, il convient de ne jamais oublier la joie qu'on doit ressentir parce qu'on fait quelque chose. Mon métier occasionne des moments difficiles, parce qu'il fourmille de gens négatifs, pessimistes. Le théâtre et la musique sont entourés de critiques nihilistes ou d'êtres qui ont une influence néfaste. Il faut faire abstraction de tout cela et se concentrer sur le but qu'on s'est fixé. Je ne pense qu'à la joie que j'ai à faire ce que je fais, je veux chanter sur scène avec la même bonne humeur que je le ferais chez moi. Si des musiciens de l'orchestre ou une partie du public me sont hostiles j'évite de voir cela et je m'en porte d'autant

128

mieux. Cette attitude m'apporte beaucoup de bien-être. Si j'interprète un personnage méchant, je pars du principe que ce n'est qu'un jeu et j'éprouve une joie fébrile à bien composer ce personnage. Il faut aussi acquérir une grande technique professionnelle, car, sans elle, la joie n'est rien ! »

— Dans votre carrière, vous allez sans doute faire encore beaucoup de choses, parce que vous êtes jeune...

« (Rire.) Ça va ! Ça va ! »

— (d'un ton un peu facétieux) ... jeune et jolie...

« (Rire encore plus fort.) Ça va ! Ça va ! »

— (redevenant sérieux) Vous avez donc encore une belle carrière devant vous, quels sont les rôles que vous souhaiteriez interpréter ?

« Je voudrais jouer dans « Les contes d'Hoffmann », d'Offenbach, dans « Manon » ou dans « Cabaret ». J'aime aussi tourner des films et je souhaiterais en faire plusieurs. »

— Que pensez-vous des films tirés d'opéras comme « La flûte enchantée », réalisée par Bergman, ou « Don Giovanni », mis en scène par Losey ?

« C'est une démarche très intéressante ! Cela permet à un grand nombre de personnes de découvrir l'opéra. Le film de Bergman m'a beaucoup plu. Je n'ai malheureusement pas pu voir « Don Giovanni ». Je le regrette car j'adore Ruggero Raimondi. »

— Au théâtre, les comédiens ont souvent la possibilité de répéter pendant deux mois. Les chanteurs d'opéras disposent de beaucoup moins de temps, cela pose-t-il un problème aux artistes ?

« Non, je ne crois pas ! A l'opéra, les rôles sont souvent étudiés longtemps à l'avance et la musique porte. Dans une pièce, le metteur en scène doit trouver le rythme idéal. Dans la musique, le rythme est déjà dedans, cela rend donc le travail plus facile. Cependant, il y a des opéras qui, malgré la musique, donnent beaucoup de fil à retordre aux artistes. »

— Dans votre interprétation de Salomé, on a loué votre expression corporelle, votre travail sur la voix, mais aussi et surtout la qualité de votre interprétation. Comment faites-vous pour entrer si bien dans la peau d'un personnage ?

« C'est difficile de répondre ! Il y a dix ans que je me penche sur la partition de Salomé. Cette femme m'intéresse depuis longtemps, car il me semble que je connais quelque chose de cet être. Je possède en moi une petite portion de Salomé. Cela ne signifie pas nécessairement que j'ai une propension à couper les têtes (rire)... Mais jouer Salomé représente un rêve pour moi, parce que je peux sortir tout ce que j'ai de Salomé en moi. Je vais incarner Carmen à l'écran et je n'ai pas l'impression non plus de m'aventurer sur un terrain inconnu. Il y a une infime partie de moi qui est Carmen. Cet acquis me donne la force d'interpréter la totalité du tempérament du personnage. Il y a d'autres rôles que je ne comprends pas, que je ne pourrais pas travailler, parce que je ne possède pas la moindre petite fraction du personnage. »

— Beaucoup d'acteurs, principalement au cinéma, finissent par perdre leur identité propre parce qu'ils s'identifient trop aux personnages qu'ils interprètent. Il faut sans doute une grande force de caractère pour se sortir de la peau d'un rôle ?

« Pour créer un personnage, il existe deux possibilités : l'une consiste à utiliser des émotions fortes et malsaines, à exploiter un caractère déprimé ou hystérique ; l'autre permet d'exprimer exactement la même chose, mais sans se servir de ces procédés pernicieux pour l'équilibre de l'être. Si l'on se sert d'une émotion négative pour trouver la sincérité de son personnage, on risque de voir l'émotion recherchée devenir chronique. Par contre, si l'on parvient à sortir l'intention juste au moment précis où il faut l'exprimer, on ne garde pas de séquelle. Dans les célèbres cours d'art dramatique de l'Actors Studio de New York, on apprend aux acteurs à incuber les émotions pour mieux les utiliser à l'instant où il le faut. Je pense que cet enseignement n'est pas bon pour l'équilibre du comédien. Les artistes qui n'ont pas un véritable talent et un tempérament réellement créatif ont tendance à ne jouer que des rôles de dépressifs, d'hystériques, de nerveux ou de fous. Meryl Streep, l'interprète principale de « La maîtresse du lieutenant français », n'a jamais suivi les cours de l'Actors Studio. Elle joue d'une manière très différente de ce qu'on voyait habituellement. C'est le cas aussi de la plupart des acteurs anglais. Ils sont tous créatifs au moment opportun. J'estime qu'il s'agit de la meilleure forme d'interprétation, c'est celle également qui ne laisse pas de trace dans le psychisme. Supposez que je joue Salomé et que, par la suite, je conserve intérieurement la même mentalité... Vous imaginez mon pauvre mari (éclat de rire) ? Il convient de préciser que les grands acteurs issus de l'Actors Studio n'utilisent pas forcément tout le temps leur méthode ; ils font un mélange, un dosage salvateur. »

— Quels sont vos compositeurs préférés ?

« J'adore Richard Strauss et plus particulièrement sa « Salomé », Poulenc, Debussy, Puccini, Ravel, Verdi et Mozart. »

— Hormis le chant et votre métier, qu'aimez-vous faire dans la vie ?

« Ça (elle montre son tricot) ! Il s'agit d'un pull pour l'un de mes deux enfants. J'adore être mère de famille. J'essaie d'être le plus souvent possible dans mon foyer, afin de m'occuper de ceux que j'aime. C'est important et c'est un plaisir ! Les femmes qui n'osent pas avoir un enfant, parce qu'elles chantent ou à cause du métier qu'elles exercent, finissent par être toujours toutes seules. Elles ont tendance à devenir narcissiques et égoïstes. Cela n'est pas bon non plus pour leur équilibre. On constate souvent que les artistes sans enfant causent beaucoup sans jamais laisser parler les autres. C'est un symptôme ! »

— Votre mari vous suit dans vos tournées, s'occupe-t-il de vos affaires ?

« Oui, il me sert de manager. Sa présence permanente m'est indispensable. Il est très stable, j'ai besoin de sa stabilité. »

— Quelles sont, d'après vous, les qualités essentielles que doit posséder l'être humain ?

« Je pense qu'il est important qu'il découvre la Vérité en lui. Si l'on se ment à soi-même, c'est le commencement de la fin de la vie. On ne vit pas vraiment en bâtissant son existence sur des mensonges. Il faut toujours chercher le vrai sens de sa raison d'être, ce qu'on pense et qu'on veut vraiment. Je suis persuadée qu'il ne faut jamais arrêter de parler franchement avec les gens pour se comprendre mutuellement. L'être humain doit pouvoir conserver une ligne de conduite qui est l'amour des gens. Si tout le monde adoptait cette règle, l'humanité serait plus heureuse. »

— Quel est votre sentiment lorsque vous entendez un tonnerre d'applaudissements ?

« Je suis extrêmement contente ! Si le public réagit chaleureusement, cela signifie qu'il a oublié, l'espace d'un spectacle, ses problèmes de la vie quotidienne. C'est le plus beau cadeau qu'un artiste puisse offrir. Si je ne suis pas parvenue à donner cela aux spectateurs, je ne suis pas satisfaite. Je ne lis et ne me fie jamais aux critiques. Le seul vrai critique est le public. »

— D'un pays à l'autre le public réagit-il très différemment ?

« Oui ! Les Américains crient, s'expriment de façon très spectaculaire. J'adore ça ! Ils applaudissent même dans les salles de cinéma. Les moins expansifs sont peut-être les Suisses. Cela ne veut pas dire qu'ils sont froids, ils expriment leur contentement de manière plus réservée. Le tempérament et la tradition sont très différents d'un pays à l'autre, il s'agit simplement de le comprendre et de s'adapter. »

— La Suisse vous plaît-elle ?

131

« J'adore votre pays ! Tout le monde est ponctuel, correct ; tout est propre. Cette manière de vivre est positive. »

— Vous vivez aux Etats-Unis, comment est la vie là-bas ?

« Aux Etats-Unis, on pense que les jeunes sont capables de faire quelque chose de bien, on n'hésite pas à leur donner leur chance. En Europe, à cause des traditions, on est plus conservateur, on se fie plus à l'expérience. En Amérique, on reste ouvert aux idées nouvelles ; c'est la raison pour laquelle beaucoup de choses intéressantes proviennent de ce pays. Il y a aussi des difficultés comme partout, mais l'ouverture est l'un des phénomènes les plus motivants des Etats-Unis. »

— Souhaiteriez-vous faire une mise en scène vous-même, espérez-vous pouvoir donner des cours ?

« Absolument ! Pas dans l'immédiat, mais un jour sûrement. »

— Si des jeunes viennent dans votre loge pour vous demander des conseils, comment les recevez-vous ?

« Il y a régulièrement des personnes qui viennent me demander des conseils. Je les reçois toujours et j'essaye de les aider. Je pense que si l'on a appris quelque chose, il faut partager sa connaissance. »

Julia Migenes-Johnson a parlé d'opéra, d'interprétation, mais aussi de la vie tout court. Comme Robert Hossein ! Avec une femme aussi ouverte, il ne pouvait en être autrement. Cela d'autant plus que ce qui se joue à l'opéra aussi bien qu'au théâtre, n'est souvent qu'un reflet de la vie qui peut servir de révélateur.

XII

Philippe Lemaire : « *Un comédien doit pouvoir jouer n'importe quel rôle et des personnages de n'importe quel âge.* »

Dans toutes les villes, il existe des créateurs talentueux qui se battent avec de faibles moyens financiers, mais que la foi en leur profession sublime.

A Lausanne, le comédien-metteur en scène portugais Domingos Semedo appartient à cette famille d'artistes un peu marginaux, qui ressurgissent sporadiquement avec des spectacles de très bonne facture.

En mars 1981, Domingos Semedo met en scène « Les archivistes », une pièce de l'auteur suisse Bernard Liègme. Il s'agit d'une création, elle a lieu au Théâtre Les Trois Coups, la petite salle lausannoise que dirige Semedo. Pour placer tous les atouts de son côté, le metteur en scène engage l'acteur confirmé qu'est Philippe Lemaire.

La dernière fois que les Suisses avaient eu l'occasion de voir Philippe Lemaire, c'était lors d'une tournée des Galas Karsenty-Herbert. Il interprétait un rôle dans « Acapulco Madame », une comédie d'Yves Jamiaque.

Huit ans après avoir joué avec Philippe Lemaire dans « La pêche miraculeuse », film adapté du roman de Guy de Pourtalès et tourné par mon ami Pierre Mateuzzi, je retrouve l'acteur français dans un bistrot situé à la sortie du métro de la capitale vaudoise. Il n'a pas changé, il a conservé cette même élégance, cette prestance qu'il avait déjà huit ans auparavant. Il a toujours la même lueur de gentillesse au fond de son regard irradiant d'ex-jeune premier du cinéma français. A cinquante-quatre ans, il conserve une silhouette de jeune homme. Seule la barbiche qu'il a laissée pousser pour les besoins du rôle le vieillit.

Au moment de notre deuxième rencontre, Philippe Lemaire vit un important tournant de sa carrière. A plus de cinquante ans, il remet en question ses options artistiques précédentes, il tente de s'engouffrer dans une voie nouvelle. C'est avec l'enthousiasme d'un être passionné par le choix entrepris qu'il me parle : « Ayant toujours interprété des rôles de jeunes premiers légers ou de mauvais garçons, j'ai souvent pensé que j'aurais mon emploi au théâtre à cinquante ans ! Pour le public, j'étais l'acteur boulevardier bien connu et je voulais prouver que j'étais capable de jouer autre chose. Ce qui n'est pas péjoratif pour le théâtre de boulevard, lequel comporte aussi bien de mauvaises pièces que de bonnes. Il y a quatre ans, Jean-Christian Grinevald m'a proposé de jouer dans « Quand nous nous réveillerons d'entre les morts » d'Ibsen. J'ai accepté et les gens ont été étonnés... Par la suite, Gilles Chavassieux, l'assistant de Planchon, m'a offert un rôle de vieillard atteint de sénilité dans « Les amant puérils » de Crommelynck. Cette deuxième expérience a aussi été une révélation pour moi : un comédien doit pouvoir jouer n'importe quel rôle et des personnages de n'importe quel âge, il s'agit d'une question d'intériorité. C'est grâce à ces excellents metteurs en scène que sont Grinevald, Chavassieux et maintenant Domingos Semedo que j'ai pu me débarrasser de mon étiquette et aller plus loin dans l'interprétation. »

Les propos humbles de Philippe Lemaire démontrent l'importance de certains metteurs en scène au théâtre. Bon nombre d'entre eux ont une influence déterminante sur l'orientation de l'art dramatique et sur la trajectoire des comédiens. Pourquoi ces quelques metteurs en scène peu communs sont-ils tant recherchés par une majorité d'acteurs ? Leur talent et leur pouvoir inventif ne suffisent pas à expliquer le phénomène. Ce sont d'abord des directeurs d'acteurs innés qui possèdent une vertu rarissime, une particularité appréciée des bons interprètes : ils forcent ces derniers à se dépasser, ils les obligent à aller plus loin, ils les contraignent à aborder des possibilités méconnues par eux jusque-là... Cette faculté qu'ils ont de favoriser la découverte de soi-même et de ses possibilités enfouies est la matière précieuse convoitée par les bons comédiens. Un bon acteur cherchera toujours à élargir ses tessitures. L'exemple de Michel Piccoli résume bien ce genre de situation. Excellent acteur du cinéma français, Michel Piccoli a souvent été confiné dans certains stéréotypes. Relative solution de facilité pour les réalisateurs qui ne font que s'appuyer sur la maîtrise parfaite du comédien, assurant ainsi une réussite sans réelle originalité. Mais quel feu d'artifice lorsqu'un metteur en scène utilise le même talent en poussant l'interprète à sortir d'un canevas que la routine finirait par rendre confortable, insipide. Ce genre d'initiative heureuse révèle une facette de Michel Piccoli ignorée jusque-là, un aspect remarquable de sa panoplie de grand comédien. Le 5 mars 1981, au Théâtre des Bouffes du Nord, il livre au public parisien un Léonid Andréevitch Gaev inattendu. C'était dans « La cerisaie », de Tchekhov, mise en scène par ce maître de la direction d'acteurs qui est le Britannique Peter Brook. Grâce à Brook, Michel Piccoli a sans doute découvert des horizons nouveaux dans ses possibilités d'interprétation. C'est en tout cas l'impression qu'il a donné aux spectateurs des Bouffes du Nord.

Les bons comédiens poursuivent leur carrière en allant de découverte en découverte. C'est en principe de cette manière qu'ils devraient envisager leur métier, c'est ce qui en fait la saveur suprême. Par une révélation tardive, Philippe Lemaire découvre à plus de cinquante ans des sentiers qui fleurent bon l'exploration et l'exploitation de ses pulsions dissimulées. Il m'explique alors ce qui l'a conduit à jouer dans « Les archivistes », de Bernard Liègme : « Je suis emballé par la pièce de Bernard. Il sait choisir des mots qui évoquent des situations et une ambiance. Par ses trois personnages qui vivent dans un monde carcéral constitué par les archives, il parvient à créer un climat pénible qui débouche sur un rire jaune. Si cette pièce ne marche pas auprès du public, je ne comprends plus rien au théâtre ! En outre, je considère que dans le théâtre, comme dans la vie courante, la chose la plus importante est la rencontre. J'ai rencontré un auteur qui m'a plu, un metteur en scène et des comédiens avec lesquels je m'entends très bien, ce qui donne un travail fructueux. Avec Domingos, on va au fond des choses, on travaille de l'intérieur et il n'impose jamais son point de vue de façon tyrannique. Il est ouvert à la discussion, nous nous exprimons longuement, parfois fermement, mais toujours dans un climat de bonne entente et de création. »

Le théâtre est effectivement aussi affaire de rencontre ! Ici, la rencontre est excellente, elle débouche sur un succès :

« Le public ne s'est pas trompé en saluant par une longue ovation la remarquable création que présente actuellement le Théâtre Les Trois Coups. Il s'agit probablement et jusqu'à présent de l'une des meilleures productions théâtrales de la saison lausannoise 1980-81. Les ingrédients les plus subtils ont été réunis pour faire de ce spectacle une réussite : un auteur suisse romand de grand talent qui vient peut-être d'écrire sa pièce la plus intéressante, une interprétation de niveau supérieur et une mise en scène extrêmement sentie.

» Ces « Archivistes » de Bernard Liègme nous plongent dans un huis clos administratif où la cocasserie flirte constamment avec le drame. Schwefelgrüber (« creuseur de soufre »), vieux fonctionnaire près de la retraite, oppresse depuis vingt-cinq ans son collègue Benoît Boyon. Les deux ont leurs manies et une vie professionnelle bien réglée. Malgré quelques rares et éphémères réflexes positifs, le ponctuel Schwefelgrüber est pointilleux et mesquin, il détruit sournoisement Boyon.

» Brave type, ce dernier poursuit désespérément une promotion de sous-chef, recherche un souffle de vie salvateur et se réfugie dans ses fantasmes (deux femmes mortes qu'il a exhumées des documents). Un jeune employé débarque, bouscule la routine, met en accusation l'oppresseur qui vient travailler même après sa retraite, sauve Boyon et quitte au bout de six mois l'univers poussiéreux des recensements de cadavres.

» Bernard Liègme est un merveilleux témoin de la vie. Il est un observateur intuitif et un dramaturge qui possède un sens inné du théâtre. Sa pièce est construite avec maîtrise, intelligence, humour et sensibilité, il est parvenu à réunir tous les registres dramatiques dans une même dynamique. Les caractères de ses trois personnages sont riches et étonnamment moulés. Ses dialogues sont vifs, ses intentions précises. En outre, l'optimisme plaisant qui ponctue sa « comédie presque tragique » dénote la nature de ses qualités humaines.

» Juché sur un tabouret comme un charognard qui guette sa proie, Philippe Lemaire fait une composition qui suscite l'admiration. Vieilli et un peu démoniaque, il est remarquablement entré dans la peau de l'aîné des archivistes et démontre la large gamme de ses capacités d'acteur. Domingos Semedo (qui signe la mise en scène), est drôle et émouvant, nous pensons qu'il s'agit là de l'une de ses meilleures interprétations (Liègme nous a confié qu'il a beaucoup pensé à lui en écrivant le rôle de Boyon), Jean Winiger a trouvé l'enthousiasme juste pour jouer le personnage de Claude Monod. Enfin, Franziska Kradolfer a conçu un décor subtilement étouffant qui marie la logique administrative constituée par des centaines de classeurs et l'inquiétude née d'un univers carcéral subodoré. » (1)

Quelques mois plus tard, le Théâtre Les Trois Coups présente « Les archivistes » à Paris, au Théâtre Montparnasse. Le public

(1) « 24 Heures », 12 mars 1981.

réagit bien, mais les critiques parisiens assassinent gaiement le spectacle. C'est surtout la pièce qui est leur cible privilégiée. Ils lui reprochent d'être une parabole vieillotte, ils semblent s'égarer en y cherchant des symboles. Ils s'attardent trop à essayer de lire entre les lignes et passent à côté de cette observation fidèle des comportements humains dans un microcosme déterminé. Dommage !

Outre le bon metteur en scène et comédien qu'il est, Domingos Semedo est aussi une forte personnalité. Pour certains comédiens, il a la fâcheuse réputation d'être un peu trop irascible. A cette assertion, il rétorque en frappant du poing sur la table et en roulant des yeux furibards : « Franchement ! Je ne pense pas avoir un mauvais caractère ! » En réalité, Semedo est un passionné qui vit sa passion à cent à l'heure ! Comme beaucoup de créateurs inspirés par cette passion de leur métier, il a peut-être tendance à avancer comme un panzer en omettant de ménager les sensibilités, voire les susceptibilités. Les gens qui ont du talent sont souvent des écorchés vifs. Domingos Semedo en est un, mais dans sa soif d'efficacité, il oublie parfois qu'il est entouré d'autres écorchés vifs... Quoi qu'il en soit, il porte son petit théâtre à bout de bras, avec cette fois qui fait soulever des montagnes. C'est également grâce à ces créateurs acharnés, combatifs, incontestablement doués, que l'art dramatique s'irrigue de sang régénérateur.

Généreux avec les gens qu'il aime, Domingos Semedo se confie assez facilement aux personnes qui lui inspirent confiance. Lorsqu'on a la chance de l'entendre parler de son métier, qu'il pratique comme un sacerdoce, on se délecte en partageant une passion tonitruante. Il faut voir alors son physique imposant de fort des halles commencer à s'animer. Tout le caractère latin de sa personnalité émerge. A grand renfort de gestes et de phrases imagées, il se met à vitupérer contre les critiques, à évoquer avec bonheur ses tournées à l'étranger, à bâtir des projets mirifiques. Même s'il déplore parfois d'être incompris par la presse ou certains acteurs, même s'il regrette de ne pas pouvoir bénéficier d'un subside plus conséquent, il demeure toujours optimiste, il est heureux d'avoir la chance d'exercer une profession qu'il aime dans une ville d'adoption qu'il aime.

En octobre 1982, Domingos Semedo accueille un excellent spectacle au Théâtre Les Trois Coups. La venue de ce spectacle coïncide avec un incident regrettable, mais qui, avec le recul ne manque pas de piment... Pour présenter ce spectacle dans « 24 Heures » du 19 octobre, je rencontre la seule interprète : Geneviève Fontanel.

« Si Geneviève Fontanel avait vécu en 370 avant J.-C., elle aurait sans doute inspiré Scopas ou Praxitèle. Ses modelés voluptueux exhalent une sensualité douce. Lorsqu'elle s'exprime, le charme ne se rompt pas. Ses propos sont lucides, sans complaisance, parfois enjoués, généreux. Du 19 au 30 octobre, au Théâtre Les Trois Coups, elle va interpréter « Le journal d'une femme de chambre ».

D'origine genevoise, Geneviève Fontanel possède deux passeports : un français, l'autre suisse. Pourtant, elle n'a joué qu'une fois en Suisse, c'était lors d'une tournée des Galas Karsenty-Herbert. De ses quatre années passées à la Comédie Française, elle conserve un bon souvenir : « On y apprend énormément de choses au contact de comédiens solides et en jouant des classiques. » Geneviève Fontanel est une comédienne éclectique ; elle a joué au théâtre, au cinéma, à la télévision, elle a travaillé aussi bien des boulevards que des pièces moins légères. « Ce n'est pas exceptionnel, dit-elle. C'est de cette façon que l'on travaille en Amérique et dans les pays anglo-saxons. C'est ainsi que cela devrait toujours être. Si l'on traduit les choses différemment devant un gros plan cinématographique ou face à une salle de six cents places il n'y a que le mode d'expression qui change. Le travail intérieur, les motivations restent les mêmes. A part cela, si l'on joue pas mal de boulevards, il faut être vigilant, ne pas tomber dans ce ton extérieur dont certains acteurs n'arrivent plus à se débarrasser. En restant vigilant, on peut aisément passer d'un genre à l'autre. C'est un travail personnel ; on est responsable de sa vie d'acteur. La seule chose dont on n'est pas responsable, c'est de sa gueule... »

Un jour, Jacques Destoop, sociétaire de la Comédie Française et mari de Geneviève Fontanel, a fait un montage poétique d'après un travail sur la condition domestique au XIXᵉ siècle. En voyant des extraits du roman « Le journal d'une femme de chambre », d'Octave Mirbeau, la comédienne a eu envie de faire vivre le personnage de Célestine. Elle a alors demandé à son mari d'en faire une adaptation théâtrale. « Dans son film, Bunuel a mis en exergue l'érotisme sourd émanant des familles bourgeoises de la fin du XIXᵉ siècle, précise Geneviève Fontanel. Nous nous sommes plutôt intéressés à la condition sociale de la femme de l'époque, à l'impossibilité qu'elle avait de s'en sortir, si ce n'est en piquant l'argent des maîtres, en s'installant, et en devenant un bourgeoise épouvantable. C'est là que réside la moralité de l'œuvre. »

« Dans sa mise en scène, poursuit-elle, Jacques a voulu faire apparaître la dépersonnalisation des femmes de chambre, leur peur de tomber enceinte à la suite des abus des maîtres de maison, leur solitude immense, et leur privation de vie amoureuse authentique. »

Cette interview est effectuée dans un restaurant lausannois. Ce soir-là, Geneviève Fontanel et Domingos Semedo sont partis pour bien s'entendre. La conversation prend une tournure très cordiale. Les origines portugaises de Semedo intéressent l'actrice. Elle demande à son hôte comment il prononce son prénom si original. « Domingouche, lui répond-il gentiment ! » « Domingouche, s'étonne-t-elle avec une douceur malicieuse dans la voix ? Puisque les autres vous appellent Semedo, je vous dirai Domingouche ! » Une collaboration basée sur des rapports amicaux semble prendre son essor.

Hélas !, la lune de miel est éphémère ! Les paroles échangées plus tard n'ont plus la même cordialité, c'est le moins que l'on puisse dire ! L'insatisfaction de Geneviève Fontanel est à l'origine de cette rupture inattendue. La comédienne est mécontente parce que le théâtre ne lui a pas mis à disposition le régisseur qu'elle estime être en droit d'attendre d'une salle normale. De son côté, Domingos Semedo argumente qu'il dirige un petit théâtre, qu'il n'a pas les moyens de répondre à cette exigence. Le fossé se creuse, il mène à l'impasse, les mots deviennent excessifs ! Geneviève Fontanel ne joue qu'un soir à Lausanne, la femme de chambre rend son tablier, elle claque la porte et rentre à Paris. Récupéré par la presse locale, l'incident dégénère...

Les gens dotés d'un minimum de sensibilité n'aiment pas ce genre de crise. Geneviève Fontanel et Semedo en ont été les premiers marris. J'ai été moi-même mal à mon aise face à cet incident. J'aime bien Semedo, j'apprécie l'actrice qu'est Geneviève Fontanel, j'ai d'excellents rapports avec l'un, j'ai eu un bon contact avec l'autre, la situation était délicate. Cependant, je n'ai pu m'empêcher de sourire en écartant toute idée de rire du malheur des autres. En effet, quelques mois plus tard, Domingos Semedo déambule dans une rue de l'étranger. Il aperçoit subitement Geneviève Fontanel parmi les badauds. Afin d'éviter un contact qui pourrait raviver un souvenir douloureux, il s'enfile dans le premier cinéma venu. A l'abri dans l'obscurité de la salle, il prend place sur l'un des fauteuils libres, puis concentre son attention sur le grand écran. Quelle n'est pas sa stupéfaction lorsqu'il voit Geneviève Fontanel en gros plan...

J'ai quand même eu la chance d'apprécier l'unique représentation lausannoise du « Journal d'une femme de chambre ».

139

Seule en scène, Geneviève Fontanel donne à son monologue toute la consistance de l'œuvre de Mirbeau. Le public devient le témoin privilégié du récit stupéfiant de cette femme de chambre. Le système narratif élaboré par Jacques Destoop et Geneviève Fontanel fonctionne à la perfection. Aucun temps mort n'est constaté, la comédienne s'impose par l'intensité, l'humour, l'ironie et l'émotion qu'elle parvient à faire passer dans ses propos. Elle occupe l'espace scénique avec une aisance naturelle, ses déplacements, ses mouvements, sont tous motivés avec justesse. Elle réussit tellement bien à plonger le public dans son intimité de domestique qu'il a l'impression d'assister au déshabillage d'une femme de chambre par le trou de la serrure. Déshabillage au sens propre comme au figuré ! Luis Bunuel n'aurait pas renié la scène où Geneviève Fontanel se retrouve en déshabillé, bas noirs et bottines lacées...

XIII

Anny Duperey : « *On peut très bien être en larmes, avoir une belle émotion, tout en remarquant qu'un projecteur ne marche pas.* »

— Auriez-vous l'obligeance de m'indiquer où se trouve le Théâtre du Palais-Royal ?

Surpris par ma question, l'agent de police parisien me toise avec de la suspicion dans le regard :

— En face de vous, me répond-il comme si cela allait de soi !

— Mais c'est la Comédie Française, dis-je en marquant mon étonnement...

— Ah ?..., fait-il l'air penaud.

Il déplie alors un plan de Paris et se met à chercher. Lorsque je lui précise que le théâtre en question se situe à la rue Montpensier, il a un déclic immédiat. La rue recherchée est justement l'une de celles qui débouchent sur la Comédie Française.

Après avoir défilé devant les bustes solennels des auteurs vedettes de la Maison de Molière, j'emprunte l'étroite et pittoresque rue Montpensier. Tout au bout, j'aperçois le Théâtre du Palais-Royal.

L'établissement n'est pas grand, mais il a un caractère majestueux. Les quatre portes sont surmontées du nom du théâtre écrit en grosses lettres et en relief. Au-dessus, quatre archivoltes ornées de figures géométriques ciselées. Devant chaque archivolte, une lanterne surannée. Encore au-dessus, trois étages entourés de longs balcons. Les parois sont garnies de dessins de couronnes et de visages représentant le Rire de la divine comédie. L'intérieur du théâtre est d'un luxe démodé et chaud. Les velours, les bois vernis, les plafonds truffés d'ornements et de dorures d'une autre époque, émeuvent le témoin qui est sensible à l'histoire de l'art dramatique. Ce bâtiment vénérable, créé le 23 octobre 1784 par Louis-Philippe duc de

Chartres, qui deviendra plus tard duc d'Orléans, fut le théâtre de prédilection d'Eugène Labiche. Son passé s'illustre aussi des noms de Jacques Offenbach, Georges Feydeau et bien d'autres encore.

C'est dans l'une des loges feutrées du Théâtre du Palais-Royal que j'ai rendez-vous avec Anny Duperey. Anny Duperey, la belle libertine nue de l'une des « Histoires extraordinaires », d'Edgar Poe, adaptée à l'écran par Roger Vadim. Anny Duperey, la ravissante Vénus de « L'Amour de l'Amour », de Jean-Louis Barrault, au Théâtre du Rond-Point. Anny Duperey, l'inoubliable belle Hélène de « La guerre de Troie n'aura pas lieu », de Jean Giraudoux, au Théâtre de la Ville.

Avec Jean-Pierre Cassel, Jacqueline Doyen, Anne Aor, Henri Courseaux et Colette Teissedre, elle joue dans « La fille sur la banquette arrière », une comédie en trois actes de l'auteur américain (1) Bernard Slade. Le rendez-vous est fixé une heure et demie avant le début de la représentation. Après m'être annoncé à l'huissier, je constate que madame Duperey est en retard. Je ne m'affole pas, je n'ignore pas que la circulation dans Paris n'est pas facile, que les embouteillages peuvent retarder n'importe quel conducteur habile.

Après une demi-heure d'attente, je commence à m'inquiéter. Les régisseurs du théâtre s'activent, les accessoires sont placés aux endroits idoines, les petits haut-parleurs des loges se mettent à grésiller. Je suis dans le foyer des artistes tout coloré de rouge. Le rouge devient aussi la couleur de mon faciès d'homme angoissé. Il ne reste plus qu'une demi-heure avant que le rideau ne se lève... Je suis maintenant persuadé qu'elle a oublié notre rendez-vous ; les embarras de la circulation avaient bon dos ! Sans doute comme Raimu, probablement comme Jules Berry autrefois, dans le même foyer, je suis rongé par le trac. Je crains de ne plus avoir le temps de m'entretenir avec elle ; et puis je reprends le train pour Lausanne demain... Que faire ?

Soudain, j'entends la voix tant attendue. Anny Duperey échange des paroles avec l'un des techniciens du théâtre. Sans doute l'huissier lui a-t-il annoncé que quelqu'un guettait impatiemment son arrivée ? Elle apparaît enfin dans l'embrasure de la porte... Je suis immédiatement frappé par sa taille. Malgré mon mètre quatre-vingt dix, c'est la première fois que j'ai l'impression qu'une femme est presque aussi grande que moi...

— J'ai fait une gaffe ? me demande-t-elle sans me laisser le temps de lui dire bonjour.

(1) Bernard Slade est né au Canada.

— Euh ? je... je crois... lui dis-je un peu gêné.

— Si, si, j'ai fait une gaffe, je suis impardonnable ! Nous avions rendez-vous ? continue-t-elle.

— Oui, dis-je, il y a... une heure...

— Je suis vraiment désolée, ajoute-t-elle avec sincérité. J'ai complètement oublié. Je ne veux pas chercher des excuses en vous disant que c'est à cause de la circulation ou autre chose, j'ai tout bêtement oublié... Le samedi, contrairement aux autres jours de la semaine, je flâne, je fais le vide dans mon esprit. C'est pour cela que j'ai oublié... Excusez-moi ! Bonjour, au fait !

Sympathique ! D'emblée, je la trouve très sympathique. Elle a un franc-parler et un humour qui rendent sa compagnie très agréable. Elle tient à assumer son oubli, elle me demande si cela ne me dérange pas de lui parler pendant qu'elle se maquille. Elle revient vêtue d'un peignoir, s'installe devant le miroir de sa loge, dévisse le couvercle de son poudrier. « Je vous écoute, me dit-elle. » En guise de préambule, je lui explique que je souhaiterais que nous parlions d'elle, mais aussi de son métier. Elle ouvre les yeux tout grand pour étirer sa peau pendant qu'elle frotte la poudre sur son épiderme. Elle est prête à essuyer le feu roulant des questions :

— Vous avez passé votre enfance à Rouen où votre tante a favorisé votre départ dans la profession de comédienne. Ensuite, vous avez suivi le Conservatoire d'art dramatique de Rouen, l'Ecole des Beaux-Arts et vous avez pris des cours de danse. Comment est née votre vocation ?

« C'est très simple, il n'y a pas eu de vocation... Chez moi, on ne peut pas appeler cela une vocation, mais plutôt un tempérament. J'avais un tempérament dit « artistique » ! D'ailleurs cela devait être assez visible puisque c'est l'Orientation Professionnelle d'Etat (elle a appuyé ce mot) qui m'a conseillée d'entrer au Conservatoire et aux Beaux-Arts. Je dois être la seule comédienne qui ait été conseillée par l'Etat pour exercer ce métier (beaucoup de malice émane de ses propos). Lors de mon entrevue avec un responsable de ce Centre d'Orientation Professionnelle, j'ai dit : « Peut-être qu'une carrière artistique me tenterait plus... » On m'a alors répondu : « Madame, il faut voir ailleurs ! Ici, on s'occupe d'orienter les jeunes vers des carrières utiles à la nation... » Je me suis donc dirigée vers une carrière absolument inutile à la nation, et j'en suis bien heureuse ! (Elle éclate de rire.)

— Mais vous travaillez quand même au Théâtre du Palais-Royal ? (Insistant sur le dernier mot et riant.)

« Oui, quand même ! (rire) Si j'étais au Théâtre Marigny, je serais plus près de l'Elysée...

— A dix-sept ans, vous avez débarqué à Paris, puis suivi les cours René Simon...

(Interrompant la question.) Non ! C'est faux ! Je suis entrée au Conservatoire, dans la classe de René Simon. Il s'agit d'une nuance importante. Il y a souvent une confusion à ce sujet...

— Ensuite, le metteur en scène Jean Meyer vous a fait débuter au Théâtre Michel. C'était dans quelle pièce ?

« Dans « Les trois mariages de Mélanie » ; ils ne resteront pas dans les annales... »

— Vous avez aussi joué dans « La mamma », d'André Roussin, aux côtés de ce monstre sacré qu'était Elvire Popesco. Cela doit être un grand souvenir ?

« Très bon ! Non pas à cause du rôle qui était mignon, sans plus ! Si j'ai conservé un bon souvenir de ce spectacle joué au Marigny, c'est effectivement grâce à Elvire Popesco qui est une femme que j'adore. En collaborant avec elle, la jeune débutante que j'étais a beaucoup appris. Et puis c'était une comédienne avec qui il fallait se bagarrer en scène (sourire). Il fallait un peu montrer les dents pour pouvoir garder sa place ! Cette manière de petite lutte, quand elle est amicale et artistique, est très drôle. Ce n'est pas une rivalité, mais un procédé qui fait partie du jeu. »

— Vous avez tourné beaucoup de films avec des metteurs en scène aussi divers que Jean-Luc Godard, Georges Lautner, Pierre Richard, Philippe de Brocca, Sydney Pollack, Jean-Claude Brialy, Henri Verneuil, etc. Est-ce difficile de s'adapter aux différentes méthodes de travail de chaque réalisateur ?

« Avec Godard par exemple, c'est carrément impossible... »

— (Interrompant la réponse.) Je crois que c'est une remarque assez générale, la plupart des acteurs le trouvent impénétrable...

« On peut citer ses propres déclarations où il a avoué ne pas aimer les acteurs. Ce n'est pas quelqu'un avec qui on peut réellement travailler. Il vous utilise malgré vous en essayant de jouer de vos défauts ou de vos qualités. Il cherche à vous piéger, il est assez pervers... (elle renverse son poudrier) Bravo Duperey ! (Ironique en constatant les dégâts...) »

— Ecartons Godard, qui est un cas à part, pour évoquer les autres. Je reprends ma question : est-ce difficile de s'adapter aux différentes méthodes de travail de réalisateurs différents ?

« Il n'y a pas de méthode, en fait !... Quand vous m'avez annoncé que vous souhaitiez que nous parlions du métier d'acteur, j'ai fait « Aïe ! Aïe ! » intérieurement... (sourire) Plus ça va, plus

144

je pense très sincèrement que l'on ne peut pas en parler ! D'abord tous les acteurs ont une manière de travailler très différente, les metteurs en scène aussi. C'est un métier absolument incompréhensible, impénétrable, pour les gens qui n'ont pas un tempérament de comédien. L'idée qu'on puisse se mettre à pleurer ou s'émouvoir assez pour se foutre en colère en disant un texte est impossible à expliquer. C'est une démarche que les gens ont de la peine à comprendre. Il s'agit d'une gymnastique très spéciale qui consiste à se connaître assez pour s'utiliser soi-même et pour utiliser ses émotions tout en n'en étant pas dupe et en gardant la fameuse distance. On peut très bien être en larmes, avoir une belle émotion, tout en remarquant qu'un projecteur ne marche pas. C'est possible ! On peut se dire, en même temps : « Tiens ? Il n'est pas allumé celui-là ! » Dans ce cas, les gens restent babas ! Ils vous disent : « Mais comment faites-vous ? » Il n'y a qu'une réponse à donner : c'est pour cela que nous sommes comédiens ! »

— Pour le public, il y a un mystère qui entoure le fonctionnement de l'interprétation !

« Oui, c'est juste ! Il y a un mystère. Plus ça va, plus je pense qu'il est inutile d'essayer de l'éclaircir. »

— Vous avez tourné avec Sydney Pollack. Que vous a apporté cette « expérience américaine » ? (« Bobby Deerfield », avec Marthe Keller et Al Pacino).

« On ne peut pas dire que j'aie vraiment vécu une « expérience américaine ». Le metteur en scène, le scénario, l'acteur principal, la production étaient américains. A part cela, le tournage s'est effectué en France et en Europe, l'équipe technique était française. La principale différence provenait toutefois des finances. Il y avait plus d'argent investi que ce que l'on voit généralement sur les films français. Il y avait aussi une toute petite différence de mentalité ou d'état d'esprit sur le travail. Je parle surtout du confort ; les Américains ont le sens du confort. Ils n'hésitent pas à vous donner des avantages dans le travail. Ils ne pensent pas vous faire un cadeau ou un privilège, mais ils estiment que c'est utile pour que le résultat soit bon. Si les gens ont besoin de ceci ou de cela, s'il leur faut du temps, on le leur donne. Avec Pollack, on a répété comme on le fait pour le théâtre. Chose que l'on voit rarement ici ! Et pourtant, aux Etats-Unis, Sydney Pollack est qualifié de metteur en scène à « esprit européen ». Je me suis merveilleusement entendue avec lui. »

— Vous êtes à un stade de votre carrière où vous pouvez choisir les rôles qui vous plaisent. Quels sont vos critères de choix ?

« C'est d'abord la variété qui compte pour moi ! J'aime faire des choses différentes, passer d'un style à l'autre. Le reste est une question de sympathie pour le personnage. On peut avoir de la sympathie pour un personnage épouvantable qui peut être intéressant et amusant à construire. Dans ce cas, l'amusement consiste à se demander comment on peut rendre ce personnage encore plus épouvantable... »

— Beaucoup de gens pensent que la plupart des comédiens s'identifient aux personnages...

« (Interrompant vivement la question.) Moi je n'en connais pas ! Cela me semble être l'une de ces fausses idées que le public peut avoir. La fameuse « peau du personnage » ! Un acteur qui se mettrait réellement dans la peau du personnage, il y resterait... A mon avis, il ne pourrait pas en sortir si facilement ! Ou alors s'il en sort aisément, c'est parce qu'il sait utiliser la « fameuse distance » dont je parlais précédemment. S'il ne sait pas jouer avec la « fameuse distance », c'est très simple, il devien' barjo ! Il devient dingue et on l'enferme ! Donc, cela n'existe pas ! Ou alors ce genre de comédien ne fait qu'un rôle... Et ça, c'est un autre problème ! »

— Jean-Louis Barrault, avec qui vous avez travaillé, a un état d'esprit extrêmement ouvert sur l'existence. On dirait que, pour lui, le théâtre est une école de la vie. En l'entendant, on sent que le comédien peut avoir une faculté d'ouverture sur la vie élevée. Quel est votre avis ?

« (Avec ravissement.) Jean-Louis Barrault est quelqu'un qui a beaucoup marqué ma carrière.

» A part cela, je ne sais pas si je suis une personne suffisamment ouverte sur la vie et sensibilisée à quelques-uns de ses problèmes ? Je l'espère ! Mais il est vrai que c'est un métier qui est beaucoup basé sur l'observation des autres. Donc, pour les observer, on est obligé de les regarder de l'intérieur. C'est ainsi que l'on peut en penser quelque chose... »

(Elle maquille sa paupière droite.) « Il y a un ralentissement dans mon élocution parce que je me fais l'œil ! (sourire). »

— Aux Etats-Unis, Jane Fonda décide de produire et de jouer des films en fonction des thèmes qui lui tiennent à cœur. Elle tourne une comédie sur les conditions de travail difficiles des secrétaires, un thriller sur le danger des centrales nucléaires, une histoire d'amour dont la toile de fond est la réadaptation des soldats mutilés du Viêt-Nam, l'évocation d'un cow-boy et d'un cheval exploités par la publicité, etc. Selon vous, un comédien doit-il s'engager ?

« C'est un point de vue tout à fait personnel de choisir de le faire ou pas ! Pourquoi pas ? A travers le cinéma ou le théâtre, on peut dire beaucoup de choses. Hormis les gens qui s'engagent fermement, qui ont envie de raccorder leur travail de comédien à celui de militant, il y en a d'autres qui ont une manière un peu plus douce de s'engager. C'est mon cas ! Cela se concrétise par une abstention de faire ce qui nous déplaît. C'est l'une des raisons pour lesquelles j'ai tant hésité à faire des boulevards classiques. Dans ces pièces, on donne une certaine image dégradante de la femme. Il y a une reproduction d'un état d'esprit bourgeois, car c'est ainsi que l'on peut le qualifier. On y parle d'amants, machins, maîtresses dans le placard, rapports au fric, etc. Et puis la bonne femme par-dessous tout ça ! Ça, c'est quelque chose qui me fout le poing dans l'air, je n'ai pas envie de le perpétrer sur scène. Je souhaite que cet état d'esprit meurt. Il est évident que je ne jouerai jamais un rôle dans de telles pièces. A moins que cela ne soit pour les critiquer. Mais... (rire). Cela n'est pas facile ! Car sous le couvert de la critique, on peut flatter dans le sens du poil... (rire) »

— En sept ans, vous avez joué trois cents fois le rôle d'Hélène de Troie. Vous allez dire que je reparle du métier de comédien...
« (Rire.) Oui !... Il est incompréhensible... (rire) »

— Mais comment faites-vous pour vous renouveler trois cents fois ?
« La manière la plus simple afin d'expliquer aux gens ce qui se passe quand un acteur joue soi-disant la même chose tous les soirs est la suivante : même s'il dit le même texte et s'il joue le même personnage, le comédien est en présence d'un élément nouveau tous les soirs : le public. Quand les gens narrent une histoire qu'ils aiment bien, ils peuvent la raconter à quatre ou cinq personnes successivement sans avoir l'impression de rabâcher, puisque les autres ne la connaissent pas. Donc ils vont se laisser prendre au jeu, essayer d'intéresser chaque nouvel interlocuteur en lui racontant cette histoire de façon pas ennuyeuse. »

— Avec Bernard Giraudeau, vous avez participé à une comédie musicale. Comme beaucoup d'acteurs américains qui savent tout faire, vous dansiez, chantiez, jouiez. Est-ce problématique de tout maîtriser ? Faut-il tout savoir faire ?
« Oui, c'est bien ! Il est très rare de pouvoir tout maîtriser de manière égale. Même chez les Américains ! Cela d'autant plus que chacun a sa spécialité, une discipline qui prime toujours. Il y a beaucoup de comédiens qui dansent, chantent et jouent la comédie. Même en France ! Ce qui manque ici, c'est l'emploi. On dit : « Ah ! Les comédiens d'ici, il y en a quand même moins qui font ça ! ». Vous me faites rigoler !... Prendre des

cours, apprendre à chanter, à danser, cela représente des heures, des mois et même des années de travail assidu. Si c'est pour une comédie musicale tous les cinq ans, qui se monte avec cinq personnes, si c'est pour faire ça devant sa glace, franchement cela ne vaut pas la peine. C'est l'emploi qui crée la fonction. »

— On vous voit parfois à la télévision dans des spots publicitaires. N'est-ce pas un peu gênant pour une comédienne de faire de la publicité ?

« J'en ai fait, je n'ai donc rien contre ! C'est bizarre, je n'ai pas de préjugé à l'égard de cela. Il s'agit d'une prise de position personnelle, car je connais des amis comédiens qui ne feraient jamais de publicité. Ils estiment que ce n'est pas leur métier, qu'ils n'ont pas à vendre leur talent pour tel ou tel produit. Mais cela ne me gêne pas à partir du moment où l'on s'est renseigné sur le scénario, où le produit proposé n'est pas une lessive ou autre chose de ce genre. Et puis la présence d'un bon réalisateur compte aussi. Dès lors, on sait que cela sera bien fait. On joue la comédie, on fait un truc pour vendre un produit. Le public connaît le but de ces publicités, c'est très franc. A partir de ce moment-là, ce n'est pas louvoyant, il ne s'agit pas d'une manière détournée de faire les choses. En plus, j'ai fait de la publicité pour des robes, sous la direction de Jacques Demy. C'est un travail très agréable, nous avons cherché à bouger, à rendre l'image attrayante. La publicité est d'ailleurs une discipline assez marrante à pratiquer de temps en temps. Une chose si courte, où chaque plan de deux secondes doit faire boum ! cela débouche sur un travail non dépourvu d'intérêt. »

(Le petit haut-parleur de la loge interrompt notre conversation : « Lever du rideau dans cinq minutes ! »)

« Dans cinq minutes ? »

— Oui ! Avant de vous quitter, je vous pose une dernière question : quel est le rôle que vous aimeriez jouer ?

« (Sourire.) Celui que je vais interpréter dans cinq minutes ! »

Il est souvent question de tempérament dans les propos d'Anny Duperey. Il est vrai qu'elle est une comédienne qui allie tempérament et décontraction. Beaucoup d'acteurs ont besoin de se concentrer suffisamment longtemps avant le début d'une représentation. Peu d'entre eux auraient pu me parler aussi longuement jusqu'à cinq minutes avant le lever du rideau. Qu'on ne se méprenne pas, cette décontraction chez Anny Duperey n'est pas synonyme de légèreté dans sa manière de concevoir son travail. Elle possède sans doute une faculté de con-

148

centration rapide, faculté favorisée par ce pouvoir de décontraction constaté chez elle. En outre, bien qu'important et loin d'être négligeable, son rôle dans « La fille sur la banquette arrière » ne demandait probablement pas le même don de soi qu'un rôle principal dans une tragédie de Shakespeare ou une œuvre de Tchekhov. Il est possible que si elle avait joué Lady Macbeth, elle m'aurait peut-être proposé de différer notre rendez-vous.

Quoi qu'il en soit, Anny Duperey possède non seulement le tempérament, la décontraction, mais aussi le talent. Je suis persuadé que la plupart des acteurs ont d'abord un talent réel pour l'interprétation. Ce « tempérament de comédien », évoqué par Anny Duperey, est un phénomène annexe, qui est inné ou qui se greffe progressivement et éventuellement sur le talent. Beaucoup de gens ont un « tempérament de comédien », bon nombre de personnes parviennent à captiver un auditoire par la richesse de leur personalité et par leur habileté narrative. Ces mêmes gens rencontreraient beaucoup de difficulté à incuber un texte pour exhaler ensuite toutes les subtiles nuances recherchées par l'auteur et celles parfois plus compliquées désirées par le metteur en scène. Là, le tempérament, la nature, ne suffisent plus. Ils font place au talent, à ce talent qui permet d'« intérioriser » les sentiments pour les restituer dans toute leur authenticité.

Le tempérament, s'il existe chez l'interprète, vient se plaquer ensuite naturellement sur la composition. Il ne doit évidemment pas être forcé, sinon il détournerait le sens du caractère trouvé par le travail de composition. Un riche tempérament doit pouvoir servir le personnage à incarner et non s'en servir pour se faire valoir. Le risque provoqué par « les fortes natures », même si elles sont sincères en ne cherchant pas la mise en valeur personnelle, est qu'elles ont tellement de personnalité que cela finit par être au détriment du profil du rôle. L'idéal du jeu réaliste au théâtre est de pouvoir oublier la personnalité de l'acteur pour ne voir plus que celle du personnage. Pour atteindre cet objectif, beaucoup de comédiens éprouvent le besoin d'effectuer une longue approche fondée sur l'observation et l'incubation lente. L'identification se fait parfois inconsciemment. J'ai connu personnellement certains comédiens qui entraient dans la balance de leur personnage sans s'en apercevoir. Certes, cela ne durait que le temps d'un spectacle ; la « fameuse distance » dont parlait Anny Duperey était rétablie après. Cependant, quelques séquelles subsistaient et... s'accumulaient. On prétend que le jeu épique, technique de jeu chère à Brecht, renonce aux effets émotionnels. Les émotions qu'il provoque ne sont que clarifiées, elles ne s'apparentent en rien à une ivresse, on prend le soin d'éviter qu'elles prennent leur source dans l'inconscient. Cette bonne théorie n'est toutefois pas toujours facile à appliquer par des comédiens dont le but est de donner libre cours à la sincérité des sentiments exprimés sur scène.

En définitive, la décontraction d'Anny Duperey constitue sans doute les fondations de sa « prise de distance » personnelle. En outre, son talent d'interprète lui permet d'être brillante et crédible dans le rôle d'Hélène de Troie ou dans celui de Messaline dans « Jarry sur la butte » ; quant à son « tempérament de comédienne », il lui donne le privilège d'être très présente dans la comédie musicale « Attention fragile ! » et dans le personnage de Pénélope J. Craddock de « La fille sur la banquette arrière ». Il lui évite peut-être aussi d'emprunter les méandres de l'identification qu'elle dit ne pas connaître chez elle et chez les autres.

« La fille sur la banquette arrière », dont le titre original est « Romantic Comedy », fut un grand succès lors de sa création à Broadway, en 1979. Mia Farrow et Anthony Perkins en furent les premiers interprètes.

En 1983, mise en scène par Pierre Mondy, la pièce fut bien accueillie par le public parisien.

L'histoire est celle d'un auteur à succès et d'une fervente admiratrice. Cette dernière a écrit une pièce, elle souhaite avoir l'avis de son idole, elle débarque dans la vie de cet homme pour y prendre une place de plus en plus considérable.

Pierre Mondy et Jean-Claude Carrière, l'adaptateur, prirent soin de bien transposer le climat, la tonalité juste de cette comédie. Grâce à cette recherche minutieuse des couleurs originelles, cette traversée de l'Atlantique, constituée par une transposition rigoureuse, fut réussie. Ce travail méticuleux déboucha sur un spectacle divertissant, drôle, charmant, sans mièvrerie ni vulgarité. L'auteur évita la « bedroom farce » éculée pour donner naissance à une histoire romantique, proche du conte de fées sans affectation.

De par leur façon de faire évoluer la comédie de l'intérieur de chaque personnage, les acteurs donnèrent la consistance qu'il fallait à tous les rôles. En Pénélope J. Craddock, l'admiratrice-écrivain, Anny Duperey fut particulièrement truculente.

150

XIV

Ariane Mnouchkine : « *L'acteur qui dit le texte sha-
kespearien doit arriver à une espèce de sentiment
de la vérité comparable à celui du prophète qui
prophétise.* »

Certaines séquences de vie de spectateurs sont émaillées de
petits et grands événements. La subjectivité, les goûts person-
nels, contribuent à forger l'événement. Néanmoins, on s'aperçoit
que les avis convergent souvent sur la même direction. Quels
sont les mécanismes secrets qui font aimer avec ferveur certains spectacles plus que d'autres ? Par surcroît des spectacles
qui ne cèdent en rien à la facilité par esprit de démagogie ?
En passant en revue plusieurs succès de ces dernières années, on constate que la recette de la réussite demeure toujours la même : qualité de l'interprétation, rigueur et invention dans la mise en scène, esthétisme général du spectacle,
intérêt suscité par le texte. Si, en plus de cet amalgame, le
spectacle est divertissant et intelligent, si une réflexion dénuée
de pédanterie soporifique apparaît en filigrane dans le travail
d'imagination, le succès est niché au sommet de la pyramide.
Si les conditions pour assurer une réussite sont connues, pourquoi n'y a-t-il pas que des succès ? La réponse est relativement
simple. Au départ, le metteur en scène — dont le rôle est pré-
pondérant — essaie évidemment de réunir tous les atouts pré-
cités dans son jeu. Il jette son dévolu sur ce qu'il estime être
un bon texte et sur des comédiens dont il pense qu'ils sont
capables d'incarner des personnages déterminés selon son optique personnelle. Si cette mayonnaise-là prend, il a déjà construit une rampe de lancement idéale. Le reste dépend aussi de
sa maîtrise par rapport au cheminement du spectacle présent.
Un spectacle évolue au fil des répétitions, il est en gestation permanente, il s'agit donc de contrôler, puis d'exploiter les incon-

nues qui surgissent. Si la qualité du texte, des interprètes, et le savoir-faire du metteur en scène sont rassemblés, les mauvaises surprises sont en principe écartées. Les impondérables subsistent, mais ils sont atténués. Le grain de sable dans l'engrenage peut être un maillon de la chaîne qui ne tient pas ses promesses ou qui se liquéfie de façon inattendue.

On constate donc que l'intervention du metteur en scène est généralement déterminante dans l'envol vers le succès. C'est la raison pour laquelle ces réussites sont souvent signées par des maîtres de la mise en scène, des hommes de théâtre d'envergure, dotés de vertus précises. On en a vu certains, il est intéressant d'en découvrir d'autres ou d'en revoir quelques-uns, puis de tenter de cerner leur savoir-faire :

Angelo dirige les Archanges

En novembre et décembre 1980, le Centre Dramatique de Lausanne invite le metteur en scène italien Angelo Corti. Il lui offre de monter « Les archanges ne jouent pas au flipper », de son compatriote Dario Fo.

Angelo Corti n'est pas un inconnu. A l'époque, on le présente comme le collaborateur du grand Giorgio Strehler au Piccolo Teatro de Milan où il a travaillé douze ans. On apprend aussi qu'il enseigne la commedia dell'arte à l'Académie nationale du Théâtre de Rome. Il est également titulaire du rôle d'Arlequin au Piccolo Teatro, il a signé des mises en scène à Milan, Rome, Gênes, Venise, au Festival de Syracuse, en Allemagne. En Suisse, il a déjà monté « Les amants timides », à Lausanne, et « Un chapeau de paille d'Italie », à Genève.

En octobre 1980, j'assiste à l'une de ses répétitions au Théâtre de Vidy. A propos des « Archanges ne jouent pas au flipper », il me confie alors : « Il s'agit d'une comédie qui continue la tradition de la commedia dell'arte. Dario Fo, dont la femme — Franca Rame — vient d'une famille de comédiens spécialisés dans la commedia dell'arte, m'a récemment confié qu'il avait mis, dans cette pièce, tout ce qu'on peut trouver de jeu théâtral, clownesque et même de cinéma. » « Ce texte de Dario Fo est poétique, ajoute-t-il. Il voit la vie comme un bouffon ! Il s'agit d'un théâtre complet où il faut jouer, chanter, danser et faire des clowneries. Le style de Fo est à l'image de son propre jeu d'acteur, il est constamment en mouvement. En outre, chaque comédien doit interpréter cinq à six rôles, c'est là que réside la principale difficulté du travail. » Fo et Corti évoquent les clowns. Déjà on devine l'importance qu'ils attachent à leur rôle symbolique. Cette « mission théâtrale » du clown fait penser à la définition de Federico Fellini dans « Propos » (Editions Buchet/Chastel) : « Que puis-je dire à mon tour ? Voici : le clown incarne les caractères d'une créature fantastique qui exprime l'aspect irrationnel de l'homme, la composante de l'instinct, ce quelque chose de rebelle et de contestataire contre l'ordre supérieur qui est en chacun de nous. C'est une caricature de l'homme dans ses aspects d'animal et d'enfant, de moqué et de moqueur. Le clown est un miroir dans lequel l'homme voit son image grotesque, déformée et comique. C'est son ombre ; et elle y sera toujours. »

En tenue sportive, chaussé de pantoufles de gymnastique, Angelo Corti bondit sur la scène du Théâtre de Vidy. Par un ordre teinté d'un fort accent transalpin, il lance la répétition. Sous sa direction précise, les comédiens Alfredo Gnasso, André Schmidt et Gilbert Divorne reprennent plusieurs fois de multiples mouvements rapides et burlesques, où chaque geste doit être parfaitement synchronisé pour que les effets soient efficaces. Nous plongeons dans l'univers des Fratellini. Corti donne minutieusement les départs des gags, il en peaufine d'autres. Il est devenu le chef d'orchestre d'un cirque imaginaire. « Plus un spectacle est comique, dit-il, plus il doit être réglé de façon mathématique. C'est une pièce qui doit bouger et il ne faut pas l'aborder par un travail de psychologue. Nous avons beaucoup travaillé physiquement, le corps doit parler avant la voix. Nous devons donner l'impression d'un feu d'artifice. » Dans ce dernier, Angelo Corti en est le Ruggieri. Sympathique, enthousiaste, il communique son dynamisme et sa bonne humeur aux acteurs. Après cinq semaines de répétition, on les sent heureux de travailler dans ces conditions. Cet état d'esprit positif se répercutera favorablement sur le spectacle.

Corti termine la soirée par une magistrale leçon de chorégraphie. Souple et toujours aussi précis, il guide les pas des sept comédiens devenus danseurs de music-hall sur une musique de Fiorenzo Carpi.

La maîtrise d'Angelo Corti et l'ambiance de travail constatées à l'occasion de cette répétition laissaient entrevoir un succès. Succès il y eut :

« On ne peut n'être qu'aux anges en assistant au spectacle « Les archanges ne jouent pas au flipper ». Angelo Corti, le metteur en scène, n'a pas fait « tilt » ! Grâce à son doigté et à son sens de la théâtralité, il a gagné la partie...

» Pour diriger les treize comédiens du Centre Dramatique de Lausanne, qui jouent vingt-sept rôles, l'ancien collaborateur de Strehler a fait appel à la sémiotique et à l'intuition. En fixant l'espace mathématique dans la pensée conceptuelle et en rendant au mouvement une temporalité qui n'est que donnée de la conscience, Corti a permis au texte de Dario Fo de se mouvoir comme il se doit. Pragmatique, Corti a puisé dans les traditions du cirque, de la commedia dell'arte et de la comédie musicale pour mettre en exergue l'aspect burlesque, digne de l'esprit des Marx Brothers, de cette satire sur l'administration et notre société en général. Découpée en sketches cinématographiques et jalonnée de chansons à l'instar des vaudevilles de Labiche, cette histoire d'une bande de « vitelloni » facétieux et voleurs est menée tambour battant. Corti a réussi à inculquer le bon rythme aux comédiens. Ces derniers ont tous parfaitement incubé la technique des gags et le tempérament bondissant de ce « brandon de politique et de théâtre » qu'est Fo. Autre difficulté bien surmontée : l'image différente que « le Grand », héros de cette suite d'aventures, voit successivement dans chaque personnage. Chaque comédien réussit aussi sa métamorphose.

» Alfredo Gnasso est « le Grand » ! Dans ce rôle de bouffon de la société, son tempérament clownesque et sa nature généreuse font merveille. En prostituée au grand cœur, Séverine Bujard a l'étoffe d'un fantasme félinien. Sa sensualité et son jeu vivant ne laissent pas indifférent... André Schmidt est capable d'entrer dans la peau de n'importe quel personnage avec la même heureuse drôlerie.

» La musique entraînante de Fiorenzo Carpi et les décors d'Angelo Polli, qui marquent les instants de rêve ou de réalité, accentuent bien la théâtralité de cette farce amusante et incisive. » (1)

Auguste, Auguste, Auguste

Dans « Auguste, Auguste, Auguste », de l'auteur tchèque Pavel Kohout, il est aussi question de clowns. Dans cette pièce, ils occupent une place de choix : la principale. Cette œuvre permit au Théâtre Tel Quel, une jeune troupe itinérante suisse, d'obtenir l'un de ses plus beaux succès.

La qualité de la pièce est le résultat d'une idée d'auteur remarquablement concrétisée par son texte. Le scénario, la trame d'« Auguste, Auguste, Auguste » offre un outil de travail original

(1) « 24 Heures », 26 novembre 1980.

et idéal pour des comédiens éclectiques et inventifs. Encore faut-il savoir s'en servir !

Les comédiens du Théâtre Tel Quel ne manquèrent pas le coche. Par une formule de présentation originale, par un travail collectif réussi, par leurs dons divers, ils parvinrent à rendre toute la saveur grimaçante de cette pièce.

L'attrait de leur lieu de travail et de représentation — un petit chapiteau d'environ trois cents places — ne fut pas étranger à ce succès. Le dynamisme d'Ilona Bodmer et Gérard Bétant, les deux fondateurs et têtes pensantes de la troupe, non plus !

Ces deux complices ont chacun des formations différentes, mais extrêmement complémentaires dans le cadre de leur travail. Ilona Bodmer fut éducatrice à la Schule für soziale Arbeit de Zürich, elle suivit aussi des études de langues et de littérature à la faculté de Paris VIII. Elle travailla de surcroît avec des troupes spécialisées dans la présentation de spectacles de marionnettes.

Gérard Bétant apprit le métier de régisseur dans un grand théâtre, effectua des tournées dans le monde, approfondit le métier de comédien et de mime, puis celui d'enseignant de théâtre à l'école Jacques Lecoq à Paris. Il fut aussi professeur d'improvisation à la « Scuola Teatro » du célèbre clown tessinois Dimitri.

En fondant le Théâtre Tel Quel, leur but initial fut de renouer avec les origines du théâtre, de déposer ses voiles d'artifice, de retourner à la simplicité. Leur troupe de baladins, qui tient la gageure de jouer dans les trois principales langues usitées en Suisse, réussit à imposer une image de marque originale, un label de qualité propre à ce théâtre itinérant. Dans ce contexte favorable, la présentation de la pièce de Pavel Kohout ne pouvait que déboucher sur un succès populaire :

« La pièce du dramaturge pragois est non seulement un hommage à Tom Belling (l'ancêtre présumé de l'Auguste) et aux clowns en général, mais il s'agit aussi et surtout d'une œuvre féerique sur fond noir charbonneux. A travers ce drame, le clown, être naïf et hypersensible, trouve sa véritable dimension humaine, elle est immense ; il est littéralement sublimé. Son langage traditionnel, transposé dans une existence misérable qui n'est pas forcément triste, a subitement une portée étonnante et inconnue jusque-là.

» La pièce de l'ancien attaché culturel à Moscou se déroule pendant un spectacle de cirque. Nous assistons à la vie d'Auguste dont le rêve est de pouvoir dresser huit lipizzans. Pour exaucer son vœu, il doit tenter de remplir trois conditions. Tombant

155

dans le piège machiavélique de son directeur, il trouvera une issue tragique. Il n'y a pas de place pour les rêveurs naïfs dans le royaume de la méchanceté calculatrice et sardonique. La pièce est truffée de sous-entendus grinçants, la fin est très forte (croyant trouver les lipizzans dans la cage circulaire installée sur la piste, Auguste est dévoré par les lions que le directeur lui fait envoyer à la place des chevaux...). L'auteur tchèque parvient même à renouveler et à inventer des entrées clownesques en évitant toute gratuité. Musiciens, acrobates (il y a aussi un numéro de trapèze !) et... clowns, les comédiens de Gérard Bétant et Ilona Bodmer nous livrent une nouvelle facette de leur talent. Le secret de leur réussite ne réside-t-il pas dans leur manière intelligente de se remettre en question à chaque spectacle ? » (1)

Le palais de justice

Successeur de Jacques Toja à la tête de la Comédie Française, depuis août 1983, Jean-Pierre Vincent est un metteur en scène qui ne cesse de monter.

Vincent fut d'abord un comédien qui effectua ses débuts au lycée Louis-le-Grand de Paris avec Patrice Chéreau. Il collabora à la mise en scène de « L'affaire de la rue de Lourcine », un vaudeville de Labiche. Il joua dans « L'héritier du village », de Marivaux, puis dans « Les soldats », de Lenz. A la demande de la municipalité de Sartrouville, Patrice Chéreau fit travailler sa troupe à la salle des fêtes de la ville. C'est Jean-Pierre Vincent qui reçut la charge de diriger l'animation. La création de deux opéras chinois accéléra l'échec. La troupe de Chéreau quitta la cité-dortoir.

Appelé à travailler avec le Théâtre de la Commune d'Aubervilliers, Patrice Chéreau émigra au nord-est de Paris. Jean-Pierre Vincent prit une autre direction.

Lors d'un séminaire sur Bertolt Brecht, organisé à Grenoble, Jean-Pierre Vincent fit la connaissance de Jean Jourdheuil. Une collaboration fructueuse commença entre eux. Elle les conduisit du Centre dramatique de Bourgogne à la fondation de leur Théâtre de l'Espérance. Dans « Le Monde » du 2 novembre 1970, on lit : « Jean-Pierre Vincent a désormais sa marque personnelle dans cette lignée de conteurs d'histoires marxistes, ouverte par Brecht, Strehler, Planchon : celle d'une extrême exi-

(1) « 24 Heures », 9 juillet 1979.

156

gence de clarté, celle d'une confiance renouvelée dans le pouvoir d'élucidation du travail scénique, notamment sur le rire. »

En janvier 1975, Jean-Pierre Vincent s'installa au Théâtre National de Strasbourg. Il essaya d'organiser son activité selon les principes rigoureux et efficaces de la Schaubühne de Berlin.

En novembre 1981, le public du Théâtre de la Comédie de Genève et celui du Centre Dramatique de Lausanne découvrirent une merveille scénique signée Jean-Pierre Vincent : « Le palais de justice ».

Lorsqu'un spectacle se termine après plusieurs mois de travail hautement professionnel, après une recherche minutieuse, presque maniaque, après un soin extrême apporté à tous les niveaux de réalisation, avec, par-dessus tout, la griffe du talent, le résultat est tout simplement éblouissant :

« Jean-Pierre Vincent a fait du Théâtre National de Strasbourg l'un des plus importants foyers de la création théâtrale en France. L'ancien collaborateur de Jean Jourdheuil a toujours souhaité que le TNS soit capable de stimuler des comportements et de provoquer des trouvailles. Cette ligne de conduite est on ne peut mieux illustrée avec « Le palais de justice », spectacle écrit par lui avec la complicité de Bernard Chartreux, Sylvie et Dominique Muller. Grâce à l'initiative du CDL et de la Comédie de Genève, le public suisse a le privilège de pouvoir découvrir actuellement le résultat du travail du TNS, un résultat qui ne laisse pas indifférent.

» Le spectacle est une véritable copie conforme à l'original d'une audience du Tribunal correctionnel de Strasbourg. Grâce à cinq mois d'observation minutieuse, d'emmagasinage de matériel d'idiosyncrasie juridique et à un long temps d'incubation, les comédiens du TNS sont littéralement entrés en osmose avec tous les personnages qui animent une telle cour. L'identification est hallucinante et constitue la grande originalité de cette reconstitution de trois heures passées d'audience et de jugements de cas divers. Les moindres lacunes verbales d'avocats, les appréhensions ou handicaps linguistiques de certains détenus ou prévenus, l'arrogance du procureur, la propension moralisatrice de la présidente (une Evelyne Didi étonnante !), sont décalqués avec une précision démoniaque. Si quelques plaidoiries nous donnent l'impression de traverser un tunnel aboutissant sur une lassitude, ce n'est pas dû à une atonie dramatique, mais au parfait reflet de la réalité. Ce qui pourrait passer pour une faiblesse est une force d'expression stylistique.

» L'impact du travail du TNS est aussi d'une autre dimension : le spectateur devient juge d'une cour dont la réalité n'est pas sans lui poser un cas de conscience. Le mécanisme de surexposition et de saturation des effets, peaufiné par le TNS, fait mouche en démontrant que la justice est malheureusement loin d'être parfaite. » (1)

Les larmes amères de Petra von Kant

En avril 1980, Dominique Quéhec, alors directeur de la Maison de la culture d'Amiens depuis près de dix ans, fut à l'origine d'un spectacle remarqué pour sa beauté plastique. Il mit en scène « Les larmes amères de Petra von Kant », de l'auteur allemand Rainer Werner Fassbinder, à Amiens, puis à Lausanne. Originalité de la démarche : il signa la même mise en scène à Lausanne qu'à Amiens, mais avec des actrices différentes. Ce n'était peut-être pas nouveau, toutefois l'expérience se révélait intéressante. Point commun des deux réalisations : un énorme succès. Un succès confirmé par l'accueil favorable du public parisien pour la version française qui partit en tournée. Une réussite qui couronna une fois de plus le travail en profondeur d'un homme fortement imprégné de son sujet.

Au printemps 1980, je rencontrai Dominique Quéhec dans un restaurant bordant le lac Léman. Il me parla longuement de sa « version suisse » des « Larmes amères de Petra von Kant » :
— Vous avez monté cette pièce avec six comédiennes françaises (dont Geneviève Page et Hermine Karagheuz) et vous avez repris ce spectacle avec six comédiennes suisses. Si le travail est resté le même, je suppose que le résultat obtenu est différent parce que les personnalités des comédiennes sont différentes ?
« Oui, c'est vrai ! J'ai construit cette reprise sur des bases absolument identiques, la mise en place et la direction d'acteurs sont les mêmes. Les deux spectacles sont pourtant différents. Yannis Kokkos, qui a créé le décor à Amiens et qui l'a repris ici, a été stupéfait de constater cette différence. »
— Qu'est-ce qui vous intéresse en Fassbinder ?
« Je vais peut-être vous surprendre, mais je dois vous avouer que je ne suis pas fassbindérien... Il y a chez lui un aspect exhibitionniste et un côté kitsch qui me déplaisent. Il veut choquer et écrit en conséquence, ce qui est plutôt désagréable. Ce sont surtout le texte et le thème de cette pièce précise qui m'ont touché. Ceux-ci correspondent à mes nécessités actuelles. Le

(1) « 24 Heures », 19 novembre 1981.

158

metteur en scène étant un peu un auteur manqué, je peux dire que j'aurais voulu écrire une telle pièce. En outre, j'apprécie beaucoup Peter Handke et je retrouve des aspects de cet auteur dans « Les larmes amères de Petra von Kant. »

— Dans son œuvre, Fassbinder accorde en général une place importante à la femme. Je pense qu'elle ne vous est pas indifférente non plus ?

« Effectivement, je trouve la femme souvent plus intéressante que l'homme. Elle a une ouverture d'esprit sur la vie plus large et je suis très sensibilisé par ses aspirations. J'ai fait de la politique et je ne crois plus au discours politique, mais je reste sensible aux phénomènes mouvants tels que ceux provoqués par la femme et il arrive que, de par mon métier, je croise ces phénomènes mouvants. Quant à Fassbinder, il va de soi qu'il est loin d'être misogyne et que nous nous rejoignons sur ce point. »

— On affirme qu'il y a des accents mélodramatiques dans « Les larmes amères de Petra von Kant », que cette pièce pourrait s'apparenter à certaines comédies de mœurs du théâtre bourgeois. Quelle est votre opinion ? Comment avez-vous dirigé la mise en scène en fonction de cet aspect ?

« Fassbinder a écrit cette pièce à la façon d'un drame à la Bernstein. En outre, la manière dont il a conçu son œuvre laisse la porte ouverte aux réalisations boulevardières. Néanmoins, il a utilisé un procédé dramaturgique pour exprimer autre chose. Cet autre chose est extrêmement intéressant et important. Pour monter cette pièce, que j'assimile à une tragédie, j'ai demandé une grande rigueur aux comédiennes. Yannis Kokkos, pour le décor, et moi avons cherché à styliser l'espace et l'interprétation. Dans ma mise en scène, il y a des notions d'économie et de dépouillement ; j'ai d'ailleurs énormément songé au théâtre Nô et à Racine. »

— Comment Yannis Kokkos a-t-il conçu son décor ?

« Il s'agit d'un appartement dont on perçoit les signes culturels auxquels se réfère Petra von Kant. C'est un huis clos où se déroule un drame à caractère sociologique et où la passion et les déchirements se succèdent. »

La mise en scène réussie de Dominique Quéhec fut le fruit d'une recherche approfondie sur les possibilités d'exploitation d'une trame handicapée par une forme dramatique propice à la dérive vers des sentes faciles. Grâce à sa quête d'économie dans les jeux et sa recherche de dépouillement de style, Quéhec contourna l'écueil, démontrant ainsi son savoir-faire :

« Petra von Kant, modéliste brillante, a bâti son existence

autour d'une réussite professionnelle totale et ardemment désirée (on retrouve cette notion de force et de volonté dans le film « Le mariage de Maria Braun »). Son succès n'est, en outre, pas étranger à son divorce. Sa mère, sa fille, une amie équivoque et une servante soumise et masochiste gravitent dans l'entourage de cette femme orgueilleuse et intelligente. Petra s'éprend alors de Karine, jeune mannequin issu d'un milieu prolétaire. Cette idylle sombrera parce que les deux femmes ont une conception différente de l'amour et parce que la réelle sincérité des sentiments de Karine laisse la porte ouverte à plusieurs hypothèses.

» L'homosexualité féminine, la relativité des libertés, la position de la femme dans la société, la passion, les différentes classes sociales qui se rencontrent, Fassbinder traite ces sujets sans détours. Avec ce qui pourrait être une pièce romantique sur le droit d'aimer, il va droit au but dans un style qui pourrait néanmoins ne pas être efficace si le texte n'avait pas été solidement empoigné par Quéhec. Ce dernier signe une mise en scène remarquable. Sa proposition de jeu ralenti, marqué par des silences graves de signification, contribue à dessiner cette stylisation et ce dépouillement qui s'apparentent à la tragédie. La monotonie de l'action met en exergue les propos et la tension occasionnée par les déchirements.

» Les six personnages, interprétés par Corinne Coderey, Harriet Kraatz, Laurence Montandon, Laurence Calame, Christine Wipf et Jaqueline Jany, sont bien cadrés. Nous avons particulièrement apprécié l'interprétation sensible de Corinne Coderey dont la souffrance dévorante atteint de hauts degrés de sincérité. Harriet Kraatz, dont la beauté rappelle celle de certaines actrices des films de Fassbinder, compose une servante étrange et fascinante qui est un pôle terriblement attractif pour le spectateur. Les transitions et le caractère libre de Karine sont bien trouvés par Laurence Calame.

» Un mot encore pour le beau et déconcertant décor de Yannis Kokkos qui met en évidence la sensualité des matières. Lumière bleue, miroirs géants, lit circulaire, objets d'un musée imaginaire destinés à rattacher Petra à un obscur passé mythologique ! Kokkos a transformé l'appartement de Petra en nid et tombeau. » (1)

(1) « 24 Heures », 17 avril 1980.

Le « *Tartuffe* » de Roger Planchon

En juin et juillet 1976, Roger Planchon présenta au Grand Théâtre de Genève le fameux « Tartuffe » qu'il monta à Villeurbanne. Par sa mise en scène, il fut l'auteur d'une démonstration — sans poursuivre un but démonstratif — de remise en cause de l'usage des classiques.

Pour Planchon, la création d'une œuvre ne fige pas cette dernière dans une trace indélébile. La création aussi bien que les reprises constituent des moments d'arrêt éphémères. Chaque mise en scène est une matière périssable, chaque œuvre détient une portion ombragée qui offre un champ ludique dont l'exploitation n'aboutit jamais sur une reprise identique. Son raisonnement débouche sur la constatation qu'aucun metteur en scène ne peut se targuer d'avoir exhumé d'entre les lignes une vérité éternelle. Roger Planchon s'élève contre les réducteurs qui cantonnent Molière dans un simple rôle de « peintre de caractères ».

En montant « Tartuffe », Planchon prit le parti de privilégier la fable qui, pour le mettre à jour, démonte le mécanisme de l'action d'un coquin en train d'escalader l'échelle sociale. « Molière fait disparaître le conflit d'idées au profit de l'action », écrivit-il. C'est la raison pour laquelle il serra ladite action en partant du principe que ce sont les actes et les mots qui donnent la nature des personnages plus que les problèmes qui les agitent. C'est aussi pourquoi il négligea toute thèse considérée par lui comme réductrice de l'œuvre.

La subtilité de la mise en scène de Planchon résida dans un dévoilement progressif de la fourberie de Tartuffe. Il mit aussi l'accent sur cette passion déconcertante d'Orgon (incarné par Guy Tréjan) pour Tartuffe (interprété par Planchon lui-même). A propos du profil donné à Tartuffe par Planchon et au sujet de l'« amitié » qu'Orgon lui voue, Pierre Gaxotte, de l'Académie française, écrivit dans son « Molière » (Editions Flammarion) : « De nos jours, M. Planchon, qui est un doctrinaire, qui a des théories, un système, a découvert qu'Orgon avait une inclination homosexuelle pour Tartuffe. Mais il a dû réserver cette belle idée pour Villeurbanne. A Paris, il nous a montré un Tartuffe damoiseau, ardent et jeune. La grande scène avec Elmire devient un combat de séduction entre cet aventurier souple, feutré, presque désirable, et la proie qu'il a choisie, de plus en plus troublée et traquée. C'est changer la pièce, car si, après le premier portrait esquissé par Dorine, il n'est plus question de Tartuffe rotant à table, il n'en reste pas moins un fort vilain

« museau ». » Pierre Gaxotte expliqua ensuite pourquoi Tartuffe ne pouvait pas être jeune, aimable et séducteur. Il termina son analyse en précisant que si l'on voulait servir Molière, il fallait respecter son œuvre. Comme on le voit, la direction prise par Planchon ne fut pas du goût de l'Académicien. Et pourtant ! En laissant l'action au langage et aux actes, Planchon ne détourna pas les sens sous-jacents et plausibles qu'il trouva dans sa lecture de l'œuvre. Une lecture qu'il ne revendiqua pas comme vérité éternelle. Le but répété du metteur en scène ne fut pas de réduire Molière à ce rôle limité de « peintre de caractères ». C'est ce qui fit la force de sa réalisation. Une réalisation appuyée par d'excellents comédiens et un décor somptueux de René Allio. Ce dernier s'évertua à traduire le temps par l'espace. En dénudant la scène lentement, il révéla progressivement les manœuvres secrètes de Tartuffe et la passion d'Orgon. Plus l'espace se libéra, plus le piège se referma sur les protagonistes.

« Prométhée enchaîné »

En été 1978, le Théâtre de Carouge, dirigé alors par François Rochaix, mit à l'affiche le plus beau spectacle qu'il m'ait été donné de voir jusque-là : « Prométhée enchaîné », monté par Manfred Karge et Matthias Langhoff, deux anciens metteurs en scène de la Volksbühne de Berlin-Est, et du Berliner Ensemble.

Comme dans les réalisations de Benno Besson, l'imagination prit le pouvoir. Et lorsque cette imagination est aussi riche que celle de Karge et Langhoff, le résultat est époustouflant.

Le spectacle fut une succession d'images percutantes, mises au profit du texte d'Eschyle, afin d'en extraire la force pure.

Première séquence : apparition de Pouvoir et Force, les exécuteurs des volontés de Zeus, deux sbires masqués portant des casques ailés. Ils sont juchés sur une moto pétaradante. Du haut d'un plongeoir, au bout duquel la moto s'est arrêtée, ils s'adressent à Hèphaistos qui est en train de manier le feu et sa forge : « Nous voici arrivés sur le sol d'une contrée lointaine, au pays des Scythes, en un désert sans humains. C'est à toi, Hèphaistos, d'exécuter les ordres que t'a donnés ton père, d'enchaîner ce scélérat sur des roches escarpées dans d'infrangibles entraves et liens d'acier. Car c'est ton apanage, l'éclat du feu, père de tous les arts, qu'il a dérobé et donné aux mortels. Cette faute-là, il faut qu'il la paie aux dieux et qu'il apprenne à se résigner au règne de Zeus et à renoncer à favoriser ainsi les hommes. »

162

Deuxième séquence : les deux gardes lâchent un grand sac qui s'écrase lourdement aux pieds d'Hèphaistos. La scène est d'une violence inouïe. A partir de là, la beauté gestuelle et un climat dramatique intense s'interpénètrent constamment. Chaque image relance l'action, coupe le souffle. Fidèle à la légende, Hèphaistos est un monstre boiteux. Il extrait du sac un homme entièrement nu, couvert de poussière blanchâtre, semblable à de la boue séchée. Il s'agit de Prométhée. Le génie du Feu est ensuite transporté sans ménagement par le dieu du Feu et des Forges sur un immense rocher. Hèphaistos passe des anneaux autour des poignets et des bras de Prométhée, il le cloue dans la roche. Tous les acteurs portent un masque. Celui de Prométhée est impressionnant, il traduit les souffrances, il est conçu comme un carcan. Ces masques font songer à l'effet V (Verfremdung), l'effet d'éloignement évoqué par Bertolt Brecht. Cette technique de jeu qui aboutit sur une représentation « éloignée ». Cette même représentation qui permet, certes, de reconnaître l'objet représenté, mais également de le rendre insolite. On se souvient alors que pour « éloigner » leurs personnages, les théâtres antiques et médiévaux utilisaient des masques d'hommes ou d'animaux.

Philippe Mentha est Prométhée. Son interprétation confine au sublime. Jamais peut-être il n'avait été aussi loin dans la pratique de son art. Il confirme, si besoin est, que son talent est décidément incommensurable.

Autres séquences : le chœur des Océanides intervient à plusieurs reprises. Les comédiennes sont pieds nus, en équilibre sur les rambardes des gradins où sont assis les spectateurs. Le spectacle n'a pas lieu dans un théâtre traditionnel, mais dans une sorte de dépôt désaffecté, dans une espèce d'ancienne grange. Cet endroit peu ordinaire contribue à instaurer une atmosphère fantastique. Comme Pouvoir et Force, les filles du titan Océan parlent à l'unisson. Elles s'apitoient sur le sort de Prométhée, elles s'indignent de le voir traiter ainsi.

Irruption de Io, la jeune fille à la tête de vache. Scène pathétique, soutenue par un rythme élevé et une interprétation en mouvements continus. Io conte aux Océanides le récit de ses malheurs. Elle déroule l'histoire des oracles qui la forcèrent à se donner au roi des dieux, puis celle de sa métamorphose en génisse et sa vie vagabonde. Jamais résigné, Prométhée lui prédit qu'arrivée en Egypte elle donnera naissance à un fils. Ce dernier mettra au monde un être qui le délivrera du supplice auquel il est condamné.

Hermès est envoyé par Zeus auprès de Prométhée. Il est

chargé de rapporter le secret que détient le supplicié. Secret qui menace la suprématie de Zeus. Prométhée ne cède pas. Zeus foudroie le rocher qui s'enfonce dans les profondeurs de la terre... Scène finale tonitruante, le dépôt désaffecté est subitement zébré d'éclairs violents, le grand rocher disparaît sous une immense toile.

La force d'un tel spectacle résida dans cette façon incroyable, dans ce savoir-faire extraordinaire, de surprendre le public à chaque instant.

Orient-Express. En voiture !

Le Théâtre Mobile de Genève, fondé par le comédien Marcel Robert, est une troupe composée de plusieurs jeunes comédiens particulièrement soudés. Leur homogénéité notoire leur permet de construire des spectacles où chaque élément de la distribution n'est jamais en retrait ou en décalage par rapport aux autres. Chacun occupe une place adéquate parce qu'ils se connaissent tous en connaissant exactement les possibilités réelles de chacun. En outre, ils réussissent à se distinguer par le caractère original et l'esprit régulièrement novateur de leurs démarches. En octobre 1981, ils créent « Orient-Express », un spectacle dont l'originalité est due à l'idée de l'auteur de placer public et comédiens dans un wagon :

« Avez-vous rêvé de voyager dans l'Orient-Express ? Si oui, le Théâtre Mobile vous donne la possibilité de concrétiser votre rêve. Grâce à lui, vous pourrez embarquer dans un luxueux wagon qui vous conduira à Istambul. Il n'y a qu'une cinquantaine de places disponibles par voyage. Le trajet ne sera évidemment pas des plus calmes ! Dans la plus pure tradition d'Agatha Christie, un crime sera commis et vous aurez de fortes chances de vous retrouver parmi les suspects... »

Avec « Orient-Express », du jeune auteur Michel Beretti, le Théâtre Mobile a monté un spectacle cocasse, enlevé à la vitesse d'une locomotive folle. Pour le mettre sur les rails, Jean-Charles Simon n'a pas hésité à privilégier la couleur parodique de la pièce. Il a pris le parti de mettre l'accent sur l'aspect caricatural de ces énigmatiques personnages que sont le détective Elios Schopol (une sorte d'Hercule Poirot dérisoire !), une duchesse slave, un colonel de la Gestapo, un baron qui rappelle Von Stroheim, une dame de compagnie louche, une artiste de variétés, un contrôleur qui offre du champagne aux passagers et un pianiste qui passe vite à l'état de macchabée. Cette atmosphère d'intrigue drolatique, qui va et vient entre

164

le réalisme de Sidney Lumet et le burlesque de Mel Brooks, n'aurait pas été possible sans cette mise en espace (où les acteurs et les spectateurs entrent en osmose) et sans les décors tout simplement géniaux de Roland Deville. Il a conçu un grand wagon-salon qui donne l'impression de rouler et d'être parfois croisé par d'autres trains nocturnes.

« Orient-Express » n'a pas la même richesse dramatique que « Au malheur des dames ». Toutefois, Beretti possède un sens de la théâtralité qui reste toujours aussi aigu. Fidèle à ce style qui lui est propre, l'auteur truffe son texte de références, principalement historiques (le voyage se déroule dans la nuit du 31 août au 1er septembre 1939, donc quelques heures avant le début de la Seconde Guerre mondiale). Et puis, au-delà de la simple parodie divertissante, qui finit par un sensationnel « coup de théâtre », le dramaturge lance un clin d'œil évanescent en rappelant que toute l'histoire secrète du XXe siècle est inscrite dans les romans policiers et qu'il suffit de lire entre les lignes...

Avec Juliana Samarine, Irène Julien, Marion Chalut, Jean Schlegel, Christian Robert-Charrue, Alain Chèvre, René Donzé et Gérald Battiaz. A l'instar de beaucoup de troupes dynamiques, le Théâtre Mobile vit une crise existentielle dès 1982. Depuis, chacun tente de trouver à ce théâtre une nouvelle identité.

L'atelier

Jean-Claude Grumberg est auteur de « Chez Pierrot », « Michu », « Rixe » (pièce jouée à la Comédie Française), « Guerre et paix pour ceux qui l'ont pas lu », « Amorphe d'Ottenburg », « Dreyfus » et « En r'venant de l'expo ». Ses œuvres ont été créées par des metteurs en scène aussi cotés que Jean-Paul Roussillon ou Jean-Pierre Vincent. En 1976, il écrit « L'atelier » qu'il met en scène en 1979, au Théâtre national de l'Odéon, en compagnie de Jacques Rosner et Maurice Bénichou. Grâce à « L'atelier », il reçoit le prix de la meilleure création française du Syndicat de la critique dramatique.

A propos de « L'atelier », ce jeune auteur juif, qui a été comédien sous la direction de Jacques Fabbri, a déclaré : « Cette pièce est écrite pour ma mère et pour toutes celles et tous ceux que j'ai vu rire et pleurer dans mes nombreux ateliers... ». Fils d'un père mort en déportation et d'une mère couturière qui espérait l'hypothétique retour de son mari, Jean-Claude Grumberg a puisé dans ses souvenirs d'enfance pour décrire cette pièce mélancolique et drôle. En novembre 1980, le Centre Dramatique de Lausanne eut la bonne idée d'inviter cet excellent spectacle dont la qualité du jeu naturaliste fut le détonateur du succès :

« Avec « L'atelier », Grumberg évoque l'époque de l'après-guerre (1945 à 1952). En dix tableaux naturalistes, il peint le climat d'un atelier de confection pour hommes dirigé par un juif qui est passé à travers les mailles de « la solution finale ». Un presseur, deux mécaniciens et cinq finisseuses, dont Simone, une jeune femme qui espère le retour de son mari juif déporté, travaillent dans cet atelier.

» L'idée matricielle de cette pièce provient des souvenirs d'enfance de l'auteur. Les mots utilisés par Grumberg sont d'une authenticité émouvante. L'univers des ouvriers et des patrons, les séquelles de la guerre, le spectre de l'enfer nazi sont relatés par un témoin attentif. La fraternité et les tiraillements sont traités avec un réalisme dénué d'effet mélodramatique. Comme Emile Zola, Grumberg joue des contrastes sans forcer et photographie la complexité de l'existence. Réaliste et philologique, son travail de dramaturge fait entrer en osmose les arts de Thalie et Melpomène. Son naturalisme est empreint de comique et de tragique dramatiques, il rend au théâtre son rôle initial : transposer le spectateur dans une situation qui n'est pas la sienne.

» La matière dramatique de Grumberg s'organise, selon une évolution d'une rigueur implacable, en conflits humains pénétrés de forces symboliques, celle qui ressuscite l'espérance et celle qui hâte le cataclysme cyclique menaçant toute civilisation.

» Le texte est remarquablement porté par une interprétation générale d'une qualité supérieure et par une mise en scène intuitive. Rappelons que le décor est de Max Schoendorff. Il contribue à créer cette succession d'atmosphères par la recherche d'infinis détails mouvants.

» Avec Betty Berr, Nicole Dubois, André Retz-Rouyet, Laure Duthilleul, Julia Dancourt, Claire Magnin, Jean Lescot, Tcheky Karyo, Michel Konieczny, Jacques Bleu, Laurent Huon et Gérard Pichon. » (1)

« Richard II » par le Théâtre du Soleil

« Le théâtre est métaphore, métaphore du geste, du mot et,

(1) « 24 Heures », 12 novembre 1980.

ce qui est beau au théâtre, c'est quand un acteur transforme un sentiment, une mémoire, un état ou une passion. La passion toute pure, personne ne la voit si l'acteur ne la transforme pas en jeu, c'est-à-dire en un signe, en un geste. J'avais cité la phrase de Pavese qui dit : « La poésie a commencé quand un imbécile a dit de la mer, on dirait de l'huile. C'est vrai que le théâtre commence quand on dit d'un acteur on dirait qu'il meurt, mais il ne meurt pas vraiment, on dirait qu'il marche, mais il ne marche pas. Parce que s'il marchait dans la vie comme sur scène, on dirait qu'il traîne. » Cette citation intéressante, relatée dans le N° 2 d'« Acteurs » par Alfred Simon, est d'Ariane Mnouchkine. Cette universitaire, sortie d'Oxford et de la Sorbonne, qui est devenue l'un des grands points de référence de la mise en scène européenne, dirige aussi la jeune troupe du Théâtre du Soleil, installée à la Cartoucherie de Vincennes.

A la fin de l'année 1981, le Théâtre du Soleil présenta « Richard II », premier élément d'un cycle de six pièces shakespeariennes qu'il se proposait de monter. Soit quatre tragédies historiques et deux comédies. Ce spectacle fut un succès prodigieux. Pendant plus d'une année, les places furent prises d'assaut. A l'origine de ce triomphe : six mois de travail, un savoir-faire et une expérience acquis tout au long des formidables créations collectives précédentes (« 1789 », « 1793 », « L'âge d'or »), une culture et une intelligence mises au service d'un grand texte. A propos du travail de la troupe d'Ariane Mnouchkine qui fait école et dont la remise en question est le fil conducteur, Alfred Simon écrivit : « Apparemment ce retour à Shakespeare, à l'auteur, au texte consomme la rupture avec le mythe de la création collective, du théâtre-fête, du jeu total. »

Par cette halte dans une mise en scène de « Richard II », le Théâtre du Soleil avouait se préparer à raconter dans un prochain spectacle une histoire d'aujourd'hui. Il profitait donc de cette halte pour consulter Shakespeare, cet expert qui connaît les moyens les mieux ajustés aux récits des passions et des destinées des hommes. En figurant par le spectacle les héros de l'univers médiéval occidental, le Théâtre du Soleil restait fidèle à son but poursuivi, c'est-à-dire celui qui consiste à représenter le monde. Ce miroir du monde réfléchissait en plus l'empreinte de Shakespeare. Celle qui élève, qui permet de dépasser la stricte observation de soi-même pour laisser libre cours à l'admiration de la beauté de l'autre. Partant du principe que le théâtre est un lieu d'expérimentation, exploitant le caractère ancestral de la pièce, Ariane Mnouchkine et ses comédiens se référèrent aux grandes formes traditionnelles des spectacles orientaux : nô, kabuki, bunraku. L'utilisation de ces techniques leur permit aussi de poser les règles de leur travail en mettant l'accent sur la précision du geste, la netteté du trait, la rencontre d'une vérité extrême et d'un extrême artifice en un jeu qu'on pourrait appeler hyperréaliste. Cette démarche leur donna également la possibilité d'effectuer ce « dépassement de soi » propre au théâtre nô, de reculer leurs limites de jeu fixées jusque-là par des techniques occidentales. Le Théâtre du Soleil résuma son travail sur l'interprétation de la façon suivante : « L'acteur doit tracer avec son corps le portrait et les actes d'un héros, en lignes bien marquées, sans flou ni demi-teinte, avec l'élan et la maîtrise du dessinateur que sa main entraîne et qui entend toujours sa plume gratter sur le papier. Il a pour tâche de faire, en chirurgien froid et brûlant à la fois, l'anatomie publique d'une âme, d'être et de présenter un de ces tableaux cruels, instructifs et beaux qu'on appelait des écorchés. »

Cette représentation d'une « ouverture d'hommes » dura quatre heures. Quatre heures qui ne parurent jamais longues tant l'histoire fut rendue palpitante par une mise en scène vivante, musclée par des mouvements amples, rapides et permanents. Cette « mise en mouvements » dans un espace immense fut l'élément principal qui maintint jusqu'au bout l'intérêt dramatique du spectacle. Chaque intention, chaque émotion, furent rendues extrêmement vibrantes par l'expression constante des corps. Les corps devenus instruments jouèrent avec des résonances profondes, ancestrales, toute l'intensité des grandes passions. La musique de Jean-Jacques Lemêtre et Claude Ninat, accouchant d'un feu d'artifice de percussions, s'appliqua à souligner la nature de chaque acte. Sans jouer le rôle d'un commentaire superfétatoire, les percussions devinrent un complément indispensable à l'expression des corps et des voix. Cavalcades, sauts, tremblements, combats, déplacements vifs et précis, corps en perpétuelle agitation fébrile, mirent à jour, avec la maîtrise d'un scalpel, les réflexes intimes qui provoquèrent les faiblesses d'un roi intelligent mais inconstant, sous la coupe de ses mauvais conseillers. Les costumes résolument empruntés aux traditions historiques japonaises contribuèrent à alimenter la grandeur narrative du spectacle. Au fond du plateau, des fresques géantes et bigarrées, patines et dorures, se succédèrent pour appuyer l'action par l'émanation d'un climat déterminé.

Georges Bigot (Richard II), Odile Cointepas (la Reine), Cyrille Bosc (Henry Bolingbroke), Philippe Hottier (le duc d'York), furent les piliers d'une distribution brillante, rompue à ce genre d'expression. Une cascade de comédiens explosant de vitalité pour un spectacle grandiose.

« L'escalier » par le Théâtre Onze

A Lausanne, il existe une troupe qualifiée d'« avant-gardiste ». Il ne s'agit pas d'entériner cette appellation difficile à contrôler, sinon à définir. Qui est d'avant-garde ? Pourquoi ? Comment ? On prétend que le travail d'avant-garde consiste à précéder son époque par ses audaces. Le Théâtre Onze de Lausanne prend-il place dans cette définition ? Il serait vain de tenter de répondre à cette question. Pour l'observateur, l'essentiel réside dans cette capacité qu'a le Théâtre Onze à étonner, à susciter un intérêt par l'insolite, à produire des spectacles non dépourvus de qualités intrinsèques. Il s'agit d'une troupe capable de monter un opéra de chambre tel « Didon et Enée » avec un succès estimable, puis de raconter l'Atlantide dans une piscine en surprenant par la diversité de ses moyens d'expression.

En septembre 1980, la troupe de Jacqueline Morlet créa « L'escalier », un spectacle étonnant, donné sur les grandes marches intérieures d'un important musée lausannois. Au départ de ce projet, un stage effectué avec une jolie Noire américaine qui répond au nom de Sheryl Sutton. Après sept mois de travail avec le Théâtre Onze, Sheryl Sutton participa au spectacle.

Les comédiens lausannois retirèrent sans doute beaucoup d'éléments enrichissants de cette collaboration avec l'Américaine. En effet, originaire de New Orleans, elle est connue pour avoir fait partie de l'avant-garde new-yorkaise Soho des années 60 et pour avoir passablement travaillé avec Bob Wilson. Elle a créé des rôles majeurs dans « Le regard du sourd », « Une lettre pour la reine Victoria », elle a aussi participé à une tournée mondiale avec « Einstein on the Beach ». En outre, elle appartient à la Compagnie Andy de Groat and Dancers.

A l'issue d'une représentation de « L'escalier », je rencontrai Sheryl Sutton. Nous discutâmes en toute décontraction sur... une marche :
— Vous avez étudié le chant et la danse au Conservatoire de Chicago et le théâtre à l'Université de l'Iowa. On prétend que les centres de formation d'acteurs américains sont parmi les meilleurs du monde, qu'en pensez-vous ?
« C'est certainement vrai ! A l'Université de l'Iowa, nous avions la chance de pouvoir bénéficier d'une formation pratique et

théorique extrêmement complète. En quatre ans, les étudiants suivent des cours très poussés et aussi divers que l'art dramatique, la musique, la danse, la réalisation de décors, le cinéma, la chorégraphie ou la mise en scène. Ils peuvent apprendre un éventail de techniques qui va de celle de Stanislavski aux formes d'expression de Grotowski ou Wilson. »

— Comment avez-vous fait la connaissance de Bob Wilson ? « C'est grâce à un Centre de recherches de l'Iowa que l'on peut comparer au Théâtre Onze de Lausanne ! Ce centre avait invité Bob Wilson. Il a organisé un séminaire à l'université. L'expérience a été très positive ! Pour donner son stage, Wilson s'était entouré d'une vingtaine d'artistes parmi lesquels des sculpteurs et des peintres. Il a monté « Le regard du sourd » ; ce spectacle, qui était fait par des étudiants pour des étudiants, a été donné en public. J'ai pu participer à la tournée, c'est ainsi que j'ai entamé ma carrière dans le groupe de Wilson. Sa technique exhaustive m'a beaucoup apporté et m'a permis d'enrichir ma formation initiale basée sur dix ans de ballet classique. »

— On affirme que votre recherche est établie sur le temps ralenti qui est composé de différents types de vitesses. Est-ce réellement la base de vos investigations artistiques ? « C'est exact, mais ce n'est pas uniquement cela ! Pour que les comédiens vivent sur scène comme le voulait Craig et pour qu'ils puissent développer une sensibilité visuelle et de réaction, je pense qu'il faut maîtriser le temps afin de pouvoir le manipuler. Lorsque l'on examine toutes les constructions d'actions, on s'aperçoit qu'il y a trois catégories de temps qui aboutissent sur des extrêmes ! Pour maîtriser les différents styles d'expression du mouvement, il s'agit d'analyser les contrastes qui existent entre le temps ralenti et le temps quotidien, sans oublier le temps rapide. Il s'agit aussi d'accroître l'ouverture de sa sensibilité du regard ! Ma recherche tient aussi compte du travail d'Isadora Duncan qui fut la collaboratrice de Craig. A une époque où le cinéma atteint, de par son extraordinaire technique, une perfection supérieure qui débouche sur la formation d'un public plus sophistiqué, il s'agit de mettre absolument en valeur l'action de l'acteur de théâtre. C'est ce que nous avons tenté de faire avec Jacqueline Morlet et le Théâtre Onze dans ce Palais de Rumine dont l'architecture se prête magnifiquement à ce genre d'expérience ! »

L'expérience aboutit sur le bon résultat que j'eus le plaisir de relater dans « 24 Heures » du 8 septembre 1980 :

170

« Il est rare de pouvoir assister à un spectacle dont l'originalité est telle qu'elle parvient à couper le souffle... Celui réalisé par le Collectif Théâtre Onze, avec la participation de Sheryl Sutton, ne manque pas de susciter une curiosité réjouissante et un intérêt qui va crescendo au fil des soixante minutes que dure ce « drame du silence » d'après Edward Gordon Craig intitulé « L'escalier ».

» Sur les nombreuses marches des larges escaliers du Palais de Rumine, le public va de surprise en surprise en circulant à travers le jeu des comédiens. L'atelier de Jacqueline Morlet nous convie à une fête sensuelle empreinte d'étrangeté et destinée à flatter surtout la vue. Même le spectateur aux goûts dramatiques conventionnels ne peut rester indifférent à cet aboutissement dans la recherche plastique et la mise en valeur de l'esthétisme et du mouvement de l'acteur. Même si ce spectateur est déphasé ou bousculé dans ses idées parce que sa traditionnelle scène à l'italienne vole en éclats et parce qu'il entre en osmose avec l'action du comédien, il ne peut, à un moment ou à un autre, demeurer insensible à ce jeu terriblement vivant ! Lorsque Craig affirme que l'essence du théâtre procède du mouvement, on ne peut pas mieux illustrer sa théorie.

» L'action se décompose en quatre atmosphères historiques : l'Antiquité, le Moyen Age, le Romantisme et le Futur. La trame est remplacée par une riche succession de visions et d'impressions. Les corps humains se fondent dans le marbre, les images picturales et les attitudes statuaires conjuguent l'architecture sublime et le mouvement, la richesse des tableaux et le dépouillement esthétique dans le jeu. Malgré des temps morts, surtout lorsqu'on passe de l'Antiquité au Moyen Age, la dynamique tient le témoin en haleine.

» Les comédiens, étiquetés comme des pièces de musée ou des mannequins de grand magasin, progressent de façon féérique et fantomatique le long des marches. Au son de la voix, des tambours, du violoncelle et de la flûte, ils investissent tous les recoins du bâtiment, y compris le bassin où nagent un canard et un gros poisson... Les personnages défilent : Thésée, Jason, Platon, le Christ, la Sainte-Vierge, Roméo et Juliette, Jeanne d'Arc, des révolutionnaires, un reporter, un homme pressé, une infirmière, un facteur, un punk affolé de voir autant de monde, des touristes, une statue des droits de l'homme aveugle et même le soldat se masquant le visage de la célèbre toile récemment détruite « L'exécution du major Davel à Vidy » !

» Des visions prémonitoires d'un monde tourmenté et chaotique. Le musée vivant devient un grand magasin, puis reprend son statut de musée en laissant le spectateur époustouflé par ce qu'il vient de vivre. »

« Amadeus » par Roman Polanski

Le Britannique Peter Shaffer est connu pour être l'auteur d'« Equus ». Depuis peu, sa notoriété s'est accrue grâce à « Amadeus ».

« Amadeus » a été l'un des plus grands succès du théâtre parisien de ces dernières années. Bien qu'assassiné par la majorité des critiques de Paris, ce spectacle mis en scène par Roman Polanski est resté à l'affiche du Théâtre Marigny pendant plus d'un an.

« Je sais, je vais mourir, quelqu'un m'a donné de l'aqua tofana (poison arsenical) », aurait dit Mozart avant de sombrer dans un coma urémique. Avec « Amadeus », Peter Shaffer a ouvert le dossier touchant aux suspicions qui ont entouré la mort de Mozart. L'auteur d'« Equus » a traité la « rivalité » qui a opposé Antonio Salieri, compositeur officiel de la cour de Vienne, à Wolfgang Amadeus Mozart, jeune génie naissant. Certes, Salieri, dont la réussite était exemplaire, n'avait aucune raison de jalouser un Mozart peu épargné par les vicissitudes. Cependant, plus que n'importe lequel de ses contemporains, il était conscient de l'étendue exacte du génie de Mozart. Ce seul facteur était suffisant pour qu'une méfiance commence à poindre dans son esprit troublé.

Utilisant habilement cette matière première, Shaffer a bien défini les critères par lesquels il reconnaît la spécificité d'affirmation d'existence d'un « assassinat ». Il a écarté la thèse de l'empoisonnement en faveur de celle du meurtre psychologique par pressions.

Bien des critiques ont reproché à Shaffer sa recherche de dimension métaphysique constituée par le dialogue de Salieri avec Dieu. Ils ont assimilé cette option à une « tentative maladroite pour élever le débat ». Ils ont déploré aussi la banalité du langage que l'auteur a fait tenir à ses personnages. Cette banalité, ils l'ont vue dans l'emploi de phrases historiques, de propos empreints de prémonitions ou de jeux licencieux entre Mozart et Constance Weber (le langage parfois peu châtié du compositeur a bel et bien existé !). Pourtant, ce dialogue de Salieri avec Dieu revêt un intérêt dramatique certain. Il devient plausible si l'on songe à quel conflit manichéen la conscience de Salieri a pu être soumise. Ce combat intérieur aurait pu pousser l'esprit du compositeur officiel de la cour sur des dérives grandiloquentes, comme Shaffer l'a montré. Quant à l'utilisation de phrases historiques et prémonitoires, ainsi que des jeux licencieux, ils ont l'avantage de bien structurer l'évolution dramatique, ils éclairent aussi les mécanismes créatifs d'un génie.

Un sujet historique est toujours complexe à traiter. Par un texte truffé d'humour et de pathétisme, intelligent et bien construit pour la représentation sur scène, Shaffer a conçu un bon outil de travail pour tout metteur en scène.

Roman Polanski a su s'en servir en technicien de la scène consommé. « Le théâtre de Peter Shaffer, a dit l'artiste polonais, c'est le théâtre comme je l'aime : « théâtral ». Shaffer connaît la nature profonde du théâtre : avec un minimum de moyens, il crée un maximum d'images. »

Connu surtout par son talent de réalisateur cinématographique, l'auteur de « Chinatown », « Répulsion », « Le bal des vampires », a effectué, grâce à cette mise en scène d'« Amadeus », un retour aux sources. A l'âge de quatorze ans, il avait commencé sa carrière en incarnant le rôle principal dans « Le fils du régiment », de l'auteur soviétique Kataiev. Avant de bifurquer vers le Septième Art, il s'était produit plusieurs fois sur les planches.

Séduit par la pièce de Shaffer, Roman Polanski a monté une version polonaise au Théâtre Na Woli de Varsovie en 1981. Entre-temps, il a contacté François Périer dans la perspective d'une version française destinée à Paris. En tournée au Mans avec « Coup de chapeau », de Bernard Slade, Périer a reçu la visite de Polanski. Emballé par le projet et l'enthousiasme du metteur en scène, l'acteur français a donné son accord pour jouer le rôle de Salieri.

Il n'est pas exagéré de dire que François Périer a été le principal artisan de la réussite du spectacle. L'interprétation magistrale de ce comédien talentueux a porté la pièce de Shaffer sur des sommets sans doute jamais atteints jusque-là. Si Mozart a prêté son nom au titre de l'œuvre, Salieri en est le véritable manipulateur qui tire les ficelles. Sa personnalité et ses actes sont les points névralgiques qui font avancer l'action dramatique. Pour tenir ce rôle essentiel, pour éviter que la pièce ne s'enlise dans un sable mouvant constitué par une absence de présence, il faut un acteur de grande envergure. Polanski a eu le nez fin en choisissant François Périer. Ce dernier a exploré tous les recoins du personnage Salieri. Il en a extrait la moindre parcelle d'ironie, la plus petite des réactions émotives, toutes les bribes d'humour, les infinitésimales pensées envieuses. C'est dire qu'il est allé très loin en creusant profondément le personnage, il n'est jamais resté en surface, donnant ainsi une chair terriblement consistante à un rôle dont bien des répliques pourraient laisser une enveloppe d'apparence superficielle. En outre, François Périer a utilisé avec finesse l'idée scénique de Shaffer qui a consisté à faire d upublic un complice lables que Polanski a transformés à sa guise en bon sculpteur narratif de Salieri.

En jeune Mozart, on ne peut pas dire que Roman Polanski ait été aussi convaincant ! Il a toutefois apporté des contours originaux au personnage en trouvant des élans juvéniles dont on le savait capable. Son travail le plus intéressant a résidé surtout dans sa mise en scène. Bien que conventionnelle, elle a trouvé une personnalité par deux voies : la première par une définition précise des caractères et de leur évolution ; la deuxième par une recherche sur l'image afin d'offrir un maximum de tableaux mobiles en relief. Aidé par des répliques accusées d'être trop schématisées, Polanski est parvenu à mouler solidement chaque caractère en trouvant un nouveau moule pour préparer efficacement chaque transition. Avec l'appui précieux d'Anthony Powell, le grand spécialiste des costumes d'époque du XVIe au début du XXe siècle, le metteur en scène a dessiné des silhouettes théâtrales, un peu caricaturales comme dans certains de ses films. Ces silhouettes trouvées dans une malle du XVIIIe siècle et dépoussiérées juste ce qu'il faut ont donné la sève qui a apporté un goût personnel et original à cette mise en scène. Pour cela, Polanski a joué avec les ombres et les éclairages sophistiqués (dont certains depuis les coulisses) qu'il maîtrise en spécialiste, grâce peut-être au cinéma. Parmi d'autres bons comédiens, la ravissante Sonia Vollereaux (Constance Weber), Bernard Musson, Marc Dudicourt, Georges Atlas, Jean-Pierre Rambal, Raymond Baillet, Guy Kerner, Georges Montillier et Jacques Maury ont été les éléments parfaitement modelables que Polanski a transformés à sa guise en bon sculpteur de portraits qu'il sait être.

« Peines de cœur d'une chatte anglaise »

Fondé en 1966 à Buenos Aires, par Alfredo Rodriguez Arias, le groupe argentin TSE se fixa à Paris en 1968. Dans la petite salle de l'Epée-de-bois, où il s'installa, le TSE se fit rapidement remarquer par la qualité de ses productions. A la fin de l'année 1979, il montra l'une des facettes de son talent au public suisse en présentant « Peines de cœur d'une chatte anglaise », pièce de Geneviève Serreau, écrite d'après la nouvelle d'Honoré de Balzac. Un spectacle qui reçut un accueil triomphal à Paris...

L'histoire conte la vie d'une splendide chatte blanche que la fécondité de sa mère condamne à la noyade, et qui est sauvée par l'entière blancheur de sa robe. Beauty est recueillie et éduquée sévèrement par une vieille fille. Elle est ensuite emmenée à Londres par Arabelle, la nièce de sa maîtresse qui est une riche héritière. Devenue lady, Miss Beauty du Catshire doit épouser Puff, un angora sénile, riche et ennuyeux. Sur les toits d'Almack's, elle est séduite par Brisquet, un charmant matou français avec qui elle trouve le bonheur. Jaloux, le sournois capitaine Puck (un des neveux de Puff) assassine Brisquet. Parce que les mœurs anglaises n'admettent aucune « conversation particulière » après le mariage, Beauty va subir un jugement à la cour des terribles Doctors commons. En se familiarisant avec les hommes, les animaux en prennent tous les vices et toutes les mauvaises institutions, conclut Balzac. La Fontaine rejoint Charles Perrault.

Les qualités du spectacle mis en scène par Alfredo Rodriguez Arias résidèrent surtout dans sa féerie, son atmosphère insolite et sa cocasserie. Un guitariste-lapin, un altiste-chien, les extraordinaires masques de Rostislav Doboujinsky (chaque acteur fut intégralement métamorphosé en animal !), les costumes de Claudie Gastine et les décors d'Emilio Carcano (le tout inspiré des dessins de Grandville dans « Scènes de la Vie privée et publique des Animaux ») créèrent ce climat onirique qui fit le succès énorme du spectacle. La danse des chats sur les toits, ainsi que celle du papillon furent des scènes particulièrement réussies. La prestation des comédiens, qui se placèrent à mi-chemin entre les attitudes humaines et animales, fut étonnante et témoigna d'un bon travail d'observation.

Partant du principe que Balzac a dit que l'unité de composition de son œuvre invite à voir dans la société une nature et des espèces sociales comme il y a des espèces zoologiques, le groupe TSE sut habilement exploiter ce filon. Ce spectacle ne fut-il pas la meilleure des démonstrations d'un vrai savoir-faire au théâtre ? Sans aucun doute !

« Stratégie pour deux jambons »

Jean-Luc Bideau est l'un des meilleurs comédiens de Suisse. Il fut l'une des « vedettes » du cinéma helvétique lorsque celui-ci provoquait encore l'engouement des spectateurs parisiens en pleine découverte. Captivé par un texte de Raymond Cousse, il effectua une expérience dont beaucoup de comédiens rêvent tout en la redoutant : jouer en solitaire. L'expérience fut concluante, elle se solda par un beau succès dans la plupart des villes suisses où Bideau tourna. Le talent et la personnalité de l'interprète furent les deux raisons d'un tel succès :

« Quoi de plus grinçant qu'un homme qui se confond avec un porc d'élevage dont le cheminement va de la castration à l'équarrissage ? Quoi de plus insolite qu'un cochon légaliste qui revendique la participation à l'amélioration de ses jambons ?

« Stratégie pour deux jambons » est une pièce que Raymond Cousse a tirée de son roman du même nom. Le Théâtre Pluriel nous propose un spectacle bâti sur un texte qui décrit un état limite et qui constitue une véritable thèse humoristique et tragique sur la fabrication de la charcuterie.

»Malgré des facilités trop tentantes pour être inévitables, le texte débouche sur une réelle virtuosité du langage. La fable de Cousse est actionnée par deux moteurs : l'un est de caractère psychologique, l'autre de nature philosophique. En premier lieu, la trame joue sur la similitude qu'il y a entre l'homme et le cochon engraissé. Ici, la représentation du moi conduit vers un mécanisme d'identification inconscient. Cette sollicitation occulte augmente le rôle des pulsions et aboutit sur un instinct de mort.

» L'aspect philosophique démontre comment, dans un lieu clos, on a conscience de ses limites et comment on finit par vivre avec. Le sujet évoque aussi « l'animal et... l'homme que l'on exploite et que l'on tue ! » En voyant cette pièce, on ne peut pas ne pas penser à Reiser qui a dit : « Si ça te laisse insensible que les cochons se fassent massacrer à la chaîne, le massacre des êtres humains te laissera tout aussi froid. »

» Il s'agit d'un bon spectacle, fruit d'un travail exhaustif sur le texte. Pendant quatre-vingt-cinq minutes, Jean-Luc Bideau est l'auteur d'une grande performance d'acteur. Il réussit à s'infiltrer dans les moindres recoins psychiques de son personnage. Marcela Bideau, sa femme, l'a intelligemment dirigé dans les transitions et dans sa recherche d'intentions. Enfin, Claude Evrard a signé un décor-cage qui crée un univers carcéral propice à la méditation et qui permet à l'unique acteur de bien ressentir la marche inexorable du destin du personnage qu'il incarne. » (1)

(1) « 24 Heures », 12 mars 1981.

« Le bourgeois gentilhomme » par le Grand Magic Circus

Le Grand Magic Circus est un phénomène qui sort des sentiers battus. Dans « Le théâtre depuis 1968 » (édition J.-C. Lattès), Colete Godard brosse un portrait fidèle et flatteur de la troupe de Jérôme Savary : « Exemple — et fameux — d'une micro-société libertaire : le Magic Circus. En 1970, c'est le triomphe foudroyant, la naissance d'un mythe. On se piétine, on s'étouffe devant les palmiers en carton-pâte et les coloriages merveilleux de Jérôme Savary. La nostalgie désespérée des enchantements et des fascinations morbides de l'enfance qui perce à travers ses plaisanteries bêtes et méchantes, son obscénité joviale, le situent hors des normes. Il est marginal donc, et aussi par la désorganisation anarchique du groupe. »

Jusqu'en 1981, le Grand Magic Circus fit escale dans cent sept villes françaises, quatre-vingt-dix cités étrangères et vingt pays. Il donna seize spectacles et mille cinq cent seize représentations. Le résultat de ce bilan extrêmement positif : un million six cent cinquante mille spectateurs... En 1981, Jérôme Savary abandonna provisoirement ses vieilles recettes de succès — la mise en scène de l'un de ses propres textes — afin de se lancer dans une entreprise nouvelle consistant en une réalisation d'une comédie-ballet de Molière : « Le bourgeois gentilhomme ». La première eut lieu le 3 mai à la Maison de la culture de la Seine-St-Denis. Ce fut le départ d'un nouveau triomphe, puis d'une tournée qui amena le Grand Magic Circus au Théâtre de l'Est parisien à partir du 1er décembre. Succès sur toute la ligne !

L'utilisation de la « méthode Savary » fut à la base de cette réussite, soit un savoir-faire qui mêle le cirque au théâtre, la fête à la musique, les pirouettes facétieuses à la grosse farce burlesque, le professionnalisme discipliné et rigoureux aux débordements anarchiques. Monter « Le bourgeois gentilhomme » était un vieux rêve caressé depuis longtemps par Jérôme Savary. Il y a belle lurette que le metteur en scène se faisait une idée bien définie du héros de la comédie de Molière : « Jourdain, c'est un petit bourgeois, comme quatre-vingt pour cent des Français. C'est le cousin de « Mon oncle » de Tati et du « César » de Pagnol ; c'est un petit bourgeois comme ceux qui ont fait la Révolution mais qui n'ont jamais eu droit aux honneurs ni au pouvoir parce que, dès qu'une révolution est finie, pour les choses sérieuses, on prend les Grands bourgeois ou les érudits, ou les « commis de l'Eat », comme on dit, une nouvelle forme d'aristocratie en somme. Alors, curieusement, je sens que Molière a de la tendresse pour Jourdain, et que c'est plutôt aux autres qu'il en veut, aux musiciens (à travers son texte se dégage une incroyable haine contre Lulli, son camarade de commande royale), aux danseurs, aux philosophes, à tous ces sots qui débitent leurs idées reçues avec suffisance et prennent l'argent de Jourdain tout en le méprisant, parce qu'il ne fait pas partie de leur monde, qu'il n'entend rien à leur « code » et dit des choses simples alors que, eux, profèrent des conneries avec le langage tarabiscoté de l'« élite ». Jourdain n'est dans le fond rien d'autre qu'un artisan du drap (comme le père de Molière : n'est-ce pas là, peut-être, l'indication que Molière a voulu brosser avec tendresse un portrait de son père ?), qui s'est enrichi et qui, arrivé au plus haut pour un drapier, est pris par le démon du midi... » Jérôme Savary avait poursuivi son raisonnement en ces termes : « Il veut se payer une marquise... symbole de ce qu'il n'a jamais pu avoir, ni avec sa femme (trop à cheval sur les principes bourgeois, trop usée par la tâche pour offrir à son mari une quelconque fantaisie), ni avec sa bonne, paysanne fraîche mais frustre (qu'il a bien dû lutiner tout de même, à l'occasion) ; il veut s'offrir une marquise comme d'autres, aujourd'hui, veulent se payer la danseuse vedette du Crazy Horse Saloon, ou la princesse Caroline de Monaco... » Savary clarifiait d'autant plus sa position en affirmant : « Mais pour atteindre son but, et c'est en cela qu'il m'est sympathique, il prend la voie la plus difficile, celle d'apprendre les arts, les lettres et même la philosophie. Tout en se ruinant en somptueux cadeaux, il espère secrètement que c'est par son esprit qu'il séduira Dorimène. »

Pour Jérôme Savary, un homme qui veut apprendre ne peut pas être tout à fait ridicule. Il ressentit donc une infinie tendresse pour le personnage de Jourdain qu'il incarna lui-même. Cela signifie que l'entourage du Bourgeois fut égratigné avec la bonne humeur propre au Magic Circus. Le Maître d'armes (Bruno Raffaelli) se vit déplacé en chaise à roulettes avec un bandeau sur l'œil et une jambe de bois ; le Maître à danser (François Borysse) se métamorphosa en un individu précieux, ventripotent et ridiculement accoutré ; le Maître de philosophie (Maxime Lombard) s'approcha du barbon rabâcheur, fat et blasé ; Madame Jourdain (Clémence Massart) devint une épouse austère et peu affriolante. Les autres personnages furent également tous caricaturés avec les outrances inhérentes au système ludique du Magic Circus. Les amoureux Lucile (Violaine Barret) et Cléonte (Gérard Dervieu) épousèrent les contours d'une belle grande godiche, qui n'hésite pas à dévoiler ses magnifiques seins, et d'un flandrin pas très avantagé par la nature. Nicole (Sophie Clamagirand ou Cerise) devint une boniche explosive, un petit bâton de T.N.T., qui exhibe parfois sa partie la plus charnue au nez de Jourdain ; Dorimène (Mona Heftre) fut la sculpturale marquise dont rêvait le Bourgeois dans les fantasmes de Savary. Percussions, flûte, saxophone, violoncelle, violon, clavecin, commencèrent à jouer respectueusement la musique adaptée au XVIIᵉ siècle pour finir par délirer sur les rythmes fous du cirque. Pétards, fumée, braillements gais, gags à profusion, apportèrent une touche rarement vue dans une représentation d'une pièce de Molière : une fantaisie totalement débridée. La cérémonie turque finale fut l'apothéose où Mufti, Derviches, Grand Mamamouchi, côtoyèrent en une joyeuse sarabande les danseuses à peine voilées, des jeunes femmes aux fesses et aux seins particulièrement avenants.

Ce spectacle plut à beaucoup pour ces débordements qui font du théâtre une fête. D'autres y virent de la trivialité et une pièce dénaturée. Lorsque je demandai un jour à Louis Seigner, ex-doyen de la Comédie Française et comédien qui joua le plus de fois le rôle de Jourdain sur la scène du Français, ce qu'il pensait du spectacle de Savary, il me répondit avec une moue désapprobatrice : « Je préfère ne pas en parler... Vous savez, les fantaisies de ce genre... ». Quoi qu'il en soit, Jérôme Savary gagna son pari en faisant du « Bourgeois gentilhomme » un spectacle populaire.

« Sarah et le cri de la langouste »

« Sarah et le cri de la langouste » ! Encore un spectacle qui déboucha sur un long succès. Pendant des mois, la pièce de l'Américain John Murrell fit les belles heures du Théâtre de l'Œuvre, l'ancienne salle de concert aménagée par Lugné-Poe.

En lisant des œuvres en anglais, Georges Wilson découvrit un jour « Sarah et le cri de la langouste ». Il fut inspiré par sa forme et son contenu, il se décida à l'adapter en français afin de la monter à l'Œuvre. Entre-temps, aidé par un poète transalpin pour l'adaptation, il la mit en scène en Italie avec Léa Massari et Gastone Moschine dans les deux seuls rôles. En 1982, Delphine Seyrig accepta de jouer le personnage de Sarah Bernhardt pour les représentations prévues à Paris, Georges Wilson ayant décidé d'incarner l'autre rôle, celui de Georges Pitou, le secrétaire de la grande comédienne.

Deux monstres sacrés de l'art dramatique qui n'ont pas la notoriété qui devrait être la leur, deux acteurs hautement qualifiés au service d'un texte inédit et d'une valeur dramatique certaine ; tout était réuni pour séduire un public et ouvrir la voie du succès.

L'histoire est une rêverie d'un auteur. Avec « Sarah et le cri de la langouste », il imagine le déroulement d'une journée et d'une nuit de Sarah Bernhardt à la fin de sa vie. La trame est étayée sur des faits, sur des fragments d'existence. Durant ce laps de temps, défini par Murrel, Sarah essaie de dicter à Pitou le deuxième volume de ses « Mémoires ». Ce travail aboutit sur des petits conflits, des réconciliations, des moments de jeu, de gaieté et de réflexion. Le tout est tenu par une hiérarchisation bien établie dans les rapports, mais aussi par une complicité doublée d'une certaine tendresse camouflée par pudeur. Il s'agit aussi d'une pièce qui parle du théâtre avec le même amour que Pirandello avait pour cet art et un peu dans la forme qu'il utilisait.

En Sarah Bernhardt, Delphine Seyrig exprima avec une grande authenticité tout l'humour, le pathétisme, l'intelligence et la noblesse de son personnage. Sans en donner une image définitive, elle évoqua juste ce qu'il fallait de Sarah Bernhardt en privilégiant les sentiments et les résultats de la rêverie de John Murrell. En secrétaire dévoué, soucieux de la santé et de l'aboutissement des « Mémoires » de Sarah, parvenant difficilement à cacher l'estime et l'affection qu'il porte à sa patronne, Georges Wilson fut sincère, émouvant et amusant dans sa gaucherie voulue. La sobriété des décors et de la mise en scène contribua à faire de ce beau spectacle un théâtre d'écoute qui s'adresse au cœur pour susciter le plaisir.

« L'homme-masse »

En février 1981, le Théâtre de la Comédie de Genève invita le Living Théâtre, véritable monument parmi les troupes célèbres. Le spectacle mitonné par Judith Malina et Julian Beck fut attendu avec impatience. L'accueil fait par le public genevois ne manqua pas de chaleur. D'après les applaudissements extrêmement nourris qui ponctuèrent chaque représentation, il semblait que le spectacle avait plu, qu'un nouveau succès couronnait le travail de la troupe. Et pourtant ! Bon nombre de spectateurs sortirent comme hypnotisés... Un sentiment mitigé tempéra lentement leur enthousiasme. Les conversations nombreuses allèrent bon train... Elles se prolongèrent fort tard... Que s'était-il passé ? Chacun eut l'impression étrange d'avoir plus rendu hommage à trente ans de travail, qui furent presque autant d'années de gloire, qu'au spectacle lui-même. Cet « Homme-masse » ne leur sembla pas aussi réussi que leur premier réflexe ne leur avait laissé croire. Ils finirent par être déçus en essayant d'atténuer leur déception par le souvenir de précédentes grandes productions du Living. La majorité du public, restée sur des acquis antérieurs, fut éblouie par une réputation qui, il faut malheureusement le reconnaître, ne fut pas à la hauteur de ce qu'elle ne manqua pas d'être dans le passé.

« Le Living Théâtre constitue un moment important de l'histoire du théâtre. Il a créé une forme d'expression volontairement mouvante et originale qui, à l'origine, n'était pas séparable d'une perspective révolutionnaire. En 1981, le Living semble victime de son passé prestigieux. Ce célèbre groupe, qui avait la faculté de se rénover constamment, a donné, au Théâtre de la Comédie à Genève, l'impression de s'essouffler et de ne plus trouver de nouveaux moteurs régénérateurs.

»La flamme aventureuse et séditeuse, qui l'animait jadis, s'émousse sérieusement. On va voir maintenant le Living avec un respect admiratif digne de celui que l'on voue à une importante pièce du musée, et c'est contraire à l'esprit de la troupe de Judith Malina et Julian Beck. De passage à Genève, le Living a présenté « L'homme-masse » que l'écrivain allemand Ernst Toller a écrit depuis sa cellule de la forteresse de Niederschönenfeld (il avait été emprisonné pour ses activités révolutionnaires).

» Avec ce spectacle, Judith Malina, qui signe la mise en scène, aborde en premier lieu l'esthétique du théâtre expressionniste qu'elle marque par une gestuelle excessive. Sa démarche a été de ne pas axer sa réalisation uniquement sur un message révolutionnaire, mais de faire participer le public à la cérémonie théâtrale. Avec « L'homme-masse », nous sommes en présence du vrai drame expressionniste où tous les éléments ont une fonction de symbole et où l'on retrouve une indifférence volontaire du dramaturge pour l'aspect formel de l'art au profit du spirituel et de l'idéal.

» Le temps fort de la pièce de Toller réside dans le dualisme constitué par les intérêts de la masse et les sentiments de l'individualisme où la violence et la vengeance s'opposent à la lutte avec l'esprit et la rémission.

« La masse compte ! », dit l'ouvrier meneur, « L'individu compte ! », rétorque la femme. Malgré cet élément d'importance philosophique et l'importance du sujet tout court, malgré sa forme avant tout parabolique, la pièce se heurte aux clichés simplificateurs et parfois franchement puérils.

» Judith Malina a mis en exergue les tensions et les contradictions par des compositions plastiques significatives qui permettent aux comédiens de changer de situation rapidement. Julian Beck, auteur de la scénographie, a rempli la scène de vieilles grilles mobiles, susceptibles de transformer l'espace en lieux divers. Hélas ! Ces idées pourtant inventives ont un goût de « réchauffé » ou de « déjà vu » ! De même que l'important travail qui a été effectué sur le souffle, le bruit ou la voix. L'uniformité de tous ces éléments scéniques donne une interprétation générale qui finit par lasser le spectateur. En outre, les douze comédiens ont joué la pièce en français. L'effort est louable, mais le résultat nous a malheureusement paru hésitant.» (1)

Cet exemple démontre à quel point une réputation bien établie peut contribuer au succès. La notoriété et la réputation sont aussi des facteurs de succès. Cependant, cet exemple démontre également que ces deux éléments ne suffisent pas, qu'ils ne peuvent pas faire illusion longtemps. Si le savoir-faire et l'inspiration ne sont plus du même niveau que précédemment, la baudruche se dégonfle inexorablement en révélant qu'elle est une usurpatrice.

(1) « 24 Heures », 13 février 1981.

XV

Jean-Louis Barrault : « *L'art du théâtre est la science du comportement des êtres humains.* »

« Jean-Louis Barrault a besoin de deux jeunes hommes pour son spectacle ! Qui cela intéresse-t-il ? » Georges Milhaud, alors directeur technique de la Comédie de Genève, vient de lancer la question à la cantonade dans le foyer des artistes du théâtre. « Moi !, dis-je. Tu crois que je peux faire l'affaire ? ». « Bien sûr, me rassure Milhaud, j'étais persuadé que cela t'intéresserait ! » En effet ! Je n'aurais pas voulu rater une telle aubaine. Prendre en marche la tournée de « Christophe Colomb » qui fait escale à Genève, avoir la possibilité de faire la connaissance de Jean-Louis Barrault, pouvoir le voir travailler, découvrir d'autres horizons artistiques... J'étais étonné, car j'étais le seul jeune comédien à avoir répondu à l'appel de Georges Milhaud. Ce dernier avait dû se résoudre à donner l'autre petit rôle de marin de la Santa-Maria à un jeune pharmacien habitué à jouer les figurants à la Comédie.

Le jour du grand rendez-vous, j'arrive à l'heure précise que l'on m'a indiquée pour la répétition. Parvenu derrière la porte, j'entends la voix que je reconnaîtrais entre mille. Son intonation est chaude, parfois rocailleuse, on ne peut pas se tromper, c'est lui ! Ma surprise est grande lorsque je constate que la voix célèbre se transforme en torrent grondant. Visiblement Barrault est en colère ; il est en train de passer un savon à quelqu'un ! L'engueulade prend une tournure dramatique, il devient excessif dans sa façon de réprimander un jeune membre de la troupe accusé d'être arrivé en retard. J'entrouvre la porte pour découvrir un spectacle dantesque. Barrault est au milieu de la salle, il gesticule, un rictus colérique déforme ses traits. Autour de lui et sur scène, les techniciens, les comédiens, les musiciens, tout le monde observe un mutisme inspiré par la crainte. Le retardataire articule timidement les raisons pour lesquelles il s'est mis dans cette situation scabreuse. Un sifflement strident et sec l'interrompt. C'est Jean-Louis Barrault, il est au comble de la colère. « Silence, chien ! » hurle-t-il. Il ajoute : « Adieu pour l'avenir ! » « Je... je suis renvoyé ? » bredouille le garçon. « Tu termines d'abord la tournée », précise Barrault sur un ton péremptoire. Dire que la scène a jeté un froid est un euphémisme ! Chacun est sur le qui-vive... « S'il continue comme ça, murmure une musicienne, je m'en vais ! » Je suis arrivé à un très mauvais moment. J'ignore si Barrault est souvent dans cet état, mais je regrette de l'avoir découvert dans ces circonstances pénibles. J'essaie de me convaincre que c'est la première fois qu'il réagit de la sorte, que je suis décidément mal tombé. Et puis je me dis que c'est sans doute le propre des créateurs géniaux d'atteindre parfois le paroxysme de l'énervement. Ils ont beaucoup de responsabilités, ils sont constamment sur les nerfs, ils sont sollicités... Je commence à me faire du mauvais sang... Je suis arrivé à l'heure, mais avec cet incident, je n'ai pas osé m'annoncer... Pourvu qu'il ne me croie pas en retard...

La répétition bat son plein, les musiciens commencent à jouer la partition de Darius Milhaud. Tout le monde chante, il s'agit d'un « Ah ! » à moduler, je suis le mouvement. Laurent Terzieff est présent, il incarne Christophe Colomb jeune. J'aperçois aussi quelques piliers de la Compagnie Renaud-Barrault, soit Marie-Hélène Dasté, Jean-Pierre Granval, Dominique Santarelli... Et puis il y a Daniel Rivière, celui qui conquit une notoriété dans « Harold et Maude », de Colin Higgins, en jouant avec Madeleine Renaud. Sur scène, je me place instinctivement, en copiant les faits et gestes des marins de la Santa-Maria. Le plateau est équipé d'une sorte de pont de caravelle légèrement incliné vers le public. Une grande voile, objet-symbole, se plie et se déplie au-dessus. Elle sert aussi d'écran de cinéma où l'on projette des images d'eau, de mer, puis d'autres signes-repères. La force du vent, le roulis, sont suggérés corporellement par chaque comédien. J'observe comment font mes collègues, je les imite, je m'adapte. La mise en scène est la même qu'à la création de cette pièce de Paul Claudel, soit il y a vingt-trois ans. Jean-Louis Barrault est sur scène, il a recouvré son calme. Il donne des indications brèves et précises. Pour interrompre la musique, il siffle. Il semble que cela soit une convention établie entre le chef et lui. Le coup de sifflet est plus facile à percevoir dans le bruit des voix et des instruments. Pendant une action, Jean-Louis Barrault tombe sur moi : « Ah !

Vous êtes l'un des deux jeunes dont j'avais besoin ? » En effectuant le même déplacement que mes nouveaux camarades, je lui fais un signe affirmatif. « Bien !, dit-il gentiment. C'est bien ce que vous faites ! Continuez... Vous n'avez qu'à suivre nos mouvements, mettez-vous à l'unisson quand nous chantons... » Je me rends compte que je m'adapte facilement. Je découvre alors une forme théâtrale que je connaissais mal, une structure où le jeu, les mouvements, le chant, la musique, le cinéma, font bon ménage. Jean-Louis Barrault utilise ici le corps humain dans la totalité de ses moyens d'expression. Je n'étais pas habitué à autant de diversité, de richesse dans une mise en scène... Me surprenant en pleine répétition, Richard Vachoux, directeur du théâtre, me lance une boutade : « Alors, vous découvrez l'Amérique ? » Oui, en quelque sorte, je découvrais une Amérique de la mise en théâtre d'une pièce. Un continent que je n'avais encore jamais abordé...

Sur scène, Jean-Louis Barrault est fascinant ! Il incarne Christophe Colomb sur la fin de sa vie. Tout en jouant, il surveille tous les déplacements. Il a une verdeur qui provoque mon admiration. A soixante-six ans, il a conservé un enthousiasme et une condition physique qui m'épatent. Les images du Barrault sujet à l'ire s'estompent ; je retrouve Jean-Gaspard Deburau, mime célèbre du Boulevard du crime dans le Paris du XIXᵉ siècle, personnage inoubliable des « Enfants du paradis » de Jacques Prévert et Marcel Carné. Je découvre un être chaleureux, prévenant, toujours émerveillé par quelque chose. Je fais la connaissance d'un observateur de l'existence qui trouve partout un sujet de réflexion. « A soixante-six ans, dit-il à quelques témoins, j'ai toujours ce satané trac ! » Puis il enchaîne sur une considération : « L'un des principes fondamentaux du comédien est de développer en lui une volonté qui domine l'organisme ! » Je ne suis pas loin, j'observe et écoute discrètement, je retiens pour inscrire dans un petit cahier.

Soudain, l'autre face de Jean-Louis Barrault ressurgit à un contour. Il devient ironique et incisif dans son ironie. La cause ? L'un des quatre hommes chargés de porter le catafalque d'Isabelle de Castille manque de stabilité. Il s'agit de mon acolyte pharmacien... « Vous n'avez pas de force ou quoi ? » lui demande-t-il vivement. « Si, mais j'ai des sabots à hauts talons, répond le pharmacien. Ce n'est pas pratique pour ce genre d'exercice... » « Ah ! Vous portez des sabots ? » souligne Barrault sur un ton si particulier que chacun aurait été très gêné d'être chaussé ainsi. Mon collègue était d'autant plus troublé qu'il était devenu le point de mire de toute la troupe. « Vous changerez de chaussures pour la représentation, ordonne le metteur en scène ! Il n'y a rien de plus ridicule au théâtre qu'un catafalque qui tombe. Et puis vous risqueriez de blesser la comédienne. » Jusqu'à la fin de la répétition, Barrault interpelle le pharmacien en lui donnant des indications sur un ton un tantinet moqueur : « Les sabots ! Avancez plus vite. » « Les sabots ! Ne bougez plus. » « Les sabots ! Soyez moins crispé ! » etc.

Ce Jean-Louis Barrault double me déconcerte ! D'un côté il y a l'être d'une générosité humaine profonde, de l'autre un personnage terriblement incisif. Plus tard, en participant à « Un monde nouveau » (Rendez-vous à Varennes) un film d'Ettore Scola où Barrault incarnera Restif de la Bretonne, un acteur dira : « Jean-Louis Barrault est étonnant ! Il dispose d'une telle jeunesse de caractère ! Et puis il y a quelque chose d'antinomique chez lui. Il est capable de sortir n'importe quel calembour énorme, puis d'épater aussitôt après par sa culture immense. »

La représentation de « Christophe Colomb » est un triomphe. Le public genevois salue Jean-Louis Barrault et les siens par une longue ovation. Sur scène, il s'adresse à ses jeunes comédiens pour leur dire : « Ce soir, on a encore eu les Brechtiens ! »

Les jours suivants, Jean-Louis Barrault est invité à dialoguer avec des étudiants. J'y vais aussi, je prends des notes, j'enregistre. Je ne sais pas encore pourquoi, mais je sens que je vis un événement dans ma vie. Un soir, je lui fais part de cette impression, sans flagornerie, avec sincérité. Touché par ma confidence, il me dit : « Il faut que nous provoquions souvent des événements dans notre existence. Nous en referons d'autres... » Au cours de ses dialogues avec les étudiants, je suis épaté par son sens aigu de la communication. « Pourquoi avez-vous fait du théâtre ? », lui demande une jeune fille. Sans détours, il se livre : « Mon père est mort à la guerre de 14-18. L'angoisse de la mort et la sensation de solitude dans la société me sont venues très tôt ! J'ai eu rapidement besoin des autres pour compenser cela. En outre, j'ai toujours beaucoup aimé mes semblables. Parce que la scène est le lieu du rendez-vous de la chaleur humaine, j'ai eu envie de la ressentir et de la partager. »

« A l'ère du cinéma, pourquoi vous obstinez-vous à faire du théâtre ? » lui demande insidieusement un barbu chevelu. Jean-Louis Barrault commence à articuler un son, puis s'arrête brutalement, le regard fixe. L'auditoire est inquiet... Que lui arrive-t-il ? Au bout d'un moment, il reparle : « Vous avez cru que j'avais un blanc ? Pendant mon silence de cinq à six secondes (qui a paru une éternité !), j'ai lu de l'inquiétude dans vos regards. Il n'y avait plus le moindre bruit dans la salle, vous étiez alertés par mon immobilité. Vous et moi sommes alors entrés en parfaite communion d'esprit. C'est ça le théâtre, c'est le lieu de la communication directe, du contact étroit. Le cinéma ne permet pas cette intimité ! » La démonstration est brillante, elle est ponctuée par un tonnerre d'applaudissements. A une fille qui lui demande de définir l'interprétation au théâtre et d'expliquer son fonctionnement, il construit une réponse admirable d'intelligence : « L'être est doté d'un jeu double naturel, il contrôle un comportement qui lui sert d'abri. Le théâtre est la poésie qui émane de ce jeu double dont les comédiens sont les spécialistes. Ces derniers contrôlent des personnages spontanés et sincères. Ils doivent être aptes à se plonger dans un état d'hystérie et être capables de contrôler cet état à l'instant précis où il se manifeste. L'homme est la seule créature qui a la faculté de vivre et de se voir vivre en même temps. L'acteur est action et représentation de lui-même ; il est à l'intérieur de son corps et hors de son corps. Il utilise la passion pour trouver l'hystérie et la conscience pour la contrôler. » Lorsque quelqu'un le questionne sur la consistance du talent, Jean-Louis Barrault répond : « Il est constitué d'un grand potentiel d'amour qui donne la possibilité d'engranger beaucoup de sensibilités. C'est ce qui en fait sa consistance ! Cet amour est complété par l'entraînement corporel qui débouche les pores par lesquels la sensibilité accumulée peut se déverser. La vie apporte le reste ! »

A la question laconique et évasive : « Le mime ? », Jean-Louis Barrault part aussitôt dans une action mimée. Il joue un homme en train d'essayer de mater un cheval sauvage. La précision et la jeunesse des gestes qui copient le dresseur et l'animal fougueux sont hallucinantes.

Le soir, peu avant le début du spectacle, Jean-Louis Barrault est l'objet de la curiosité amicale des machinistes. Il discute avec eux avec plaisir. Un jeune électricien lui rappelle qu'il avait été très impressionné par sa composition du personnage Opale, une espèce de Mister Hyde, dans un film de Jean Renoir. A la grande joie du garçon, Barrault adopte aussitôt la démarche et les tics inquiétants de l'inénarrable Opale.

Un autre soir, en me préparant, je m'aperçois que le pharmacien n'est pas là... La représentation commence dans cinq

minutes. J'avertis un technicien du théâtre qui tente de le join-
dre à son domicile. En vain, la sonnerie du téléphone continue
sans réponse ! Je prends le parti de ne pas ébruiter cette absence, je décide de le remplacer dans ses scènes. Jean-Louis Barrault, qui, vingt-trois ans après la création de la pièce, est encore passionné par son sujet et suit chaque soir en coulisses
l'évolution du spectacle, remarque l'absence du pharmacien.
Lors de la scène du catafalque, je suis inquiet. Je n'ai jamais
fait le parcours, il y a des marches à monter et à descendre...
Pourvu que je ne sois pas celui par qui le ridicule arrive ! En
marchant, j'essaie d'oublier mon obsession de la chute en re-
luquant discrètement les formes de la belle Isabelle de Castille
qui me fait un clin d'œil... Tout se passe bien, je respire !

Le lendemain soir, le pharmacien est de retour. Jean-Louis
Barrault arrive à l'endroit où nous nous changeons. « Pourquoi n'étiez-vous pas là hier ? C'était à cause des sabots ? » demande-t-il. Le pauvre apothicaire est dans ses petits sou-
liers. Il s'attend à recevoir une terrible bordée d'injures.
« J'étais malade, la fièvre, balbutie-t-il. J'ai pris un analgésique
qui m'a assommé, je suis resté endormi. Excusez-moi ! » Alors
que nous nous attendions à une monstrueuse colère, Barrault
se met à sourire : « Un analgésique !... ». Après avoir prononcé
ce mot, il part aussitôt... Son ironie, sa répétition pleine de
sous-entendus bizarres, avait été plus percutante qu'une engueulade.

Jean-Louis Barrault, être fraternel, est aussi l'homme des
réconciliations. Le jeune comédien houspillé le premier jour
resta dans la Compagnie. Le conflit n'avait été qu'un incident
de parcours, sans incidence... Tout le monde l'oublia très vite...

Le soir où je dois me résoudre à quitter la tournée, je suis
triste. Jean-Louis Barrault ressent cette émotion que je tente
de dissimuler. Aux saluts, il vient vers moi, pose affectueuse-
ment sa main sur ma nuque, il me gratifie d'un sourire des
plus chaleureux... J'ai la gorge serrée... Un souvenir inoubliable.

En ce mois de mai 1976, un beau météore est passé brièvement dans ma vie. Trop brièvement ! Mais l'essentiel est qu'il
y soit passé...

XVI

Peter **Brook** : « *Un comédien blanc n'a pas besoin de se maquiller en brun pour « communiquer »* *l'africain.* »

Né en 1877, à Alexandropol (Caucase), Georges Ivanovitch Gurdjieff fut élevé dans la religion orthodoxe. Très tôt, il étonna son entourage par sa facilité pour les études et sa capacité de concentration. Hanté par le besoin de trouver des réponses au sens et à la finalité de l'existence humaine, il poursuivit ses investigations pendant plus de vingt ans, dans les coins les plus reculés d'Asie centrale et du Moyen-Orient. En 1917, il revint en Russie et diffusa un enseignement qui semblait réconcilier l'Orient et l'Occident, les vérités du passé et celles du présent. Pendant la Révolution, il quitta la Russie pour s'établir en France où il rédigea ses ouvrages « Récits de Belzébuth à son petit-fils », « Rencontres avec des hommes remarquables », « Gurdjieff parle à ses élèves », et transmit son enseignement.

En 1977, Peter Brook tira un film du récit autobiographique de Gurdjieff : « Rencontres avec des hommes remarquables ». En avril 1981, le film sortit sur les écrans de Suisse romande. A l'occasion de cet événement, quelques personnes, dont Gérard Despierre, responsable du groupe théâtral T'Act, organisèrent la venue de Peter Brook à Genève. Grâce à cette judicieuse initiative, mon cher confrère Robert Netz et moi eûmes la chance de rencontrer le metteur en scène britannique. Le but de notre contact fut la réalisation d'une interview destinée au quotidien « 24 Heures » du 15 avril 1981.

Installé au premier étage feutré d'un café genevois discret, Peter Brook reçut tous les journalistes qui souhaitaient s'entretenir avec lui. Il consacra une demi-heure à chacun, il enchaîna infatigablement les demi-heures.

Le calme intense qui émanait de Peter Brook fut la première chose qui retint mon attention. A l'instar des grands sages orientaux, il exhalait une quiétude d'essence quasiment philosophique. Cette sérénié communicative, illustrée par des silences remplis de réflexion et par une façon de parler posément, dénote une grande expérience de la vie. A chaque fois que Robert Netz ou moi lui posâmes une question, il prit son temps pour réfléchir, puis s'exprima lentement et clairement. Sa manière d'observer son interlocuteur me marqua aussi. De son regard doux et étrangement fixe, il vrillait les prunelles afin de chercher la vérité de l'être au fond de l'âme. Ses réponses constituèrent un témoignage intéressant sur la méditation à travers l'art et sur le travail théâtral :

— Gurdjieff est un personnage clef de la rencontre entre l'Orient et l'Occident. Quel a été le point de rencontre entre Gurdjieff et vous ?

« La réponse est donnée au début du film où il est dit que, dans les années 20, un homme inconnu est arrivé en Europe en amenant avec lui les clefs d'une science oubliée.

» En Occident, je crois qu'il y a quelque chose qui nous manque. Nous avons un grand respect occidental pour l'esprit scientifique, nous aimons les choses concrètes et vérifiables par notre propre expérience. Parallèlement, nous nous méfions de tout ce qui est purement d'ordre sentimental. Pourtant, cet esprit scientifique si juste, qui forme la gloire de l'Occident, ne nous permet pas de connaître ce qui nous manque. Alors, nous nous tournons vers l'Orient où il existe apparemment une sagesse humaine et une connaissance qui a des résultats. Quand on va en Asie, on voit des hommes mieux développés que nous. Ils ont une intensité dans le regard, une liberté dans leur corps, une unité dans leur présence, et on se demande à quoi cela tient. Entre ces deux constatations, se dresse le grand danger dont souffre l'Orient : se perdre dans l'orientalisme ou l'occultisme le plus vague et le plus insignifiant.

» Ce qui me semble important dans le personnage de Gurdjieff c'est que, très jeune, il a constaté qu'il y avait quelque chose qu'il n'allait pas trouver facilement en Orient. Il a ressenti le lien vivant entre cette science — pour laquelle il avait un tel respect — et cet appel venant des profondeurs pour une qualité de vie reflétée dans certaines sociétés traditionnelles. Il a cherché, au cours de ses longs voyages, le sens de cela. Chaque fois qu'il se trouvait devant une solution apparente, il refusait

190

de s'arrêter, il allait plus loin pour pénétrer au cœur du problème. Il a trouvé l'éclair d'une « science » très différente de la nôtre ; elle est encore plus exigeante et plus précise.

» Après être allé à l'endroit le plus caché d'Asie centrale, Gurdjieff est revenu en Occident pour donner un enseignement basé sur des principes très précis et non sur l'imitation des formes orientales. Ces principes sont suggérés par les séquences du film où l'on voit des danseurs faire des exercices sacrés qui exigent une rigueur scientifique. Ce qui me paraît intéressant, ce n'est pas le résultat, mais le chemin ! C'est à ce niveau-là que nous pouvons nous identifier avec le chercheur qui n'abandonne jamais sa quête. »

— Avez-vous connu Gurdjieff ?

« Malheureusement non ! J'ai fait sa connaissance à travers ses livres. Il y a plusieurs années, j'ai commencé à entrevoir la possibilité de réaliser un film à partir de l'un de ses ouvrages. Je suis entré en contact avec madame Jeanne de Salzmann, la personne qui a le mieux connu Gurdjieff. Grâce à madame de Salzmann, qui a dirigé les danses et a suivi toute l'évolution du film, nous avons pu donner le reflet d'une chose réelle et non fantaisiste. Ce sujet pouvait être facilement dénaturé par l'ignorance. »

— On sent une grande authenticité dans le jeu de vos acteurs. Comment concevez-vous la direction d'acteurs dans le travail cinématographique, est-elle différente de celle utilisée dans le travail théâtral ?

« Tchekhov a dit que dans le jeu, il faut que l'on ait toujours l'impression de quelque chose de naturel. Je crois que l'impression du naturel n'a rien à voir avec ce qu'on appelle « être naturel ». Quel que soit le geste, il faut qu'il corresponde à l'impulsion. Pour quelqu'un qui monte sur la scène pour la première fois, rien n'est plus difficile que de marcher naturellement, et il faut un vrai travail d'acteur pour le faire. Très peu d'acteurs en sont capables, car ils se cachent derrière toute une série d'artifices et de mensonges. Pour se mouvoir naturellement, il convient d'être simple, ouvert et généreux. Pour qu'un acteur parle de façon naturelle, il ne lui suffit pas d'imiter les tics de la vie de tous les jours comme le prônait l'Actors Studio. La forme extérieure ne correspond pas vraiment à l'impulsion, c'est une invention pour faire effet. »

— Quand vous faites une prise de vues, recommencez-vous jusqu'à ce que le naturel soit trouvé ou suggérez-vous une improvisation dès le début ?

« Il faut bien définir l'improvisation et la spontanéité. Il y a d'abord la spontanéité et l'improvisation extérieures auxquelles on peut arriver très vite. Il y a aussi un autre type de naturel très difficile à trouver parce qu'il vient des impressions beaucoup plus profondes. Selon moi, l'important est que le metteur en scène n'ait pas une image trop figée de ce qu'il veut. Il faut qu'il aille à la recherche d'une chose inattendue. Dans ce cas, la première prise de vues est souvent la meilleure ! »

— On a l'impression que pour entrer dans le naturel de son rôle (Prince Lubovedsky), Terence Stamp a dû cheminer comme le personnage qu'il incarne ?

« C'est juste ! A propos des acteurs de ce film, on n'a pas cherché des gens qui connaissaient l'œuvre de Gurdjieff, des êtres intellectuellement convaincus. Chaque acteur devait être, d'une manière ou d'une autre, un chercheur. »

— Vous travaillez avec des ethnies différentes, avec des hommes d'origine différente, et tout le monde marche dans le même sens. Cela découle-t-il de ce que vous venez de dire ?

« C'est exactement cela, tout vient de la raison d'être. La différence culturelle n'est pas la totalité de l'être. L'internationalisme est le principe de notre Centre international de recherche théâtrale qui réunit des gens très différents mais qui partagent un intérêt et un facteur communs. L'existence du facteur commun crée la chaleur. »

— L'Orient apporte-t-il un enrichissement en dehors de toute spiritualité ? La présence culturelle de l'Asie dans votre film a-t-elle un sens particulier ?

« Oui, car pour sentir ce film, consciemment ou intuitivement, on doit le prendre comme un conte et non comme un film réaliste. Dans ce conte, l'Orient, que l'on a délibérément idéalisé, n'existe pas en tant qu'Orient ; on ne peut pas dire que le secret de la vie se situe dans l'Orient géographique. Nous portons tous en nous un Occident et un Orient. Ce dernier donne une image dangereuse ou, au contraire, très utile de l'inconnu, exactement comme dans les contes traditionnels. L'existence, pour l'homme, de quelque chose, ne peut être que suggérée par la beauté. Celle-ci est une tentative inadéquate d'exprimer ce « quelque chose » qui va au-delà des formes. Il s'agit d'utiliser l'art comme une tentative de communiquer une expérience que l'homme ne peut pas communiquer, et c'est dans ce sens-là que nous avons cherché le « vrai » dans l'air, le soleil, le ciel, les montagnes et les regards de l'Afghanistan. Nous avons utilisé la beauté orientale comme une manière de raconter une histoire sur la recherche de l'inconnu. »

— Vous venez de mettre en scène « La cerisaie », au Théâtre

des Bouffes du Nord, dans laquelle on trouve des comédiens venus de milieux fort divers et qui ont des formations très différentes. Quelle est votre démarche lorsque vous construisez une distribution théâtrale ? Vous fiez-vous aussi à la lueur du regard ?

« Choisir des acteurs est quelque chose de pénible dans notre métier de metteur en scène. Ce choix est très désagréable car il débouche sur une grande injustice sociale. Au théâtre, il faut voir une grande quantité de personnes. Il y a une élimination naturelle qui se fait lorsqu'il s'agit d'une pièce de Tchekhov où certaines données d'âge entrent en ligne de compte. D'abord, il faut que les acteurs soient compétents ! Ensuite, il est indispensable de suivre son intuition pour voir si le comédien est profondément intéressé par la recherche d'une vérité humaine ou s'il est foncièrement cabotin. Pour faire un travail valable, il faut que cela soit un travail de groupe. Pour accomplir ce travail d'ensemble, il est nécessaire d'avoir une certaine disponibilité en dehors de la compétence. Afin de juger, je réunis cinq ou six acteurs pendant deux heures, et je leur fais faire un échantillon du futur travail. Cela me donne la possibilité de voir comment réagit le comédien, et ce dernier a aussi la faculté de pouvoir dire non avant de commencer réellement. Il arrive souvent que des acteurs me disent : « J'aimerais beaucoup travailler avec vous ! » et qu'après deux heures d'essai, ils affirment : « Pour rien au monde je ne voudrais continuer ! »

— Vous avez dit que la violence est l'un des langages de notre temps. Dans votre film, la violence apparaît discrètement. Dans la scène de l'exorcisme du mort, vous la montrez à travers le regard d'un enfant. Quel est votre sentiment sur la représentation de la violence au cinéma ?

« Au théâtre ou au cinéma, il y a beaucoup de choses qui sont intéressantes si on les montre pour la première fois. La nudité, les scènes érotiques, les gros plans d'organes sexuels, on en a marre ! On continue à présenter la violence et les scènes érotiques comme des phénomènes modernes et audacieux. C'est tout simplement de la décoration esthétique et, si on enlevait ces séquences, l'histoire serait mieux racontée. Dans « Rencontres avec des hommes remarquables », nous avons essayé de faire sortir quelque chose de très caché et de fragile. Pour cela, il ne fallait pas que l'attention des spectateurs soit distraite par des effets gratuits. »

A l'issue de l'entretien, qui démontre que l'art est aussi un chemin spirituel, Peter Brook nous confia qu'il allait monter un opéra. Alors que sa « Cerisaie » était en pleine éclosion grâce à une mise en scène très pure et au jeu remarquable de plusieurs bons comédiens, parmi lesquels on relevait la présence de Natasha Parry (l'épouse de Peter Brook qui joua le rôle de Vitviskaia dans « Rencontres avec des hommes remarquables »), Michel Piccoli, Niels Arestrup, Jacques Debary et Maurice Bénichou, le metteur en scène songeait à la « Carmen », de Georges Bizet. Dans le cadre d'une coproduction entre l'Opéra de Paris, dont l'administrateur était Bernard Lefort, et le Centre International de Créations Théâtrales, dirigé par Micheline Rozan, le projet se concrétisa durant la saison 1981-82. Il déboucha sur une réussite totale promise à une longue carrière.

D'emblée, Peter Brook inscrivit cet opéra dans la continuité du travail de son Centre International. Il s'agissait-là de tenter de faire vivre une œuvre lyrique dans des conditions radicalement différentes. Fondée sur la concentration, la vérité et l'intimité du théâtre direct, la démarche de Brook permit à l'œuvre de Bizet de dépasser certaines limites fixées par la représentation traditionnelle à l'opéra. La relation entre les chanteurs et le public devint d'un autre ordre.

Dans le N° 17 de « Ça Cinéma », Antoine Vitez déclara : « Brook, et c'est pour cela que je l'admire tant, a décidé de faire un théâtre où le château de sable est montré comme un château de sable. Ce qui doit être montré au spectateur, c'est la fragilité du théâtre, c'est son caractère éphémère. Brook s'est dépouillé en grande partie de son ambition de remplir la scène de signes (...) Le théâtre, c'est précisément l'éphémère, il est dans sa nature de disparaître, comme les événements politiques, comme les vies elles-mêmes... » Pour raconter « La tragédie de Carmen », histoire d'amour et de mort, Peter Brook chercha la quintessence de l'œuvre par le dépouillement. Le résultat fut stupéfiant.

Pour atteindre son but, le metteur en scène travailla avec Marius Constant, pianiste, compositeur et fondateur du célèbre ensemble Ars Nova. Marius Constant qui connaissait la façon de travailler de Brook et la particularité de son lieu de création (le Théâtre des Bouffes du Nord), renonça à envisager d'utiliser quatre-vingts musiciens dans un espace réduit et dépourvu de fosse d'orchestre ; il songea aussi à écarter certains éléments musicaux trop clinquants ou superficiels. Il écrivit une orchestration nouvelle en respectant les rapports de couleur et de volume voulus par Bizet. En remodelant le canevas musical, Marius Constant perçut que l'œuvre pouvait être saisie comme de la musique de chambre. Il réduisit l'orchestre à quinze musiciens et conserva un instrument par famille d'instruments. Il remplaça l'ouverture par le chant unique de l'alto solo, les cordes par des timbales derrière le habanera, supprima les chœurs, puis écrivit la marche vers la mort de Carmen qui ponctua l'heure et quart de spectacle. Excellent musicien lui-même, Peter Brook eut l'idée du piano comme quinzième instrument.

A propos de cette habile manipulation et de ce risque de « dénaturer » l'œuvre de Bizet que craignirent certains puristes, Hortense Guillemard eut une expression venue du cœur : « Un traître, Marius Constant ? Non : un copain de Carmen, plutôt. Un musicien qui lui a ôté ses jupons folkloriques pour mieux la rendre à sa tragique liberté de Gitane. »

Le Théâtre des Bouffes du Nord, paradoxalement beau par sa vétusté, ses murs délabrés, ses bois usés et la terre ocre qui se substitue au traditionnel plateau, fut un décor rêvé pour créer l'atmosphère de cette « Carmen » revue et corrigée par Constant et Brook. Après dix semaines de répétitions assidues — alors que l'opéra n'en prévoit habituellement que quatre — les jeunes chanteurs, qui acceptèrent de se lancer dans cette aventure peu ordinaire, atteignirent le summum de la qualité dans le jeu naturel. Chaque comportement, chaque intonation de voix, furent empreints d'une totale sincérité qui rendit l'histoire poignante, très proche de l'esprit de Prosper Mérimée.

Par des exercices basés sur des mouvements effectués en chantant, Peter Brook fit comprendre aux interprètes que la mobilité n'était pas incompatible avec l'expression. En leur demandant de dire d'abord le texte en se regardant bien dans les yeux, il leur fit trouver les sentiments justes en partant de l'intérieur, le chant venant après cet exercice fondé sur les sensations et la sensibilité.

En développant l'écoute de l'autre, en fortifiant la concentration, en travaillant la dextérité de la voix et du mouvement simultanés, en forçant chacun à penser de façon à s'exprimer à partir du sentiment ressenti, Peter Brook fit jouer ses chanteurs avec une aisance naturelle au point qu'ils purent se passer du traditionnel chef qui donne les départs.

Pour Brook, le chanteur qui tient une note aiguë au-dessus d'un grand orchestre accomplit un acte contre nature. Son principe est donc de privilégier l'authenticité de l'interprétation plutôt que la performance vocale. C'est la raison pour laquelle il solidifia le pouvoir de concentration de ses chanteurs, une concentration propice à la libre expression des divers sentiments. Dans ce cas, les exercices consistèrent à faire des gestes, des grimaces, ou à tenir des propos provocateurs devant l'interprète en train de chanter. Un ou plusieurs comédiens tinrent ce rôle basé sur la provocation, obligeant ainsi l'artiste actif à s'exprimer en totale concentration devant les réactions de ses partenaires et du public. En faisant travailler plusieurs Carmen, plusieurs Don José simultanément, Peter Brook s'offrit et offrit à tous les participants un terrain d'observation idéal où chacun, de par sa personnalité et son apport personnel, put contribuer à enrichir la construction de l'édifice.

Grâce au travail de fond de Peter Brook, grâce à cette recherche de l'essentiel dans l'expression, à cette priorité accordée à la sobriété dans l'interprétation, l'œuvre ne fut nullement dénaturée. Au contraire, elle révéla des accents de gravité, d'humour et de profondeur ignorés jusque-là. La violence et la sensualité des sentiments n'en furent que plus aiguës. Au lieu d'étriquer l'essence de l'œuvre, ce dépouillement lui rendit sa véritable consistance. Cela d'autant plus qu'elle fut servie par douze artistes doués, dont dix jouèrent en alternance les quatre rôles principaux. *

* Les douze artistes qui se partagèrent les rôles dans la « Carmen » du Théâtre des Bouffes du Nord furent Hélène Delavault, Zehava Gal, Eva Saurova, Laurence Dale, Howard Hensel, Julian Pike, Véronique Dietschy, Agnès Host, Carl Johan Falkman, John Rath, Jean-Paul Denizon et Alain Maratrat.

XVII

Marina Vlady : « Je pense que l'on a en nous tout ce qui a été écrit dans la littérature. »

Après treize ans d'absence sur les planches, Marina Vlady revint au théâtre en avril 1983. Elle joua « L'incroyable et triste histoire de la candide Erendira et sa grand-mère diabolique », pièce tirée d'une nouvelle de l'auteur colombien Gabriel Garcia Marquez, Prix Nobel de littérature en 1982. Le spectacle fut mis en scène par Augusto Boal, fondateur du Théâtre de l'Opprimé et Brésilien exilé. Il fut joué par vingt-deux comédiens réunis sous la bannière du Théâtre de l'Est parisien, entreprise artistique rendue célèbre par le dynamisme de son directeur Guy Rétoré.

Après avoir vu le spectacle au Théâtre de La Comédie de Genève, j'eus envie de m'entretenir avec Marina Vlady pour deux raisons : d'abord et surtout parce que l'ex-femme de Robert Hossein est une vedette du cinéma qui attend désormais plus du théâtre que du Septième Art qui l'a pourtant consacrée. Ses confidences me confirmèrent qu'elle attache une grande importance au rôle du théâtre dans son métier d'actrice. A travers ses propos pertinents, on reçoit un éclairage intéressant sur les aspirations d'une comédienne et sur les possibilités qu'offre le théâtre d'y répondre. En outre, dans « L'incroyable et triste histoire de la candide Erendira et sa grand-mère diabolique », elle fut à l'origine d'une composition étonnante. Elle y joua le rôle d'une énorme grand-mère maquerelle qui prostitue sa petite-fille dans l'une des nombreuses contrées pauvres d'Amérique du Sud. Le jeune amant de la frêle et belle progéniture tente à plusieurs reprises d'assassiner l'indestructible aïeule. Lorsqu'il parvient enfin à délivrer Erendira du joug de sa grand-mère diabolique, son désarroi est grand car il constate que sa bien-aimée a goûté à la liberté de façon to-

197

tale... Dans ce rôle de femme pachyderme, qui a une grande autorité sur la soldatesque en rut et la racaille, Marina Vlady fut inattendue. Elle révéla une couleur de sa palette de comédienne que peu de monde connaissait, parce que le cinéma l'a trop cantonnée dans des rôles stéréotypés. Même si le grand écran l'a montrée dans des registres différents, elle restait pour beaucoup la romantique princesse de Clèves, la femme fatale un peu garce ou la plantureuse tenancière du bordel de luxe de Philippe d'Orléans dans « Que la fête commence... ». En épousant les contours adipeux de la « baleine blanche » de Garcia Marquez, elle fut à l'antipode de tout ce qu'elle avait fait jusque-là. Le théâtre lui offrit l'occasion de sortir des carcans qu'on lui imposait... Vêtue d'un faux corps en mousse, qui lui permit de gagner cent kilos en apparence, elle effectua une composition convaincante, rappelant ainsi que le talent d'un acteur se mesure aussi et surtout à la diversité de ses interprétations.

La deuxième raison pour laquelle j'émis le désir de rencontrer Marina Vlady fut plus personnelle.

En juin 1980, le Théâtre Populaire Romand avait organisé la septième Biennale de La Chaux-de-Fonds où j'avais eu la curiosité de participer à un stage dirigé par les assistants d'Augusto Boal, le metteur en scène de « L'incroyable et triste histoire de la candide Erendira et sa grand-mère diabolique ». Déjà à l'époque, les techniques de ce Brésilien, qui fut professeur de dramaturgie à New York University, au Dramatiska Institut de Stockholm, à l'Ecole d'art dramatique de Sao Paulo, au Conservatoire de Lisbonne et à l'Université de Paris III, avaient retenu mon attention par leur originalité. Le stage avait eu lieu dans une bâtisse accueillante, située dans un parc du quartier de Beau-Site, à La Chaux-de-Fonds. Avec les méthodes de Boal, le théâtre se met au service des opprimés pour qu'ils s'expriment. La démarche consiste à libérer le spectateur de sa condition de spectateur (mot considéré comme obscène parce qu'il signifie « hors de scène »), première oppression à laquelle se heurte le théâtre. L'une des animatrices de l'équipe d'Augusto Boal m'avait donné quelques précisions au sujet de cette technique : « Nous incitons les gens à devenir plus actifs, à ne plus être inhibés ou frustrés, à protester, à proposer des solutions et à modifier les images que nous leur présentons. L'un de nous joue le rôle du joker qui permet de faire la liaison entre les spectateurs et les acteurs ! » Le stage avait exigé un engagement physique total où l'on était allé de surprise en surprise. Afin d'apprendre à maîtriser l'espace ludique, les trente participants que nous étions avaient dû se livrer à des exercices aussi précis qu'amusants. « Je veux six fois cinq fesses réunies contre les autres ! », avait ordonné l'un des directeurs du stage. Lorsque six grappes humaines s'étaient formées, l'animateur avait corrigé les erreurs : « Apprenez à maîtriser l'espace en l'occupant au maximum. Il y a trop de couloirs et de trous entre vos six groupes, remplissez les vides ! » Attention !, avait-il continué, on recommence ! Formez six triangles à cinq personnes ! » Les figures géométriques se sont succédé ainsi jusqu'à ce que chacun ait su occuper pleinement sa portion d'espace. Lors de la phase appelée « comédien-objet-malléable », le stage était devenu acrobatique ; nous avions catapulté une jeune fille que nous avions rattrapée sur nos bras solidairement reliés. Chaque participant était devenu projectile à son tour. L'objectif était que chacun prenne confiance en la maîtrise de ses partenaires et que tout le monde soit capable d'offrir une matière malléable, efficace, pour un travail collectif. Lors des exercices de relaxation, une charmante partenaire m'avait pratiqué un agréable massage dorsal après que j'eus effectué le même geste sur la partie la plus charnue d'une autre non moins charmante participante. Les jeux corporels s'étaient poursuivis par le théâtre-image où, face à un partenaire, il fallait s'imaginer devant un miroir devenant narcissique. Chacun de nous avait été transformé ensuite en statue, et la mobilité de nos membres avait été utilisée comme matière à sculpter. Ces techniques d'exploration théâtrale sont destinées à développer la notion de contact scénique, à favoriser la décontraction et l'aisance du comédien, ainsi qu'à susciter une interrogation et une transformation de la réalité quotidienne.

En mettant en scène la nouvelle de Garcia Marquez, Augusto Boal utilisa une méthode plus conventionnelle. Cependant, sa rencontre théâtrale avec Marina Vlady avait quelque chose d'attractif. Cette réunion de deux personnalité venues d'horizons fort différents ne manquait pas d'intérêt. La composition extravagante de Marina Vlady, dirigée par un homme de théâtre à la personnalité originale, était un argument de poids pour attacher un caractère événementiel à l'épisode.

« Attendez-moi un instant, je suis à vous tout de suite, me dit Marina Vlady en s'enfermant dans sa loge du Théâtre de La Comédie. » Lorsqu'elle m'ouvrit sa porte en me priant d'entrer, puis de m'asseoir, elle avait enfilé un peignoir rouge et chaussé une paire de cothurnes, premiers éléments de l'aspect imposant de la grand-mère qu'elle incarnait. Je constatai qu'elle n'avait rien perdu de ce charme qui fait d'elle une femme admirée par tant d'hommes. Toute en formes pulpeuses, en gestes gracieux, la peau d'une blancheur d'albâtre, elle incita mon esprit à partir en vadrouille. Elle me fit songer à Titien pour lequel elle aurait posé afin de lui permettre de créer une Vénus d'Urbino encore plus charnelle que la vraie. Ses yeux clairs, un peu bridés, ses pommettes saillantes, ne manquèrent pas de me remettre en mémoire les origines russes de sa famille. De sa voix douce, dominée parfois par des intonations aiguës, elle répondit à mes questions avec cette gentillesse qui fait que l'on magnifie un rendez-vous espéré puis attendu :

Surprise ! C'est elle qui commença à me questionner...
« D'abord, qu'avez-vous pensé de la pièce ? »
— J'ai été très content de la voir, car je connaissais mal l'œuvre de Garcia Marquez. Ce qui m'a séduit, c'est la naïveté derrière laquelle surgissent beaucoup de choses. On est plongé dans un sentiment doux-amer perpétuel, de tendresse et de violence en même temps. En sortant du spectacle, on garde un goût très bizarre...
« Je trouve que c'est une vraie réussite si l'on arrive à susciter cette impression chez les gens ! »
— Et puis il y a un côté latin, une atmosphère d'Amérique du Sud sans que l'on tombe dans les clichés, il y a la gaieté, des réactions instinctives...
« (Interrompant la phrase.) Cette réflexion ferait plaisir à Boal, il a tellement été critiqué dans l'autre sens... »
— Ah bon ?
« Les critiques ont été dégueulasses... Il a été trop sévèrement critiqué par rapport à la qualité du spectacle. Certes, ce n'est pas « le » spectacle, mais il plaît beaucoup au public. Cela prouve qu'il a des vertus ! »
— Si vous le voulez bien, nous reviendrons plus tard au spectacle de Boal. Je souhaiterais parler de vous, de votre carrière. Vous avez fait près de cent films, je crois ?
« Environ quatre-vingts ! C'est déjà pas mal ! (Sourire) ».
— Votre carrière est donc d'abord cinématographique ! Cependant vous avez fait du théâtre, comment avez-vous commencé à jouer sur les planches ?
« J'ai débuté en jouant une pièce de Robert Hossein qui s'appelait « Vous qui nous jugez !... ». Il s'agissait d'un drame épouvantable sous forme de procès à l'américaine. C'était au Théâtre de l'Œuvre, à Paris, cela n'a pas du tout marché. Nous avons joué trois jours devant des salles vides. C'était terrible, un four incroyable ! »

— Il y a un spectacle que je regrette de ne pas avoir vu : « Les trois sœurs »...

« Ah ! Celui-là est venu beaucoup plus tard ! Je l'ai joué chez Hébertot, avec mes deux sœurs... C'était il y a treize ans ! »

— Cela a dû être un grand souvenir !

« C'est incontestablement l'un des plus beaux souvenirs de ma vie et de toute mon activité artistique. C'était une réussite extraordinaire, parce qu'il y avait une harmonie idéale. Pourtant il s'agissait d'un spectacle très classique, sans recherche d'avant-garde. Barsacq ayant été un metteur en scène de talent mais classique. Le fait que nous ayons été trois sœurs réelles et trois bonnes comédiennes rendait la rencontre phénoménale. »

— Les quatre sœurs Poliakoff, si proches des trois sœurs de Tchekhov, a écrit Robert Hossein !

« Oui, vraiment !... Je tiens à préciser qu'entre-temps, j'avais fait quatre mois de tournée avec Robert Hossein. Nous jouions une comédie charmante qui s'appelait « Jupiter ». J'ai donc quand même fait du théâtre ! Je ne suis pas complètement profane ! Cela d'autant plus que nous avons donné « Les trois sœurs » pendant près d'un an... ».

— Il est bon de le rappeler, car pour le grand public, vous êtes surtout...

« ... une actrice de cinéma ! Et puis les gens me voient beaucoup chez eux, sur leur petit écran. Depuis deux, trois ans, je fais plus de télévision que de cinéma. J'avais envie de retrouver un rapport très différent avec le public, c'est la raison pour laquelle je cherchais une pièce depuis trois ans, et que je suis heureuse de refaire du théâtre. C'est quand même beaucoup plus enrichissant, c'est un art qui apporte énormément ! »

— Qu'est-ce qu'il vous apporte ?

« Sur tous les plans, le théâtre conduit à un dépassement de soi plus important que le cinéma. On va dans le milieu du monde, surtout avec un rôle comme celui de cette grand-mère. Je m'engage très loin, je suis obligée de m'extérioriser beaucoup. Il y a un travail de transposition énorme. Au départ, je me suis demandé si la décision de jouer ce rôle était sage tant il me paraîssait inaccessible. »

— Comment êtes-vous tombée sur « L'incroyable et triste histoire de la candide Erendira et sa grand-mère diabolique » ?

« C'est elle qui m'est tombée dessus, en réalité ! En 1982, Marquez m'avait parlé de ce rôle à l'occasion du Festival de Cannes. Il m'avait dit : « C'est dommage que tu n'aies pas cinquante ans de plus, car tu es la grand-mère idéale ! La baleine blanche c'est toi ! » J'étais tout à fait charmée et ravie ! (gentiment ironique et souriante) Dans ce métier, on est toujours ou trop vieux ou trop jeune, on arrive jamais au bon moment à l'âge du personnage. Quand Boal m'a proposé le même rôle après m'avoir vue à la télévision, je me suis dit « c'est formidable ! », d'autant plus qu'ils n'en avaient jamais parlé ensemble ! Dans la tête de l'auteur et dans celle d'un metteur en scène sud-américain, j'étais exactement le personnage. Or les critiques n'ont pas du tout accepté cette interprétation. Ils prétendent que je suis trop jeune, trop belle... Cette contradiction est tout de même bizarre ! »

— Il est vrai que le cinéma vous a peut-être figée dans une image précise. Celle d'une belle femme que l'on admire dans ses beaux atours. Avant que je vienne vous voir, des amis m'ont avoué qu'ils auraient bien voulu être à ma place...

« Ah bon ? (rire doux) Il est certain que beaucoup de gens ne se souviennent que d'un aspect de ma personnalité, ils m'assimilent constamment à la princesse de Clèves. »

— Et puis ils vous revoient sans doute dans certains rôles un peu érotiques, ils gardent de vous l'image d'une femme fatale, sensuelle, ils oublient malheureusement trop facilement que vous avez joué des choses assez diverses ?

« Absolument ! J'ai quand même fait des rôles de composition. Il y a des films où je n'ai pas joué que des femmes jolies, raffinées, minces, diaphanes et lointaines... »

— Marquez a regretté que vous n'ayez pas l'âge du personnage, était-ce pour la version cinématographique ? *

« Oui, car le cinéma n'autorise pas facilement les transpositions. Le théâtre est un lieu de liberté où l'on peut transposer. On peut très bien imaginer Hamlet et le roi ayant le même âge et la même allure. Cela a d'ailleurs déjà été fait. Les gens doivent accepter une certaine adaptation. C'est pourquoi je ne comprends pas les critiques qui ne l'ont pas acceptée pour cette grand-mère ? »

— On prétend qu'un comédien doit pouvoir tout jouer ?

« C'est vrai, sauf qu'il y a quand même des freins physiques. Mais le théâtre en impose évidemment moins que le cinéma. On peut y jouer « Les trois sœurs » jusqu'à soixante ans alors que cela serait impossible dans un film. Le grand écran rendrait la chose ridicule. Dans la nouvelle de Marquez, la grand-mère a plus de cent ans. Même avec les meilleurs trucages, je n'aurais jamais pu m'approcher du personnage au cinéma. Au

* Au cinéma, le rôle a été tenu par Irène Papas.

théâtre cela n'a pas d'importance puisque j'incarne un être hors du commun, une espèce de bonne femme à moitié chauve, qui a un corps énorme mais assez beau dans sa monstruosité. »

— Hormis la perspective du plaisir de composer, quelles sont les motivations qui vous ont poussée à accepter le rôle d'une grand-mère éléphantesque et diabolique ?

« C'est parce que j'ai envie de m'amuser en faisant mon métier. Ce qui le rend passionnant c'est de pouvoir attraper des trucs à bras-le-corps et de se battre avec un personnage. Cela ne m'intéresserait pas du tout d'être une grande bourgeoise dans une pièce de boulevard. Je n'ai pas le désir de faire ce métier pour fonctionner. Mon but est d'effectuer des choses qui m'amusent en amusant le public. En effet, je veux aussi étonner, cela fait partie de ma profession. Je tiens à éviter le train-train quotidien. Il m'arrive malheureusement de devoir faire de la télévision ou du cinéma pour gagner ma vie. C'est la raison pour laquelle je pratique le théâtre pour l'amour de l'art. Dans ce cas, autant choisir des rôles qui font plaisir ! Des rôles qui excitent vraiment, qui permettent à la comédienne que je suis de sortir d'elle-même. »

— Quand on voit votre composition de grand-mère, on comprend d'autant mieux votre envie...

« Oui, parce qu'elle est très éloignée de ma personnalité ! »

— Cet éloignement a-t-il constitué un barrage difficile à franchir ?

« Je pense que l'on a en nous tout ce qui a été écrit dans la littérature. Nous sommes tous capables de tuer, de parler de choses monstrueuses, etc. Cependant nous sommes éduqués, nous avons un vernis qui nous empêche de tomber dans de tels excès. En grattant bien, on peut certainement trouver des pulsions primitives. Il ne s'agit pas forcément de pulsions criminelles, mais, avec un peu d'imagination, on peut sentir très facilement des choses. Je ne dis pas que je prostituerais des enfants ! Mais cette vie de maquerelle, cette vie de vagabondage d'une grand-mère qui prend goût à l'existence — elle se maquille, elle devient de plus en plus grosse, elle aime boire, bouffer, danser avec les soldats, rigoler — est drôle à approcher, puis à jouer. Son côté rabelaisien est excitant ! Tout le monde est pris par sa vitalité. C'est cet amalgame de défauts, de tares et parfois de qualités, qui m'a donné l'envie de surmonter les difficultés pour trouver le caractère exact de cet être. Et puis ces choses enfouies en nous nous aident... »

— Votre faux corps en mousse vous a-t-il aidé à composer ce personnage ?

« Non, je ne pense pas ! On a filmé une scène pour la télévision, je ne portais pas ce corps artificiel, le résultat a été tout aussi fort. La démarche et les attitudes sont provoquées par ce qui vient de l'intérieur et non par un corps artificiel inconfortable. Il permet surtout de donner une première image extravagante, qui frappe l'esprit des spectateurs dès le début du spectacle. »

— Je vous posais cette question, car certains comédiens partent d'abord d'un travail sur la composition physique pour trouver l'authenticité de leur personnage !

« Nous n'avons pas utilisé ce procédé. Nous avons d'abord travaillé sur la fable en faisant des lectures pendant deux semaines. Le but était d'approfondir psychologiquement chaque personnage. Nous avons étudié les habitudes pour essayer de faire comprendre ce qu'est l'Amérique du Sud, pourquoi ces gens sont si cruels entre eux. Nous nous sommes penchés sur les motivations. J'ai énormément réfléchi et proposé beaucoup de choses sur les rapports entre la grand-mère et la petite-fille. J'ai estimé qu'il y avait toute une part de tendresse, de relations affectives et passionnelles entre elles. J'ai senti qu'il était juste qu'elle prenne sa petite-fille dans ses bras après le viol. J'ai beaucoup insisté pour faire accepter ce geste. En effet, la grand-mère a été violée elle-même, elle sait ce que c'est. Et si elle l'amène sur le trottoir, c'est qu'elle ne peut pas faire autre chose. Les femmes n'ont pas d'autre solution. Pour gagner du fric facilement, il faut se prostituer. Et quand elle lui parle de son futur, elle lui dit « tu auras ta maison dans la grande ville, tu seras une grande dame ! » C'est un rêve, elle veut sincèrement que cette gosse soit libre et heureuse, qu'elle ait le plus grand bordel où les ministres viendront discuter le coup. Il n'y a pas de contradiction dans le personnage entre la cruauté et cette tendresse. Pour étayer cette théorie, il y a des phrases clefs. La petite lui dit « Ma grand-mère, je vais mourir ! » (Erendira dit cela après une journée de travail épuisante) La grand-mère lui répond « Mais quoi ? Il n'y en a plus que dix à faire ! » Elle ne comprend pas. De son temps, elle devait en faire cinquante ou plus dans la journée... Quand elle se rend compte que la môme est crevée, elle arrête tout. Elle lui dit : « Mais tu es trop faible ! » Cela sous-entend : « Mais tu n'as pas mon envergure ! »

» J'ai joué en Hollande dans un film très beau qui s'appelle « Une fille dans la vitrine ». Je l'ai tourné pendant deux mois et demi avec des putes. Cela n'était pas différent de ce que l'on perçoit dans le spectacle. Il y avait des filles qui se faisaient parfois soixante gars dans la journée. C'étaient des mères de famille. Lorsque j'allais boire le café dans leurs minuscules maisons hollandaises en briques, j'y voyais des filles qui s'étaient tapé toute la nuit des marins saouls. Ces mêmes femmes me servaient le café le matin en parfaites maîtresses de maison.

» Tout cela existe ! Alors est-ce que le public le ressent ? Je pense que oui ! Et puis nous avons évité le côté pornographique toujours possible en de telles circonstances. Les critiques ont été déçus parce qu'ils attendaient peut-être quelque chose de dément. Or c'est resté en deçà ! Rien n'est porno, tout est chaste et beau ! Quand les putains sortent la môme à poil, c'est magnifique (Erendira est agressée verbalement par des prostituées qui se plaignent parce qu'elle leur prend leur travail. Lorsqu'elles constatent qu'elle est enchaînée nue à son lit, elles ressentent de la pitié pour leur jeune rivale). On sent que la salle ne sait plus comment réagir, c'est un moment très intéressant. »

— Parlez-moi d'Augusto Boal ?

« Ce que je connais surtout de lui, c'est son Théâtre de l'Opprimé qui consiste en une forme d'action militante dans la rue. Pour « L'incroyable et triste histoire de la candide Erendira et sa grand-mère diabolique », je vous l'ai dit, nous avons essayé de comprendre l'Amérique du Sud en en parlant beaucoup. Le but de Boal était de la restituer telle quelle en évitant de faire du folklore et du sombrero. D'autant plus qu'une histoire pareille peut se dérouler n'importe où. »

— Boal pense-t-il que la violence est banalisée en Amérique du Sud ?

« Non, car le contexte est différent ! Il nous disait : « Les gens sont tout le temps comme des pauvres aux aguets, les uns par rapport aux autres. Ils attendent tous le moment où ils vont pouvoir vous donner le coup final pour vous bouffer. » Cet exemple illustre bien les rapports des gens dans les pays déshérités. Il faut se battre à chaque patate afin de pouvoir la bouffer. Quand un personnage dit « je vous donne quatre-vingt-dix pesos, plus des pommes de terre et un peu de riz » (l'un des clients propose cela à la grand-mère pour avoir la possibilité de coucher avec Erendira), ce n'est pas pour rire ! Cela compte dans un tel marché ! A part cela, vous l'aurez constaté, il ne s'agit pas d'une pièce militante et politique, mais bien d'une adaptation d'une nouvelle de Marquez avec tout ce que cela comporte de poésie. »

— La nouvelle est-elle tirée d'un fait réel ?

« C'est ce que dit Marquez ! Sauf que la jeune fille n'était pas prostituée par sa grand-mère mais par une maquerelle. Cette nouvelle n'est pas exceptionnelle dans ce qu'elle nous apprend. La prostitution infantile existe partout, même dans des endroits aussi riches que Los Angeles. »

— Pour certains comédiens, jouer c'est se mettre à nu devant un public. Partagez-vous ce sentiment ?

« Non, j'ai débuté très jeune et je n'ai jamais eu ce sentiment. Je trouve naturel de jouer et d'être sur scène. J'ai le trac mais c'est tout à fait autre chose ! Si je l'ai, c'est parce que j'ai envie d'être aimée et de bien faire. Mais je n'ai pas de pudeur, car si l'on est comédien c'est que l'on a envie de se montrer. Je ne crois pas les gens qui disent : « Moi, je ne suis que quelqu'un d'anonyme, je ne suis rien ! » Avoir envie de se montrer, d'être aimée, admirée, cela fait partie des composantes. Un comédien est un être qui a des besoins très particuliers, il lui faut être le point de mire. C'est un plaisir ! Quand nous ne jouons pas, nous sommes d'ailleurs très malheureux. »

— Quelles sont les qualités que doit posséder un comédien pour devenir un bon comédien ?

« Les principales qualités sont la sincérité et la présence. Ce sont les qualités qui ne se travaillent pas. Tout le reste, la voix la technique, demeurent secondaires. Il n'est pas très difficile d'apprendre tout cela. La qualité suprême est l'aura qu'avaient et qu'ont certains très grands comédiens... »

— J'ai rencontré un jour Robert Hossein qui m'a dit des choses fort intéressantes...

(Interrompant la question.) « Ah ! Ça il sait parler ! » (Rire doux.)

— Il mène un combat idéaliste par le choix des thèmes de ses spectacles. En feriez-vous autant ?

« De toute façon, je ne tourne pas dans les films dont les sujets ne m'intéressent pas. Il m'est arrivé de jouer une scène d'une minute simplement parce que le scénario me tenait à cœur. Il n'était pas question de grandeur ou de qualité du rôle. Depuis quinze ans, je ne choisis en général mes films qu'en fonction du scénario. Le thème peut être aussi bien poétique que politique. Je ne suis pas axée seulement sur les films militants, même si j'en ai fait beaucoup. J'aime aussi les films de recherche. Cependant, comme tout le monde, il m'est arrivé de faire des tournages-bifteck. »

— Je trouve que votre rentrée au théâtre fut réussie, cela va-t-il vous encourager à continuer à vous produire sur scène ?

« Oui, bien sûr ! Après treize ans d'absence, ce spectacle a marqué le coup, d'autant plus qu'il a été une réussite au niveau du public. Certes, ce ne fut pas une rentrée fracassante, mais on en parle... C'est l'essentiel ! En tout cas, il s'agit d'un grand chapitre de ma vie. Et j'espère que les metteurs en scène de théâtre auront un peu plus d'imagination que les metteurs en scène de cinéma... »

— Quels sont les rôles que vous aimeriez jouer au théâtre ?

« « Qui a peur de Virginia Woolf » est une pièce que je souhaiterais vivement pouvoir jouer. J'ai aussi une belle adaptation d'Anna Karenine qu'il faut que je fasse traduire du russe. Et puis je voudrais interpréter un rôle dans « La Cerisaie », mais elle a déjà été tellement magistralement mise en scène par Peter Brook... Je me demande si ce n'est pas le plus beau spectacle que j'ai vu de ma vie... »

« L'incroyable et triste histoire de la candide Erendira et sa grand-mère diabolique » fut jouée par Désidério Arenas, Catherine Benamou, Claude Berne, Fernand Berset, Naruna Bomfim de Andrade, Christian Bouillette, Marisa Celestino, Pierre Deny, Luiza Falcao, Marcia Fiani, Rui Frati, Pierre Hossein, Philippe Jutteau, Alain Lenglet, Didier Mahieu, Louis Navarre, Roland Perrot, Cécilia Thumin, Frédéric Valet, Patrice Valota, Ana-Maria Vergara et Marina Vlady.

XVIII

Lova Golovtchiner : « *L'humoriste qui réussit à faire mourir de rire devrait pourtant bénéficier de tous les armistices.* »

Lausanne possède son sanctuaire où l'on célèbre l'humour avec dévotion : le Théâtre Boulimie. Depuis une paire de décennies, trois compères s'évertuent à maintenir allumée la flamme d'un genre artistique des plus régénérateurs pour l'esprit de l'homme. Dans un petit théâtre, situé sur l'une des places les plus pittoresques de la capitale vaudoise, Martine Jeanneret, Lova Golovtchiner et Samy Benjamin cultivent l'humour de qualité. Avec un soin tout particulier, ils montent régulièrement des spectacles nés de la plume habile de Lova Golovtchiner, humoriste révélé au grand public suisse par ses célèbres émissions radiophoniques. Lorsqu'il n'écrit pas lui-même ses sketches, Lova Golovtchiner se mue en chercheur assidu. Avec l'aide de ses deux fidèles collaborateurs, il explore le désert des pièces d'humour. Cette quête noble vire parfois à la recherche angoissante. Angoissante parce que les bons auteurs humoristiques ne se bousculent pas au portillon. Lorsque l'oiseau rare est débusqué, il est mis en cage avec une maestria qui fait du Théâtre Boulimie un lieu artistique dont la particularité est de ne pas désemplir.

Lova Golovtchiner est connu aussi pour ses prises de position tonitruantes. En mai 1979, il met la presse lausannoise en émoi parce qu'il décide de ne pas inviter les critiques à son spectacle maison « Au fond... la tartine ». Dans l'intimité toute relative d'une table de bistrot, il m'explique alors pourquoi : « Cette décision est dépourvue de toute acrimonie à l'endroit des journalistes spécialisés. Nous ne bénéficions d'aucune aide financière pour « Au fond... la tartine », les comédiens n'ont aucune garantie matérielle, et convoquer les critiques serait un luxe que nous ne pouvons pas nous permettre. Lorsque la critique est réticente ou mauvaise, elle éloigne les spectateurs ; lorsqu'elle est bonne, elle ne fait que sanctionner la disposition positive du public, sans réellement influencer la fréquentation. Nous souhaitons que ce soit le public qui soit le seul juge ! Les gens semblent avoir une disposition positive vis-à-vis de notre spectacle, ils veulent venir, ils ont l'air de se réjouir, nous ne voulons pas prendre de risque ! En adoptant cette attitude, je mets un peu le rôle de la critique en question, mais je souhaite que les spectateurs apprennent à se déterminer eux-mêmes face à une production... ». Le raisonnement se tient, il n'est pas dépourvu de bon sens. A juste titre, Lova Golovtchiner a toujours formulé de nombreuses réserves à l'égard du rôle du critique. Un rôle dont il juge le pouvoir disproportionné. Après cette décision irréversible du directeur de Boulimie, la rédaction de « 24 Heures » estime que « cela ne se fait pas ! » « Vas-y quand même, me dit-on. Paie ta place, mais fais la critique ! » Le jour même, je me pointe à la caisse de Boulimie. La « caissière » n'est autre que Golovtchiner qui me reçoit avec un air goguenard. « Je parie que vous venez faire un papier », me dit-il. « Oui, mais je paie ma place ! » Il m'apprend alors que tout est pratiquement complet, il lui reste juste un malheureux strapontin qu'il se fait un immense plaisir de m'offrir avec les compliments de la maison...

Le soir, je découvre le spectacle interdit à la critique ; je serai en définitive le seul à rédiger un article sur cette production :

« Au fond... Au fond, pourquoi Lova Golovtchiner n'a-t-il pas invité ces « épouvantails épistoliers » qu'ont l'air d'être les critiques ? Sa confiture gastronomique est bonne et eût pu satisfaire les appétits les plus boulimiques. Sans en écrire des tartines, il eût été agréable d'en parler élogieusement. Sans en perdre une miette.

» Bien que ce sacré farceur d'iconoclaste moustachu nous ait ôté le pain de la bouche, nous nous en sommes néanmoins payé une bonne tranche, incognito, sur notre strapontin de première classe. Jean-Jacques Gautier métamorphosé en James Bond 007... Même au service secret de Sa Majesté la presse, on ne rit pas que deux fois à Boulimie ! Les critiques, ces monstres mythiques aux tentacules armés de stylos acérés, seraient-ils façonnés comme le commun des mortels ?

» Pendant un peu plus d'un tour d'horloge helvétique, la Suisse est la tête de Turc du maître queux du cru. Un menu copieux et varié nous est proposé : politiciens, industries, parapsycho-

logues (internationaux !) et Jean-Michel passés allègrement à la
« moulinette » ; le Valais (avec l'aimable participation de...
Tintin), le droit d'asile et les tribunaux militaires sont accomo-
dés avec de la vinaigrette, etc. Il n'y a pas besoin d'oignons pour
pleurer de rire et pas besoin de phosphore pour éviter d'oublier
la réflexion qu'il y a derrière certains sujets.

» Martine Jeanneret, Lova Golovtchiner et Samy Benjamin nap-
pent remarquablement bien la tartine. « Au fond... la tartine » :
un trois étoiles à recommander !

» Ne croyez surtout pas que ce que vous venez de lire soit une
critique. » (1)

Quelques jours plus tard, un bandeau est collé sur les grandes
affiches vert et blanc de « Au fond... la tartine » qui ornent
les panneaux publicitaires de la ville de Lausanne. Sur ce bandeau, on peut lire : « Immense succès ! La presse uanime ! »...

En novembre 1982, Lova Golovtchiner fête les vingt ans de
Boulimie. Il accepte alors de répondre à des questions inso-
lites destinées à le faire mieux connaître. Voici quelques-unes
de ses réparties :
— Vingt ans d'humour, cela représente un bail ! N'en avez-
vous pas parfois ras le bol de devoir tout le temps faire rire ?
« Si j'en avais ras le bol, j'aurais déjà arrêté ! Cependant, c'est
un métier qui m'angoisse de plus en plus. Je ne suis plus aussi
décontracté qu'il y a quinze ans. Je ressens une espèce de peur,
due probablement à un souci de perfectionnisme. J'ai une inquiétude grandissante qui me mine et me mobilise presque
totalement. »
— Est-ce que vous êtes drôle dans la vie ?
« Pas excessivement ! Je peux être drôle avec des amis qui me
sont proches, mais je suis assez timide et renfermé. Je connais
des humoristes qui sont de très bonne compagnie, ce n'est pas
mon cas ! »
— On entend souvent : « Golovtchiner ? Ah ! il est rigolo, celui-là ! » Est-ce que cela vous gêne de passer tout le temps pour
le rigolo de service ?
« Il y a des gens qui aiment ce que je fais et d'autres qui me
prennent pour un abominable homme des neiges qui met ses
gros sabots dans tous les plats. Bon nombre de personnes ont
besoin que l'on dise un certain nombre de choses sur ce qui se
passe, elles apprécient ma manière mordante de les aborder. A

(1) « 24 Heures », 11 mai 1979.

part cela, je n'ai pas vraiment l'impression que l'on me prenne pour un rigolo. Certaines personnes me croisent dans la rue et sourient. Elles sourient parce qu'elles se souviennent d'un spectacle qui leur évoque un bon souvenir. C'est plutôt sympathique ! Il m'est arrivé d'être invité chez des gens qui ont été déçus de ne pas retrouver l'image du rigolo qu'ils se faisaient de moi. »

— Est-ce que cela vous dirait de jouer le roi Lear au Théâtre ?
« J'ai suffisamment de lucidité pour ne pas m'estimer capable d'endosser des rôles aussi considérables. »

— Que pensez-vous de ce dicton chinois qui dit « On n'est jamais condamné à mort pour avoir fait mourir de rire ? »
« C'est bien ! (rire) Est-ce vrai ? N'y a-t-il pas encore des régimes où les gens qui font mourir de rire risquent d'être condamnés à mort ?
» Disons que je préfère être humoriste en Suisse que dans certains autres pays. L'humoriste qui réussit à faire mourir de rire devrait pourtant bénéficier de tous les armistices. Je crois que l'humour sauve la vie sociale et peut sauver l'humoriste dans certains cas. »

— Les hommes politiques sont-ils des gens sérieux ?
« Il y en a qui sont sérieux parce qu'ils ne se prennent pas au sérieux et parce qu'ils ont cette qualité première qui est la façon de relativiser ce qui se passe. C'est ce qui me paraît important en politique. A part cela, il y a les carriéristes, les opportunistes, les démagogues. C'est de ceux-là dont il faut s'occuper avant tout ! Mais ne me demandez pas des noms de politiciens sérieux, la réponse serait difficile ! »

— Qu'est-ce qui vous fait le plus rire dans la vie ?
« Pas grand-chose, si ce n'est l'obligation de faire rire. Si je dois écrire un texte, je suis à l'affût, donc je dirige mon regard d'une certaine manière et je vois les choses de façon plus humoristique. »

— Quelle serait votre réaction si Lova Golovtchiner faisait de l'humour à vos dépens ?
« Il serait très malvenu de dire que je n'apprécierais pas. Si on attaquait un colonel, il trouverait drôle tout le spectacle, sauf le passage qui le concernerait. Je réagirais peut-être comme ce colonel... J'espère que j'aurais assez de fair-play pour ne pas l'avouer. »

— L'humour, est-ce la qualité que vous préférez chez un être ?
« C'est une qualité qui fait passer les autres qualités et aussi les défauts. Je ne pense pas que l'on puisse épouser quelqu'un que pour son humour. Ce dernier rend supportable bien des

212

cohabitations. Je crois que les personnes qui ont de l'humour ont bien d'autres qualités. »

Tout en gardant l'humour comme fil conducteur de sa programmation, le Théâtre Boulimie fait aussi quelques incursions du côté de pièces qualifiées abusivement de « plus difficiles ». Au sein du triumvirat de Boulimie, c'est plus précisément Martine Jeanneret qui fait de ces pièces son cheval de bataille. En mars 1980, Lova Golovtchiner et elle montent « Les bâtisseurs d'empire », de Boris Vian. Le spectacle est magnifique. « Il s'agit d'une pièce que Martine Jeanneret et moi aimons beaucoup et que nous avions envie de monter, me confie Golovtchiner. Nous apprécions vivement cet humour très présent qui est submergé par le fantastique et le tragique. La substance théâtrale de Vian fait de lui un sacré auteur dramatique ! »

« Boris Vian est un auteur qui n'a décidément pas vieilli ! Son théâtre, qui réunit plusieurs registres dans une même dynamique, a une vitalité qui semble se régénérer perpétuellement.
» En choisissant de monter « Les bâtisseurs d'empire », Martine Jeanneret et Lova Golovtchiner ont fait mouche ! Leur choix, leur mise en scène et surtout le travail de direction d'acteurs de Martine Jeanneret, remarquablement intuitive, sont excellents. Leur réussite est concrétisée par une mise en situations très précise, une étude exhaustive des caractères et des perceptions différentes de la réalité par les personnages, et par leur souci de respecter la notion logique d'œuvre ouverte à toutes les déductions et offerte à toutes les hypothèses. Maréchal a dit : « Je pense qu'il n'y a qu'une mise en scène possible : celle qui est la plus lisible immédiatement pour le spectateur. » C'est le cas ici !
» Cette lente dégradation d'une famille bourgeoise, qui, poursuivie par un bruit dominateur lancinant, déménage d'un étage à l'autre, est terrifiante. La déliquescence de l'existence de ces bourgeois est symbolisée par la présence du Schmürz, le souffre-douleur constamment tabassé. Les limites de l'espace oscillent sans cesse, les rétrécissements finissent par étouffer ceux qui entreprennent cette utopique fuite vers le haut. Si l'univers de Ionesco a des propriétés évolutives, celui de Vian serpente dans les resserrements. Cette tragique et néanmoins burlesque escalade vers les combles est bien servie par les décors de Martine Jeanneret et Jean-Jacques Schenk, qui sont parvenus à créer une atmosphère kafkaïenne. Ce bruit angoissant, qui dé-

coule de la création sonore de Michel Saugy, évoque aussi l'éré-
thisme cardio-vasculaire de Vian : on ne peut pas ne pas songer
à cette terrible angoisse que devaient lui provoquer ses crises
d'oedème pulmonaire.

» Les six comédiens servent admirablement la pièce. Il convient de mettre en exergue l'interprétation particulièrement
inventive de François Silvant (le père). Il vit ce drame avec
une vérité qui révèle un grand talent. Jacqueline Cuénod (la
mère) a également bien maîtrisé le langage petit-bourgeois ;
nous souhaiterions voir plus souvent cette excellente comédienne sur nos scènes lausannoises. Claudine Berthet, la fille qui
conteste l'attitude de ses parents, a de beaux élans de sincérité. Christiane Vincent, Jean-Pierre Gos et Geoffrey Dyson (le
Schmürz) ont réussi de très bonnes compositions. » (1)

(1) « 24 Heures », 22 mars 1980.

XIX

Marcel Maréchal : « *Un bon acteur est celui qui sait qu'il joue.* »

« Marcel Maréchal n'est pas pris au sérieux dans certains milieux du théâtre français, parce que c'est un metteur en scène populaire », m'ont confié quelques acteurs de l'Hexagone. Les spectacles mis en scène par Maréchal sont effectivement aimés des foules en liesse. Est-ce un défaut ? Non, évidemment pas ! Si les « intellectuels de l'art dramatique » reprochent au metteur en scène français des « facilités », ils ont tendance à oublier l'essentiel qui constitue son produit fini : l'impact immédiat sur le public, un contact direct avec la réalité, ainsi que la réponse à un besoin de représentation, de création et d'expression en attente à l'intérieur de chaque être. Cet « essentiel » n'est-il pas finalement le principal au théâtre ? Pour Marcel Maréchal, la scène peut être une sirène qui appelle les pédagogues dont le but est de « glisser leur apostolat au risque de détourner l'art théâtral de sa destination, qui est justement d'être un art et d'être du théâtre. » Ce sont ces mêmes pédagogues qui déplorent que Maréchal soit un metteur en scène populaire...

Avec Marcel Maréchal, la notion de plaisir au théâtre dégage toute sa véritable saveur. En avril 1979, il tourne avec « Le malade imaginaire » en Suisse. Quel souvenir ! Quelle fête pour la vue et l'ouïe !

« Les grands créateurs de théâtre sont les gens qui sont tout. Molière et Shakespeare. Qui sont d'abord et avant tout des acteurs et je dis bien avant tout des acteurs. Aussi évidemment des animateurs, des régisseurs, des gens qui participent à la vie quotidienne de leur troupe, des directeurs de troupe. Et aussi quelquefois, dans les cas limites, des auteurs. Alors là on a le grand créateur de théâtre. Il y en a rarement. », confie

Marcel Maréchal à Hélène Parmelin. La rencontre Molière-Ma-
réchal peut être considérée comme un événement théâtral d'importance, elle met précisément deux grands créateurs en présence qui nous font vivre un grand moment d'art dramatique.

» Marcel Maréchal et la troupe du Nouveau Théâtre National
de Marseille présentent un « Malade imaginaire » dont la mise
en scène et l'interprétation constituent un poème épique qui
rend au théâtre sa véritable dimension. La maladie, la science,
la mort et les aléas des rapports familiaux sont traités avec la
sensibilité et l'humour qui caractérisent le metteur en scène
lyonnais.

» Dans le rôle d'Argan, Maréchal est magistral ; Catherine Lachens est sublime dans celui de Toinette. Leur duo du premier
acte est imposant. Catherine Erarhdy et Thierry Digonnet sont
des jeunes premiers absolument originaux. Bernard Mesguich
est un Thomas Diafoirus drôle à souhait ; Bernard Ballet, le
frère malade (une trouvaille subtile), parvient à émouvoir. Tous
sont remarquables, il n'y a point de déséquilibre dans la distribution. La maîtrise corporelle de ces comédiens est également
étonnante.

» Le décor et les costumes d'Alain Batifoulier composent une
succession de fresques enchanteresses ; la dernière est fantas-
magorique (il s'agit du chœur des médecins dont l'apparition
est impressionnante). Les intermèdes (certains musicaux) ajou-
tent une ultime touche poétique à l'ensemble. Burlesque, émouvant, drôle, féerique, ce spectacle est une réussite, un hymne
à l'onirisme et au plaisir du théâtre. » (1)

Frappé par la consistance du spectacle, je me laisse aller à
des propos emphatiques que je ne regretterai jamais d'avoir
écrits. Avec le recul du temps, on s'aperçoit qu'il y a des spectacles qui s'estompent de la mémoire moins que d'autres. Dans
une décennie, c'est souvent le caractère impérissable de leurs
images qui finit par donner le label qualitatif suprême et événementiel à quelques rares spectacles. Le souvenir de cet espace mental conçu par Batifoulier, de cet espace clinique qui
débouche sur la lande secrète d'Argan, contribue à forger la
solidité d'un succès dans l'esprit. Ancré aussi dans la mémoire
est cet Argan-Maréchal drôle, subitement conscient de sa finalité, qui écarte dès lors les freins d'apparence vitale, imposés par
un monde extérieur. Comment pourrait-on oublier cet Argan-
Maréchal jouisseur de son désir d'accomplissement sur le champ,

(1) « 24 Heures », 22 avril 1979.

ce « malade imaginaire » rendu sympathiquement égoïste par sa soif de liberté joyeuse ? On ne peut pas perdre en route cet Argan-Maréchal pathétique qui tente d'exorciser la mort en faisant confiance à ce pouvoir en robe noire qui se targue d'être capable de prolonger la vie. Metteur en scène ou comédien, Marcel Maréchal donne une dimension profonde à la matière qu'il travaille. Il est l'artisan qui se raréfie parce qu'il sait comment on façonne les chairs.

Inoubliable également est l'interprétation de Maréchal de l'écrivain gallois Dylan Thomas dans « Dylan », de Sidney Michaels. J'ai vu ce spectacle en février 1983, au Théâtre du Rond-Point, le lieu de création personnalisé de la Compagnie Renaud-Barrault, situé à deux pas des Champs-Elysées. Mise en scène par Jean-Pierre Granval, coproduite par le Théâtre National de Marseille et le Théâtre du Rond-Point, cette pièce retrace la vie mouvementée du poète britannique. Par une mise en séquences brèves, alertes et intenses, Jean-Pierre Granval est parvenu à éviter l'écueil constitué par les clichés de la biographie narrée. Le déroulement scénique de la vie de Dylan Thomas est devenu un feuilleton théâtral dont les épisodes ont été vaccinés à la force dramatique. Dylan Thomas gravit les échelons du succès, il vit un grand amour avec Caitlin Macnamara, il l'épouse, donne de nombreuses conférences aux Etats-Unis et sombre inéluctablement dans l'alcoolisme. Il finit par mourir sur le continent américain avant d'avoir revu Caitlin qui l'attend désespérément au pays de Galles. Le spectacle a atteint un haut degré de perfection par l'originalité de la mise en séquences de Jean-Pierre Granval, facilitée par les décors fonctionnels de Ghislain Uhry et surtout par les éclairages fouillés d'un virtuose des lumières, c'est-à-dire André Collet. La qualité générale de l'interprétation n'a pas été étrangère non plus au niveau de perfection évoqué plus haut. Cependant, deux comédiens ont émergé : Marie-Christine Barrault (Caitlin) et... Marcel Maréchal (Dylan)*. Ils ont intelligemment contourné le chemin de l'antichambre du mélodrame pour emprunter la voie plus naturelle qui explique, par un jeu simple et sincère, les mécanismes de l'espoir, de la passion amoureuse, de l'insuffisance de

* Outre Marie-Christine Barrault et Marcel Maréchal, la distribution de « Dylan » comprenait Jean-Jacques Lagarde, Marie-Hélène Dasté, Gérard Lorin, Hélène Arié, Catherine Lachens, Alexis Nitzer, Robert Lombard, Xavier Renoult, Fabienne Ferrat, Luce Mélite, Valérie Grail et Michel Demiautte.

communication et d'un désespoir latent conduisant à la chute. Des couples d'acteurs, contant une histoire d'amour sur une scène, ont parfois marqué de leur empreinte le théâtre. Le couple Marie-Christine Barrault-Caitlin Tomas et Marcel Maréchal-Dylan Thomas appartient désormais à cette caste privilégiée. Tantôt amusants dans leurs rapports conjugaux marqués par le génie de l'un des conjoints, tantôt émouvants dans leur amour, pur, tantôt agaçants dans leur impuissance à résoudre leurs problèmes, les deux comédiens ont donné le maximum de puissance et de sensibilité aux sentiments des deux protagonistes. Du grand travail d'acteur par deux grands acteurs...

C'est par cette sincérité qu'il recherche dans son propre travail d'acteur que Marcel Maréchal peut comprendre ce qu'il doit obtenir des comédiens qu'il met en scène. Il peut ainsi d'autant mieux obtenir ce qu'il veut... Sophie Barjac, la jeune actrice qui a joué dans « Opéra parlé », d'Audiberti, et « La vie de Galilée », de Brecht, deux spectacles montés par Maréchal, aime la façon de travailler de ce dernier. « Rien de hâtif, explique-t-elle dans le N° 4 de la revue « Acteurs », rien de nerveux, les gens prennent leur temps, les choses se font, ça vient comme ça, comme la vie, ça se forme peu à peu, comme ça. Marcel n'est pas un type qui fait devenir parano ou dépressif. Il fait naître, doucement, naturellement. Chacun peut parler, tranquillement, et chacun écoute l'autre. On a vraiment le sentiment d'être complètement libre, de pouvoir aller aussi loin qu'on le peut. A son rythme. Ça respire, quoi, je ne peux trouver de meilleur mot. » Il semblerait, d'après Sophie Barjac, que Maréchal ajoute un côté débonnaire à sa compétence. Un jour, Françoise Seigner a parlé de « metteurs en scène dictateurs et irascibles, qui imposent tous les excès de leur imagination débordante à des comédiens qui n'ont plus qu'à obéir. » Marcel Maréchal s'éloigne complètement de cette définition ! Il n'est pas concerné ! Alain Sachs, comédien qui a interprété le rôle de Louis XIII dans « Les trois mousquetaires », mis en scène par Maréchal, rejoint un peu l'avis de Sophie Barjac. Lors d'une tournée suisse du spectacle, il m'a confié : « Maréchal est un directeur d'acteurs formidable. Cela provient du fait qu'il est d'abord comédien. Il sait que le spectacle passe avant tout par le comédien ; il travaille de façon à ce que chaque acteur soit à sa place, il met tout le monde dans les meilleures dispositions pour que chacun aille le plus loin possible dans son interprétation et explose littéralement. Il tient à ce que tout demeure ludique ; pour lui, une mise en scène est une machine à jouer. Dans le cas des « Trois mousquetaires », cette machine donne un résultat joyeux et vivant. Beaucoup de metteurs en scène ont peur que le comédien leur « vole » la mise en scène. Ils craignent que leur griffe soit occultée par les acteurs. Maréchal est plus humble. Il invite le comédien à prendre le pouvoir. Ainsi, nous prenons tous notre pied ! » Lors de cette conversation, Alain Sachs m'a aussi donné son opinion sur les raisons pour lesquelles Marcel Maréchal est un metteur en scène extrêmement populaire : « Même dans les rares spectacles qu'il a ratés, il parvient toujours à toucher le public. Pourquoi ? Parce que sa démarche est claire. En outre, le public est l'une de ses préoccupations permanentes. Il va à sa rencontre, il établit un lien étroit entre le public et la création. » Sachs m'a donné un éclairage supplémentaire sur la façon qu'a Marcel Maréchal de diriger les comédiens : « Aux répétitions, seul dans la salle, il s'écroule de rire aux scènes drôles et crie un « oui » enthousiaste aux scènes dramatiques. On voit tout de suite quand il est content. A part cela, il fait preuve d'une grande rigueur, il intervient sur le rythme, il préfère faire sentir les choses plutôt que de donner le ton comme c'est le cas de Barrault, par exemple. »

Marcel Maréchal travaille donc sur la matière première d'abord, c'est-à-dire sur le comédien. Pour lui, le théâtre est avant tout un jeu. Dans son livre « La mise en théâtre » (éditions 10/18), il explique clairement sa définition du jeu et du comédien : « On dit qu'un acteur « joue ». Un bon acteur est celui qui sait qu'il joue. Dès le moment où l'acteur s'identifie, ça devient le théâtre bourgeois. Esthétiquement c'est décadent.

» Je pense que la spécificité théâtrale, c'est le jeu. S'il y a identification des acteurs à leur personnage, comme le dit Brecht, on en arrive à faire un art où les gens perdent pied et où le spectateur est berné. Le propre du théâtre c'est de mimer, de jouer les étapes, les émotions, les grands moments de la vie. De les célébrer en les jouant, et en faisant absolument croire aux spectateurs, d'emblée, qu'il ne s'agit pas de la réalité.

» Si un peintre peint un citron, ce n'est pas un citron qu'il peint : il peint à propos du citron. Pour moi il faut que le spectateur comprenne que ce n'est pas de la vie qu'il s'agit : mais à propos de la vie.

» L'acteur joue. Un bon acteur est quelqu'un qui joue à être autre chose que lui-même et qui sait qu'il joue. A partir de ce moment-là tout devient un jeu et tout devient règle du jeu aussi. »

La notion de jeu est omniprésente dans ces « Trois mousquetaires », d'Alexandre Dumas, adaptés pour la scène par

François Bourgeat, Pierre Laville et Marcel Maréchal. Il s'agit d'un jeu que Maréchal a fait caracoler à un rythme endiablé. Chaque spectateur a été entraîné irrésistiblement dans une fameuse partie de chasse au coffret de la Reine. Le célèbre coffret contenant les non moins célèbres ferrets. Trépidant, bon enfant, drôle, le spectacle a conquis tous les publics francophones par sa vitalité, sa part de rêve et ses couleurs. Au Théâtre de la Criée de Marseille, lieu de départ de ces « Trois mousquetaires », des spectateurs ont apostrophé Milady de Winter (Francine Bergé puis Brigitte Catillon pour la tournée) parce qu'elle était passablement à l'origine des démêlés d'Aramis (Edmond Vuillioud), Athos (Jean-Claude Drouot puis Philippe Bouclet pour la tournée), Porthos (Raoul Billerey) et d'Artagnan (François Dunoyer). Par l'adresse de Maréchal, le public s'est laissé prendre au jeu en ne perdant jamais de vue qu'il ne s'agissait pas de la réalité. En chevauchant moralement sur les destriers en carton et en bois des quatre gentilshommes d'une des deux compagnies à cheval de la maison du Roi, il a participé nerveusement à cette aventure truffée de clins d'œil « distanciateurs » en prenant sans cesse son plaisir. Marcel Maréchal a volontairement schématisé les aspirations ou les états d'âme de chaque mousquetaire et de chaque personnage, afin de privilégier les caricatures sans outrance ; des caricatures voulues pour maintenir un rythme en accord avec la démarche et le tempérament du texte. « Il faut taper fort tout en demeurant dans l'apesanteur », écrivait Fabian Gastellier à propos de ce spectacle. La réflexion est fidèle à l'esprit désiré par Maréchal, elle reflète bien le style du spectacle. Flattant une fois de plus la rétine en servant parallèlement l'action, Alain Batifoulier a conçu un décor unique et mobile, destiné à susciter l'onirisme.

« Les trois mousquetaires », mis en scène par Maréchal, ont eu un pôle d'attraction supplémentaire avec les combats à l'épée. Des combats qui ont largement contribué à accentuer le côté ludique souhaité. Ils ont aussi permis le maintien du tonus dramatique et joyeux du spectacle. Un virtuose des réglages de combats a été à l'origine de ces affrontements spectaculaires : Raoul Billerey. Billerey appartient à la catégorie de ces hommes de théâtre indispensables qui travaillent dans l'ombre. Sa maîtrise a été l'un des mécanismes du succès du spectacle de Maréchal. En novembre 1982, je l'ai rencontré pour « 24 Heures » :

« Raoul Billerey n'oubliera jamais son rôle d'Indien dans la forêt de Fontainebleau. Il était l'un des douze Peaux-Rouges qui attaquaient la diligence de « Fernand Cow-boy », le premier film de Fernand Raynaud. Parce qu'il était grand, fort et bronzé, on lui confia « Belle-Aurore », une jument anglo-arabe. « Elle était superbe, cette garce, dit-il. Mais complètement timbrée ! » En effet, elle s'emballait facilement et avait déjà tué son premier propriétaire. Le comédien cascadeur la testa toute une journée, la trouva calme, il se décida à la monter pour le tournage. Pendant l'assaut filmé, « Belle-Aurore » se mit à écumer et s'emporta. « J'étais presque à poil, précise Billerey, le cheval était sans selle, sans bride, avec juste une corde dans la bouche. » Après cinq minutes de galop effréné, une traversée de forêt de pins et un dérapage violent, la chevauchée fut interrompue par une chute. Transformé en porc-épic par les aiguilles des pins, Billerey se fit ôter ces dernières une à une au moyen d'une pince à épiler...

Né à Nice, il y a cinquante-sept ans, Raoul Billerey exerce le métier de comédien cascadeur depuis des décennies. Malgré son mètre quatre-vingt-un, il est le rejeton le plus « fluet » d'une famille de forces de la nature. Dès son plus jeune âge, Billerey pratiqua l'escrime, parce que c'était un sport individuel qui lui convenait. Il suivit aussi des cours d'art dramatique au Conservatoire de Paris, chez Béatrix Dussane. Il fut renvoyé parce qu'il accepta de jouer à l'extérieur, aux côtés de Maria Casarès, Michel Auclair et Gérard Philippe. Après ce renvoi, Jean Renoir, dont il fut l'élève au Centre du spectacle de la rue Blanche, le rassura : « Peu importe le Conservatoire, le public est le meilleur professeur ! » Alors qu'il répétait une pièce de Garcia Lorca à l'ancien Théâtre de la Ville, on lui proposa de régler des combats à l'épée. Dès 1948, ce comédien formé par Renoir, Dullin, Baty et Jouvet, devint un spécialiste des combats et des cascades. Engagé dans le Club des casse-cou, dirigé par Gil Delamare, il continua ensuite à travailler avec André Garder, son professeur d'escrime de la première heure. « Les combats doivent être une continuité du verbe » dit-il. On doit les concevoir comme une chorégraphie de bagarres. C'est un travail long, car je ne m'adresse pas à la personne physique du comédien, mais à son personnage. D'ailleurs je ne veux plus régler les combats au cinéma, car, faute d'argent, ils ne laissent plus le temps de bien préparer ces scènes difficiles. »

Billerey a quand même beaucoup travaillé pour le cinéma. Il a mis au point les bagarres des films de Jean Marais, du feuilleton télévisé « Thierry la Fronde », interprété par Jean-Claude Drouot, du « Bossu », joué par Jean Piat, et de bien d'autres encore. « La peur de ma vie, confie-t-il, je l'ai eue lors du tournage du « Capitan ». Sur les marches d'un escalier de Carcassonne, Marais me tuait d'un coup de poignard, je basculais dans le vide, et l'on coupait. A Paris, André Hunebelle, le réalisateur, suggéra de filmer la suite de ma chute depuis un grand escalier installé aux studios d'Epinay. J'acceptai en ajoutant que je pourrais tomber dans le puits situé quatre mètres plus bas. Il trouva l'idée excellente. Je fus angoissé en découvrant qu'il n'y avait que soixante centimètres de largeur entre les éléments de l'axe de la poulie. En outre, ils étaient ornés de rosaces acérées, impossible à raboter. Ne voulant pas me dégonfler, je me suis préparé minutieusement et j'ai sauté. Je suis passé entre soixante centimètres. Cela m'a valu un tonnerre d'applaudissements et des ecchymoses. »

Cet épisode démontre que la précision est la quintessence du métier de cascadeur. « On n'a pas le droit de se tromper, précise Billerey. Il faut beaucoup répéter, prévoir tous les impondérables et avoir un énorme pouvoir de concentration. Quand je règle un combat à l'épée, je prévois tout. Une lame peut casser, un comédien peut être touché à une main, etc. C'est pour cela qu'ils doivent pouvoir se battre aussi bien avec la main droite qu'avec la gauche. Dans « Les trois mousquetaires », mis en scène par Maréchal, j'ai voulu que l'on puisse attaquer aussi bien avec la rapière qu'avec la dague. Ce qui historiquement est faux, puisque la dague servait à consolider la parade. Et puis, sous Louis XIII, les combats étaient plus lents parce que les rapières pesaient de huit à douze kilos. » Six mois de répétitions ont été nécessaires pour « Les trois mousquetaires », où Billerey jouait Porthos. « Il s'agit aussi de rassurer le public, ajoute-t-il. Il faut qu'il ait du plaisir sans avoir peur pour les comédiens. Notre adresse doit le sécuriser. »

Raoul Billerey a été l'un des derniers cascadeurs éclectiques. En 1982, ses collègues se spécialisent à outrance. Il est vrai qu'avec sa carrure d'athlète, il pouvait tout faire. A l'instar de Porthos, il pourrait argumenter : « Il faut dire qu'avec un physique comme celui dont la nature m'a doté... » **

---

* La distribution des « Trois Mousquetaires » comprenait encore Luce Mélite, Sophie Deschamps, Danièle Stefan, Gérard Lacombe, Daniel Berlioux, Jean-Pierre Moulin, Olivier Picq, Philippe Bianco, Lionel Vitrant, Jean-Jacques Lagarde, Alexandre Fabre, Jacques Angéniol, Alain Crassas, Richard Guedj, Alain Saugout, Rico Lopez, Michel Demiautte, Jacques Boudet, Michel Ouimet, Sophie Artur, Michèle Grellier.
** Lire aussi « Conversation avec Marcel Maréchal... » (Editions P.-M. Favre), excellent ouvrage de Patrick Ferla.

XX

Stuart Seide : « *Je voudrais que le théâtre serve à nous aider à bien poser les questions.* »

Le fait de pouvoir tenir une chronique théâtrale dans un journal favorise les rencontres intéressantes. La perspective d'un article permet souvent un dialogue enrichissant avec des personnalités venues d'horizons divers. Dans le but de brosser des portraits pour « 24 Heures », j'ai pu m'entretenir avec Danielle Darrieux, Wojciech Pszoniak et Stuart Seide. L'une est Française, les deux autres sont Polonais et Américain. La première est une star accomplie, le second est l'un des plus célèbres acteurs de la Pologne, le dernier est un jeune metteur en scène de talent. Si l'on n'est pas prêt d'oublier que Danielle Darrieux évoque « La ronde », « Le plaisir » ou « Madame de », on découvre que Wojciech Pszoniak est professeur d'art dramatique au Conservatoire de Varsovie et qu'il est l'un des comédiens préférés d'Andrej Wajda. A des degrés divers, chacun revêt un intérêt certain. C'est la raison pour laquelle j'ai voulu les réunir dans ce chapitre. Pszoniak donne un éclairage sur la rigueur de la formation professionnelle dans un pays de l'Est, il parle aussi de l'un des meilleurs films de Wajda : « Danton ». Seide démontre que l'apprentissage du comédien aux Etats-Unis est aussi... sérieux que de l'autre côté du rideau de fer. Il parle également du théâtre et du « Faust » de Marlowe qui le passionne. Danielle Darrieux démystifie l'image figée de la star inaccessible. Un entretien avec elle débouche sur un coup de foudre. En effet, comment ne pas être sensible au charme de cette dame de grande classe ?

Les trois ont un point commun : un amour fou du théâtre.

« *Danton* » : *une pièce antique*

Wojciech Pszoniak est Robespierre dans « Danton », le film

de Wajda. Il fut aussi Géronte dans « Les fourberies de Scapin », au Théâtre Kléber-Méleau, à Lausanne. Au cours de l'entretien que nous avons eu avec lui, il nous est apparu jovial, avenant, plein d'humour et extrêmement clairvoyant.

La trajectoire de comédien de Wojciech Pszoniak a commencé tôt. Après avoir étudié le violon, le hautbois et la clarinette, il a bifurqué vers le théâtre poétique à Gliwice. Il a suivi ensuite les cours à l'Ecole dramatique de Cracovie. Là, il a surmonté les difficiles examens d'entrée : « Les sélections sont très sévères en Pologne. A Varsovie, ils m'ont dit : « Tu n'es pas doué ! » Or, je n'ai pas voulu renoncer ; je suis allé à Krakow où ils m'ont accepté en me disant que j'étais... formidable ! En Pologne, si l'on veut être comédien, il faut le vouloir profondément... »

Engagé par la suite par le directeur du Théâtre national de Varsovie, Pszoniak a commencé à jouer des grands rôles. Il a débuté au cinéma en interprétant Jésus dans « Pilate et les autres », un film tiré d'un livre de Butchakow. Après l'avoir vu au cinéma, Claude Régy l'a embarqué aux côtés d'Andréa Ferreol et Gérard Depardieu, dans « Les gens déraisonnables sont en voie de disparition », une pièce de Handke. C'était la première fois que Pszoniak jouait un rôle en français.

« C'était l'enfer !, se souvient-il. Comme je ne parlais pas ma langue, j'avais peur que quelqu'un change subitement son texte, je craignais de ne plus pouvoir rattraper l'autre. » L'expérience a été positive, concluante même ! Wojciech Pszoniak a rejoué en français dans « Il », une pièce de Witkacy, mise en scène par Wajda. Après avoir incarné le Sganarelle de « Don Juan » en polonais, il incarne donc un autre personnage de Molière : Géronte. En français, cette fois !

Le théâtre est florissant en Pologne. Ce pays est le berceau de personnalités qui ont eu beaucoup d'influence sur l'univers de l'art dramatique : Mrozek, Witkiewicz, Kantor ou Grotowski. « Il y a beaucoup de théâtres en Pologne, dit Pszoniak. Ils sont subventionnés par l'Etat et ces subventions sont importantes. Les comédiens peuvent donc travailler régulièrement. C'est vraiment primordial pour la vie du théâtre et pour l'évolution personnelle du comédien. Le cinéma aussi est subventionné, il offre beaucoup de possibilités aux acteurs. En sortant du Conservatoire, où les études sont difficiles, le jeune comédien peut jouer tout de suite. Son avenir dépendra ensuite de son talent. » Il ajoute : « Nous avons aussi beaucoup de théâtres de différentes tendances. »

« Danton », le film de Wajda, est tiré d'une pièce de Stanislawa Przybyszewska que Pszoniak a déjà joué à Varsovie, dans une mise en scène du même Wajda. Les observateurs occidentaux ont fait certains rapprochements entre la situation politique en Pologne et le thème du film. « Les journalistes ont dit : « Jaruzelski, c'est Robespierre, Walesa, c'est Danton ! », précise Pszoniak. On ne peut pas comparer. Le thème de la Révolution française reste toujours universel. Encore aujourd'hui, personne n'a trouvé un moyen de faire un paradis. Il y a cependant beaucoup de solutions qui sont toujours proposées. Les chefs-d'œuvre sont constamment ouverts sur une grande interrogation. « Danton » n'est pas une pièce à thèse, mais bien un chef-d'œuvre que l'on peut comparer aux pièces antiques, à Shakespeare ou Dostoïevski. »

En cela, Pszoniak est d'accord avec Wajda qui a dit : « Le sens idéologique de ce film, c'est qu'il y a un vrai drame quand les deux côtés ont l'un et l'autre raison. » « Oui, c'est exactement cela, conclut Pszoniak ! Il ajoute : « Ce que l'on doit savoir, c'est que Wajda travaillait sur le projet « Danton » avant que Solidarité ne se manifeste. » A propos de la situation en Pologne, Wojciech Pszoniak donne son opinion : « La situation est très dure, pas claire ! Je crois que personne ne peut dire ce qu'il faut réellement faire. La situation est tellement triste qu'il faut absolument que les citoyens puissent de nouveau parler au gouvernement. » (Interview réalisée en janvier 1983.)

Pszoniak a été passionné par le rôle de Robespierre : « D'après moi, Robespierre était un vrai idéaliste. Comme dans les grandes tragédies, il est un personnage incorruptible. Il savait qu'il n'y avait pas d'autre solution que la Terreur. Il lui fallait abattre les contre-révolutionnaires, aller jusqu'au bout. Dans la vie, chacun de nous est obligé de choisir, on ne peut pas faire deux pas en avant et un en arrière. Il faut être conséquent. On peut discuter sur cette manière de penser, mais c'est la base de la situation de Robespierre. »

A propos du tournage, Gérard Depardieu (Danton) jouait en français et Pszoniak en polonais. « Je voulais jouer en français, dit-il, mais, au cinéma, on vous fait changer des mots au dernier moment. C'est très difficile quand cela n'est pas dans votre langue maternelle. En plus, j'aurais dû me concentrer sur la langue et plus sur le jeu. J'ai dit parfois quelques mots en français pour faciliter le doublage. »

Wojciech Pszoniak a beaucoup apprécié son travail avec Philippe Mentha, metteur en scène des « Fourberies de Scapin » : « J'aime les gens qui savent où ils vont, qui sont doués, raisonnables. Je cherche toujours les créateurs différents qui m'apportent beaucoup pour mon évolution de comédien. »

« *Trouver la vraie question* ».

« Stuart Seide, jeune metteur en scène né à New York et installé à Paris, est revenu au Théâtre de Vidy pour monter « Faust » de Christopher Marlowe. En mai 1979, il y avait déjà mis en scène « Les bacchantes », d'Euripide. Il y a quelques mois, il a obtenu un grand succès parisien en présentant sa version scénique du « Songe d'une nuit d'été ».

La carrière de Stuart Seide ne manque pas d'originalité ! Quand il est entré à l'université, il a d'abord pensé s'orienter vers la médecine et les mathématiques. Si son désir d'apprendre les maths a été concrétisé, il a renoncé aux études médicales au profit d'une formation théâtrale. « Ce que l'on ignore en Europe, dit-il, c'est qu'aux Etats-Unis cette formation est plus que professionnelle ! » En effet, Stuart Seide a obtenu non seulement une licence en mathématiques, mais également en théâtre...

Stuart Seide a été passionné par le sujet de la pièce de Marlowe, par les sources de l'auteur et par les diverses théories concernant l'origine de la légende. « La plupart des anecdotes écrites par Marlowe, explique le metteur en scène, viennent du « Faustbuch », qui a été traduit dans les années 1580. Ce livre était une compilation de la légende Faust. On pense qu'il s'agit d'une légende moyenâgeuse issue des foires. De plus en plus, on suppose qu'elle pourrait être liée à l'histoire de l'imprimerie. En effet, il se peut qu'on ait cru que Faust était un sorcier parce qu'il pouvait sortir des copies de la Bible. Comme le procédé de l'imprimerie était peu connu, on pensait sans doute que la seule façon d'obtenir des copies parfaitement identiques résidait dans une manipulation diabolique. »

Avec « Faust », Marlowe met en exergue ce qui constitue le thème majeur de son œuvre : l'apologie de l'être qui, contre toute contrainte morale, cherche à atteindre la toute-puissance. Marlowe a été présenté comme un poète de la tentation et de la liberté humaine.

« Dans le contexte historique qui nous intéresse, précise Seide, l'homme, par ses capacités, commence à remplacer Dieu et l'appareil divin, c'est-à-dire les Eglises. Ce n'est pas une coïncidence si le Faust de Marlowe et celui du « Faustbuch » sont Allemands. Le péché, le vice et la vertu de Faust sont de croire que l'homme doit essayer de tout savoir, quitte à être damné.

226

Notre mission n'est pas la soumission, elle est une quête du savoir qui est au-delà du savoir que l'on a. »

Stuart Seide aime beaucoup le théâtre élisabéthain. « C'est un théâtre d'acteurs, dit-il, qui peut se passer de décor. Il n'y a pas de hiérarchie de personnages. Si, sur le plan social, le roi est en haut et le paysan en bas, ils sont sur le même pied d'égalité dans l'écriture dramatique. C'est un effort de regarder la vie par tous les bouts, de créer un dialogue ou un conflit entre toutes les facettes de la cité. Je pense qu'avec Faust, Marlowe crée le premier héros élisabéthain. C'est-à-dire un personnage qui ne se raconte pas, mais dont nous assistons aux pensées. »

Seide recherche les pièces qui sont une image du monde qui corresponde à la sienne, celles qui posent les questions qu'il se pose : « Si j'avais eu du talent, j'aurais écrit « Faust ». Cette pièce exprime une chose qui est déjà en moi. Une des questions que pose l'œuvre de Marlowe est : l'enfer est ici. Ce fait me trouble dans ma vie quotidienne. Comment faire face à cet enfer, comment le changer pour vivre dedans ? Je ne prétends pas, à travers mon théâtre, apporter des réponses, mais je voudrais que le théâtre serve à nous aider à bien poser les questions. Ensuite, on va se diviser autour de cette question, dans le but de trouver quelle est la vraie question. »

Douze excellents comédiens, dont Claire Dominique, Marblum Jequier, Véronique Mermoud, Jacques Michel, Jacques Roman et Jean-Marc Bory, composent la distribution de ce « Faust ». Charly Marty signe un décor que Stuart Seide décrit : « On cherchait un lieu unique qui soit intérieur et extérieur, ici et ailleurs, ici et l'enfer. Je me suis inspiré de la cité, d'une référence à l'architecture du Nord. Il représente également une confrontation entre la nature et la cité, on doit sentir une friction entre deux forces. »

Danielle Darrieux : « Je suis une femme très simple ».

« Vous fumez ? » me demande-t-elle gentiment au-dessous de la pancarte d'interdiction de fumer placée dans sa loge du Schauspielhaus de Zurich. Un tantinet amusée et l'air faussement coupable, elle allume sa cigarette en disant : « Il faut faire attention ! Ils sont sévères, ici. La discipline est un peu allemande... » Elle ajoute aussitôt : « A part cela, le public du coin réagit formidablement bien. J'aime bien les spectateurs suisses, qu'ils soient de Zurich, de Lausanne ou d'ailleurs, parce qu'ils sont très chaleureux. » Du 25 au 28 novembre 1982, le public vaudois et plus particulièrement les abonnés des Galas Karsenty-Herbert, auront l'occasion de retrouver Danielle Darrieux dans « Potiche », de Barillet et Grédy. Une comédie dans laquelle elle a remplacé Jacqueline Maillan.

Avec près de quatre-vingt films, la carrière cinématographique de Danielle Darrieux est ponctuée de chefs-d'œuvre et son succès a depuis longtemps été confirmé sur les planches. Le moins que l'on puisse dire est que cette réussite n'est pas montée à la tête de cette talentueuse actrice à la grâce songeuse. « Je suis une femme très simple, dit-elle comme si elle s'excusait. J'aime ma vie au calme quand je ne travaille pas. Je suis mariée depuis trente-six ans, j'ai un fils de vingt-six ans, je me sens bien auprès de mes proches. J'apprécie le moment présent, je ne suis pas blasée ni mondaine. » Danielle Darrieux adore la campagne. Cette vie au calme dont elle parle se déroule en Bretagne, la région qu'elle habite. « Dans la nature, il y a beaucoup de choses à faire, précise-t-elle. Je vais à la pêche, je taille des arbres, je cueille des fruits, je plante mes légumes. Il m'arrive aussi de faire de la couture, de tricoter. Des trucs de femme tout à fait simples et normaux. »

La carrière de Danielle Darrieux a commencé comme un véritable conte, en 1931. « On avait besoin d'une petite fille pour faire un film (« Le bal », de Thiele), des amis de ma mère m'y ont envoyée. Avec mes quatorze ans, j'avais l'âge du rôle. » Tout simplement ! Et pourtant l'enfant prodige n'avait jamais suivi de cours d'art dramatique. « Des cours de violoncelle, un point c'est tout ! », confie-t-elle en riant. Lorsqu'elle travaille un rôle, Danielle Darrieux a la même attitude que dans la vie. Tout en restant consciencieuse, elle ne cherche pas à se compliquer la tâche : « Chacun a sa façon d'être pourvu que le résultat soit bon. Je suis beaucoup plus instinctive que certains acteurs qui ont besoin, au contraire, de penser énormément à leur personnage. » De sa collaboration avec les gens d'Hollywood, l'actrice française garde un bon souvenir : « Les Américains font un grand cinéma. Ils sont plus disciplinés que nous, ce sont de très grands professionnels. Je suis heureuse d'avoir eu la chance de travailler avec un grand metteur en scène comme Mankiewicz (« L'affaire Cicéron »). Et puis il y a eu aussi Ophuls (« La ronde », « Le plaisir », « Madame de ») dont j'ai apprécié le talent et avec qui je m'entendais remarquablement bien. »

Une sensualité évanescente a toujours accompagné Danielle Darrieux dans la plupart de ses films. Elle qui a tourné « L'amant de lady Chatterley », comment voit-elle le fait que l'on demande souvent aux actrices de se dénuder complètement ? « Je ne suis contre rien, mais je sais que si j'avais dû commencer ma carrière maintenant, au moment où l'on demande à tout le monde de se déshabiller, j'aurais arrêté le cinéma. Je suis très pudique. On est comédienne ou stripteaseuse, il faut choisir ! J'ai fait « L'amant de lady Chatterley » contre mon gré. Parce que Marc Allégret m'a proposé un tournage sans que je sois obligée de me dévêtir, j'ai accepté. On a finalemnet réalisé un film fort ennuyeux pour le public qui s'attendait à quelque chose de croustillant (rire). »

Danielle Darrieux chante et fort bien ! Elle l'a démontré à Broadway, en jouant Coco, dans « Les Demoiselles de Rochefort » et « Une chambre en ville », le dernier film de Jacques Demy. « C'est amusant et intéressant à faire, dit-elle modestement. En Amérique, c'est courant ! Même les comédiens qui n'ont pas beaucoup de voix font des comédies musicales. Il faut simplement aimer la musique. Ma mère était professeur de chant, j'ai appris avec elle. J'ai entendu chanter pendant toute mon enfance. »

Mais si elle aime retrouver le plus vite possible la Bretagne où elle vit, Danielle Darrieux apprécie les tournées :« J'adore le côté ambulant de notre métier. On change de public, de théâtre. Les spectateurs réagissent différemment selon les régions, c'est passionnant ! Cela renouvelle l'aspect répétitif et fastidieux du théâtre stationné à Paris. » L'amoureuse de la nature reprend le dessus, elle termine notre entretien en rêvant : « Et puis on peut découvrir toutes ces villes de Suisse où il y a des lacs. C'est si beau... ».

Si Wojciech Pszoniak estime que les chefs-d'œuvre sont constamment ouverts sur une grande interrogation, si Stuart Seide pense que le théâtre doit nous aider à bien poser les questions, Danielle Darrieux suvole ce concept. Cela ne signifie pas qu'elle le néglige. Pour elle, le théâtre se pratique instinctivement. En l'abordant de cette manière, elle aboutit certainement aux mêmes résultats que Pszoniak ou Seide. Cependant, elle y parvient naturellement, peut-être sans s'en rendre compte. Elle est une instinctive, Pszoniak et Seide sont des chercheurs. Danielle Darrieux représente le talent à l'état pur, le Polonais et l'Américain appartiennent à la génération des chercheurs doués.

Une conclusion à tout cela : l'instinct et le travail en profondeur se rejoignent pour donner au théâtre sa dimension d'art interrogatif en même temps que divertissant.

XXI

Bernard Haller : « *Au travers de l'approbation qu'ils ont de ce qu'ils font, les acteurs ont l'impression d'être.* »

Le théâtre, cela peut être aussi le fruit du travail d'un homme seul. Ils sont nombreux ces artistes qui cherchent volontairement ou non la solitude pour s'exprimer. Parmi eux : Bernard Haller.

J'ai eu la joie de croiser le chemin de Bernard Haller à plusieurs reprises dans des circonstances particulières.

La première fois que je l'ai rencontré, j'étais encore un gosse. Je rentrais de l'école, c'était en fin d'après-midi. Je passais devant un grand magasin genevois qui s'était élevé là, à la place de la maison de Jean-Jacques Rousseau. Dans l'une des vitrines de cette rue commerçante, j'ai aperçu un automate qui m'était familier. Cette bonne bouille hilare, c'était Haller ! J'ai été tout de suite fasciné par sa démonstration. A l'époque, il n'avait pas encore conquis la célébrité à Paris, mais il était déjà une petite vedette sur le plan suisse romand. Je l'ai donc immédiatement reconnu. Cependant, j'ai mis quelques secondes avant de me rendre compte qu'il était bien en chair et en os. L'illusion était parfaite ! La précision des gestes mécaniques était hallucinante. Les pommettes rouges, la peau du visage brillante, le regard arrondi et fixe, le rictus rigolard et figé, tout était réussi pour faciliter la méprise. A l'instar des témoins du joueur d'échecs de Maelzel, les touristes, qui ne connaissaient pas Haller, se demandaient s'il s'agissait d'une vraie mécanique ou si un être vivant se trouvait derrière ce prodige... Une équipe de techniciens était occupée à le filmer. Quand le tournage a été terminé, j'ai suivi tout ce petit monde qui se dirigeait vers des voitures en stationnement. Avec eux, Bernard Haller à peine démaquillé ! Prenant mon courage à deux mains, je me suis approché de l'artiste en lui présentant un cahier d'écolier, afin de lui demander un autographe. « Tu viens, Bernard ! », lui a lancé l'un des cameramen. « Un instant, j'arrive ! », a-t-il répondu. Sur le capot d'une Citroën, il a pris le temps de me dédicacer l'une des pages quadrillées.

Je possède toujours cette page jaunie par le temps...

Quelques années plus tard, Bernard Haller a acquis un statut de vedette internationale, c'est Paris qui l'a consacré. De mon côté, je suis devenu comédien, c'est Philippe Mentha qui m'a donné ma chance.

Alors que j'achevais de peaufiner le rôle principal dans « Théodore cherche des allumettes », une petite pièce amusante de Georges Courteline, William Jacques, le metteur en scène, me réservait une surprise. A la veille de la générale, qui devait avoir lieu au Théâtre de Carouge, il m'a confié : « Demain soir, tu tâcheras d'être à la hauteur ! Il n'y aura qu'un spectateur mais il sera illustre... Il s'agit de Bernard Haller ! » Inutile de préciser que mes jambes se sont mises à flageoler. Une salle bondée m'impressionnait moins que la seule présence de Bernard Haller.

La générale s'est bien déroulée. J'ai eu le privilège de jouer seulement pour Bernard Haller. Dans le noir de la salle, je percevais de temps à autre son rire caractéristique. A l'issue de cette ultime répétition, il est venu auprès de William Jacques pour lui demander : « Qui est ce jeune comédien ? » Jacques nous a présenté — il ne se souvenait évidemment plus du petit chasseur d'autographe — puis Bernard Haller m'a donné quelques tuyaux pour mieux jouer ce potache éméché qui rentre tardivement en craignant les foudres de son père. « Même si vous êtes sensé être saoul, m'a-t-il dit, riez moins ! Vous verrez, ce sera plus efficace ! » En effet, j'ai vu, son conseil a été le bon ! Homme de talent et d'expérience, il avait tout de suite compris que de trop pouffer faisait perdre le rythme. Or, par un rythme soutenu, le comique des situations ressortait mieux.

Quelques années plus tard, Bernard Haller a atteint le sommet de son art. De mon côté, je suis devenu directeur d'un théâtre : l'Octogone de Pully. J'ai eu l'occasion de l'inviter à plusieurs reprises. C'est à Pully qu'il a enregistré son record d'entrées en une soirée : deux mille neuf cents spectateurs et... nous avons refusé du monde, faute de places.

Nos deux premières rencontres se sont soldées par deux événements pour moi ; la troisième a sans doute été l'un des plus grands moments de sa carrière.

Un soir, dans la cafétéria de l'Octogone, nous avons parlé de sa trajectoire, du théâtre, de la vie, du travail artistique. Bref, de tout ce qui compose la substance de ce livre. Je souhaitais terminer cet ouvrage par cette conversation à bâtons rompus, par ce témoignage d'un grand maître de la scène. Mieux que quiconque, Bernard Haller illustre l'art du jeu au théâtre. Avec lui, « je » est souvent plusieurs autres...

— Comment tout a-t-il démarré ?

« J'ai commencé en 1939 avec le Petit Théâtre Couleur du Temps. C'était une troupe d'enfants dirigée par ma marraine Suzy Deraisne. Elle était professeur de diction, elle dégrossissait un peu les petits Genevois. Il y avait dans son cours un garçon qui s'appelait Yves Sandrier, il deviendra plus tard auteur de chansons. Par la suite, j'ai travaillé dans la célèbre émission « Oncle Henri ». C'est là que j'ai connu William Jacques qui signait les mises en ondes à Radio-Genève. Dans « Oncle Henri » je faisais les crapauds baveurs, les grenouilles bégayeuses et autres corbeaux enroués. Ensuite, Jacques m'a fait jouer à l'ancien Théâtre de Poche de Genève. Il l'avait créé avec François Simon. Jacques y montait des tas de trucs. C'est la raison pour laquelle beaucoup de comédiens ont défilé dans ce théâtre. Parmi eux : Philippe Mentha, Maurice Aufair, Yvonne Desmoulins, Michel Viala, Gérard Carrat et bien d'autres... J'y ai joué plusieurs pièces dont « La belle rombière ».

— Ce que vous racontez date du début des années 50. Est-ce qu'il y avait au Théâtre de Poche la même ambiance qu'au Théâtre de Carouge plus tard ? C'est-à-dire une ambiance très personnalisée ?

« Oui, je crois ! Cela provenait de plusieurs raisons. D'abord Jacques tenait ce théâtre bien en main, nous étions tous très motivés et passionnés. En outre, nous étions considérés comme étant un peu marginaux. En effet, il y avait la Comédie de Genève, le Grand Théâtre et c'était tout ! Notre arrivée a alors donné quelque chose d'autre, une impulsion différente. Cela a contribué à personnaliser l'ambiance du lieu. »

— Ensuite, il y a eu la création du « Moulin à poivre » ?

« C'est cela ! Dans les années 53, sauf erreur, Catherine Charbon était revenue de Belgique où elle avait vu une chanteuse qu'elle trouvait étonnante. Comme il n'y avait pas de cabaret style rive gauche à Genève, aucun vrai café-théâtre où les gens viennent pour voir un spectacle, mais seulement des boîtes de nuit avec quelques attractions, Cat Charbon a décidé de faire venir cette chanteuse. Nous avons alors cherché un local que nous avons déniché dans la vieille ville. Il s'agissait de la petite salle du café des Armures. Elle existe d'ailleurs toujours ! A l'époque, cet établissement était tenu par une vieille dame suisse allemande qui nous a prêté cette salle. Quand tout a été mis sur les rails, la chanteuse nous a envoyé un télégramme pour nous avertir qu'elle ne venait pas... Nous étions très embêtés, nous avons donc décidé de monter un spectacle de bric et de broc. Il y avait Louis Gaulis, Philippe Mentha, si je ne me trompe pas ; il y avait aussi Jacques Guyonnet, qui fait maintenant de la musique très sérieuse et extrêmement avancée, Jean-Pierre Rambal, Erika Denzler, Michel Soutter, Cat Charbon, Pierre Reymond, le caricaturiste, et moi. Le lendemain de notre prestation, la directrice du café des Armures nous a téléphoné pour nous prévenir que des gens attendaient une deuxième représentation. Nous avons pris la décision de continuer, l'expérience a duré six ans... Six ans grâce à cette chanteuse qui nous a mis le pied à l'étrier en se décommandant. La chanteuse en question, c'était Barbara !

— La Barbara de...

« Oui, la Barbara que nous connaissons ! Elle chantait déjà à l'époque. Quand j'ai passé ma première audition à Paris, il y a eu une autre coïncidence. Je me suis présenté à l'« Ecluse » où Barbara se produisait en vedette depuis six ans ! C'était en 1958. »

— Il paraît que le « Moulin à poivre » a été un grand moment de la vie artistique genevoise ?

« Oui, on le dit ! Les gens qui l'ont connu s'en souviennent avec beaucoup d'émotion. Hormis quelques photos, nous ne possédons malheureusement plus de témoignage de cette époque. Je crois que quelqu'un a fait un enregistrement ; je souhaiterais retrouver cette personne. Cela me ferait plaisir d'entendre à nouveau ce spectacle que nous menions tambour battant. Et puis nous nous prenions très au sérieux... (rire), nous avions un administrateur... C'était Georges Kleinmann, le journaliste de la télévision suisse romande. Du beau linge, vous voyez ! Nous avons pu compter aussi sur la collaboration de Gilbert Divorne, Jean-Claude Lapierre et bien d'autres encore. Pendant une saison, Philippe Mentha, Louis Gaulis et François Simon ont marqué de leur empreinte le « Moulin à poivre ». Après, ils sont partis fonder le Théâtre de Carouge. Ils avaient des ambitions plus élevées que les nôtres ; notre forme d'expression était principalement basée sur le divertissement, ils désiraient créer un théâtre qui leur permette d'aller plus loin. »

— Je constate que dans le cheminement du théâtre suisse romand, on retrouve presque toujours les mêmes piliers. On se rend compte que ce sont, à peu de chose près, les mêmes personnalités qui ont fait tout le théâtre qui existe actuellement en Suisse romande !

« C'est effectivement cela qui est étonnant ! De plus, chacun a fait carrière dans sa partie. Que ce soit dans un domaine ou un autre, chacun s'est bien démerdé. Cela a d'ailleurs été une très belle aventure pour tous ! Pour ma part, je suis parti à Paris pour essayer de faciliter mon éclatement. Il ne faut pas oublier que, bien que l'on soit très bien dans notre pays, l'accès au succès n'y est pas facile pour les artistes. Il n'y a qu'un million et demi de personnes qui parlent français. Au Canada, c'est pareil ! Chez eux, je crois qu'il n'y a que quatre millions de francophones et basta ! Les possibilités sont donc limitées. C'est pour cela que les Canadiens viennent souvent se produire ici. »

— Pour essayer de percer à l'échelon international, vous êtes allé à Paris. Ce sont donc ces douze mois de succès sans discontinuation au Théâtre de la Michodière qui ont constitué le principal tournant de votre carrière ?

« Oui, mais j'ai vécu treize ans à Paris dans l'anonymat. Je me suis embarqué là-bas sans connaître personne. Grâce à William Jacques, j'ai eu un mot d'introduction au Port du Salut et à l'Ecluse. Gilles a été mon premier employeur officiel en dehors du « Moulin à poivre » où nous avions une étiquette de joyeux drilles et d'amateurs éclairés. Ce premier engagement chez Gilles à l'Hôtel Victoria a constitué ma grande fierté. Il s'agissait d'un cabaret où l'on venait voir Gilles et Urfer, une chanteuse à caractère qui a beaucoup travaillé sur la butte Montmartre, et moi-même. A partir de là, j'ai commencé à réfléchir en me demandant si j'allais mener une vie double pendant longtemps ? En effet, je travaillais le jour pour gagner ma vie et je faisais du cabaret deux ou trois soirs par semaine. J'ai alors décidé de passer des auditions à Paris. J'avais une tête nouvelle, j'arrivais avec du matériel, cela m'a permis d'être engagé. J'ai débarqué à une époque difficile, car c'était la fin du cabaret rive gauche classique. J'ai donc tout fait pour essayer de vivre. J'ai été assez vite connu par les enfants grâce à Jean Nohain qui m'a pris dans son équipe. J'y suis resté durant trois ans. Parallèlement, j'ai fait un peu de cabaret, mais je ne parvenais pas à m'introduire dans les milieux du théâtre et du cinéma. J'ai travaillé aussi pendant trois ans à la place de la Contrescarpe, qui était un bouillon de culture étonnant. On y rencontrait des artistes comme Romain Bouteille, Rufus, Anne Sylvestre, Roland Dubillard qui avait remonté son célèbre

numéro avec Amédée. Nous avions des clients réguliers et illustres. Rossellini, par exemple, adorait cette place, il venait souvent nous voir. J'ai assuré également la première partie d'un spectacle donné à Johannesburg par Marlène Dietrich. »
— Cela a dû être quelque chose !
« Absolument fantastique ! J'ai fait cela durant plus d'un mois, j'en garde un souvenir fabuleux ! Après, j'ai travaillé pendant quatre ans dans les universités américaines. Avec toutes ces activités hors de France, on a fini par ne plus me connaître à Paris. Une nouvelle génération de gars était en train de venir, les cabarets mouraient, c'était le début du café-théâtre, j'étais dans une impasse. Un jour, Richard Vachoux m'a demandé de faire quelques soirées au Théâtre de Poche de Genève durant la période de Noël. Cela tombait bien, car j'avais des textes de côté. J'avais monté plusieurs spectacles avec un gars qui s'appelait Jacques Marchais, un chanteur rive gauche. Nous nous produisions au Théâtre-Club de Migros tous les deux ans environ. Au même endroit, j'avais réalisé un autre spectacle avec Michel Modo, l'un des protagonistes du duo Grosso et Modo. Quand Vachoux m'a proposé de jouer dans son Théâtre de Poche, ma femme m'a alors sagement conseillé. Elle m'a dit : « Je ne comprends pas très bien ta démarche ? Tu te plains toujours de ci, de ça... Pourquoi n'essayerais-tu pas de te lancer une fois en montant un spectacle seul ? » C'est ainsi que j'ai créé « Et alors. »
— Et tout est parti de là !
« C'est cela ! Après, j'ai été engagé par Maurice Alezra à la Vieille Grille, à Paris. »
— Le lieu où Zouc et Rufus ont été révélés juste avant vous ?
« Oui ! A propos de Zouc, Laurence Montandon, la femme de François Rochaix, m'a dit un jour, à Paris : « Je connais une fille qui fait quelque chose d'étonnant, mais je ne sais pas où lui suggérer d'aller ? » Zouc est ensuite venue passer une soirée à la maison. Nous étions quelques amis, elle était un peu contractée. Toutefois, à quatre heures du matin, elle a fait son spectacle. J'ai été complètement sidéré. Je l'ai immédiatement présentée à Alezra que je connaissais depuis longtemps, il l'a tout de suite engagée. »
— Après, cela a été votre tour ?
« En effet, je me suis dit : « Mais pourquoi pas moi ? » C'est ce que pensent tous les nouveaux : « Il y a bien eu Haller, Machin, pourquoi pas moi ? » J'ai donc été pris par Alezra ; les débuts n'ont pas été faciles. C'est la chanteuse Béatrice Arnac, une amie, qui m'a sauvé en avertissant Guy Dumur, le rédacteur

du « Nouvel Observateur ». A l'époque, il pouvait encore se déplacer dans les cafés-théâtres, parce qu'il n'y en avait pas trop. Il a donc écrit quelques lignes dans le « Nouvel Obs ». Dans les années 70, le café-théâtre garantissait une qualité certaine. Il y avait peu de spectacles de ce genre, ils étaient vraiment marginaux, mais on sentait que la plupart pouvaient éclater ailleurs. Maintenant, il y a à boire et à manger, ce n'est pas toujours très bon ; il y a des problèmes dans ce domaine. J'ai donc eu la chance que Guy Dumur vienne, car son papier a joué un rôle énorme pour la suite. A partir de là, je bourrais la Vieille Grille, les gens faisaient la queue dans toute la rue. Par hasard, j'ai connu Philippe Laudenbach, le neveu de Pierre Fresnay, qui m'a présenté à son oncle. Fresnay m'a alors engagé au Théâtre de la Michodière en me disant : « J'ai signé un papier stipulant que j'abandonnais le théâtre. Bien que je n'aie aucun espoir, je vous prends quand même. C'est ma dernière cartouche ! » Je n'avais aucun espoir non plus, si ce n'est d'espérer être vu par un metteur en scène disposé à m'utiliser dans une pièce ou autre chose. Nous avions signé un contrat de trois semaines, cela a duré treize mois... »

— Cela démontre que la réussite tient vraiment à peu de chose...

« A très peu de chose ! C'est après coup que l'on se rend compte que l'on a saisi une chance. Quand on l'a ratée, on ne peut pas s'en apercevoir, puisque de toute manière l'on ne sait pas ce qui aurait pu se produire. Avec le recul, je me suis rendu compte du bol que j'ai eu de rencontrer Philippe, que Fresnay soit dans cette situation, etc. Et puis mon spectacle a bénéficié du fait d'être une révélation sur Paris. En effet, sauf erreur, j'étais le premier à utiliser un théâtre de type rive droite, c'est-à-dire un théâtre de répertoire et de boulevard amélioré. En outre, c'était en septembre, il s'agissait de la première générale de la saison. Les critiques pouvaient être très méchants parce que plein d'ardeur, ils pouvaient être aussi plus facilement surpris parce que reposés. Cela a été une générale ébouriffante ; j'ai même vu Jean-Jacques Gautier debout, il hurlait sa satisfaction, chose rare ! J'ai constitué une surprise pour les gens, car je n'avais plus vingt ans ! On se disait : « Mais d'où vient ce mec ? Qu'a-t-il fait avant ? » Même si j'avais appartenu à l'équipe de Jean Nohain ou à la compagnie de Jacques Fabbri, j'étais un comédien parmi des centaines d'autres. J'étais un inconnu qui n'avait jamais marqué. Et là, d'un seul coup, cela a éclaté. Des années plus tard, Pierre Marcabru m'a dit : « Chaque saison, il y a une vierge que l'on déflore. Cette année-là, ce fut vous ! » Le type de trente-huit ans, déjà chauve, que j'étais, a subitement stupéfié les critiques. L'effet de surprise, la première générale, toutes les conditions étaient réunies pour me permettre de décoller enfin. »

— Estimez-vous que votre trajectoire a été idéale ?

« Oui et non ! J'ai dû attendre trop longtemps. Cependant, il est toujours dangereux de réussir trop vite car il y a des tas de pièges que l'on n'évitera pas. On tombera dedans parce que l'on ne sait pas qu'il existe des dangers gigantesques à gauche et à droite. On est d'autant plus vulnérable à vingt-cinq ans que l'on a tendance à avoir la tête et les chevilles qui enflent plus facilement. C'est tellement fabuleux une réussite ! Quand on a suivi un chemin inverse, on connaît la difficulté de ce métier, les échecs innombrables et quotidiens que l'on peut subir. On est mieux armé face aux aléas. Mais treize ans d'attente, c'est long ! »

— Si c'était à refaire, emprunteriez-vous le même chemin ?

« Je ne sais pas ? Je n'étais peut-être pas prêt ? Mentalement, intellectuellement, j'étais sans doute encore immature. Je n'arrive pas à analyser ce qui s'est passé. L'époque était difficile, les gens n'étaient peut-être pas prêts à me recevoir ?

— Ne pensez-vous pas que ces treize années de traversée de désert vous ont apporté un bagage précieux ?

« C'est évident ! Cela m'a permis de vivre des expériences enrichissantes et d'accumuler du matériel. Après quatre spectacles, le public et les critiques me laissent entendre que je ne me suis pas essoufflé. On dit que mon quatrième spectacle frappe les gens comme le premier, parce que la démarche est nouvelle. Bien sûr, je suis toujours moi-même. Je ne peux pas devenir Michel Bouquet ou un autre. Par mon physique et ma voix, je serai toujours pris dans une ornière. Toutefois, le propos fait que cela a été un étonnement au niveau de l'expression dramatique, parce que cela changeait par rapport à tout ce que j'avais fait précédemment. Ce changement n'apparaît pas dans les spectacles d'artistes comme Raymond Devos. Cela ne signifie pas pour autant qu'ils se répètent, mais cela démontre qu'ils sont assez monolithiques dans leur démarche. A un moment donné, la trajectoire de Raymond Devos est montée au maximum, puis elle a plafonné pour descendre peut-être un peu. Là, les gens se sont dit : « C'est fantastique, mais cela reste la même chose qu'avant ! » Ensuite, la trajectoire de Raymond est remontée en flèche parce qu'il est devenu un monument. Il est vedette depuis 1959 ! Un soir, il est passé à l'Alhambra avec, en vedette américaine, Johnny Halliday. Ce dernier s'est fait siffler. Si Devos n'était pas intervenu pour dire : « Il faut le garder au spectacle ! », Halliday se faisait virer (sourire malicieux). Cela fait donc vingt-cinq ans que Raymond tient le haut du pavé. Nos trajectoires sont différentes, nos démarches aussi. C'est la raison pour laquelle je dois constamment surprendre le public ! »

— Où trouvez-vous les ressources de cette évolution qui vous permet de surprendre sans cesse les spectateurs ?

« C'est difficile à expliquer, car il s'agit d'une évolution interne et non voulue. Je pense que l'expérience de la vie contribue à la favoriser. Ce que je donne est presque totalement autobiographique, mais complètement déphasé. C'est-à-dire que je prends la matière au niveau de mon quotidien, de ce que je vis et ressens. Puis cela me donne brusquement l'idée de partir sur un sujet ou un thème et d'essayer d'en faire quelque chose. »

— Comment expliquez-vous l'accueil triomphal mais différent des précédents que vous a réservé le public ? Il semble que vous l'avez plus profondément touché ?

« C'est peut-être parce que les gens ont été atteints dans le bon sens ! Si, dans une pièce de théâtre, on vous parle de mineurs qui sont ensevelis dans une galerie et qui meurent asphyxiés, on les plaint. Cependant, on se dit : « Cela ne risque pas de m'arriver, parce qu'il y a peu de chance que je devienne mineur ! » Là, mon spectacle est conçu de telle manière que les gens se sentent, à un moment ou à un autre, impliqués puisque je leur parle d'eux. Le fil conducteur est ma vie qui me quitte. Ils me regardent, puis se disent tout à coup : « Il fait le con sur scène, mais quelque part c'est moi aussi ! » Je crois que c'est ça qui frappe les gens. J'ai toujours été leur miroir déformant, mais cette fois, ils se voient intégralement. »

— Pourquoi, d'après-vous, les humoristes sont-ils les meilleurs observateurs de la vie ?

« Les humoristes ont toujours été des moralistes. Ils ont toujours été les critiques d'une société, d'une époque, d'un mode de vie, de leurs contemporains, donc d'eux-mêmes. Je pense que le monde commence par soi-même, puis on agrandit le faisceau, on élargit l'éventail. Si je faisais une conférence devant une carafe d'eau en disant : « Mesdames, Messieurs, ma vie me quitte comme la vôtre ! », je suis persuadé que les gens se lèveraient et foutraient le camp. Il faut donc que je fasse passer le « message » ou ce qui me fait plaisir de dire au travers d'un divertissement. La fin de mon spectacle est une rencontre avec la mort. Je parviens à l'éloigner de moi par une petite astuce. Dans la première version que j'avais écrite, la fin était très belle mais elle nous faisait basculer dans un domaine beaucoup plus difficile. Je parlais à la mort, elle m'emportait, je disais adieu aux gens. Je donnais ma montre à un spectateur, je demandais à un autre de prévenir mon ami Gilbert de mon départ, j'offrais mes chaussures en disant : « Quelqu'un chausse-t-il du trente-neuf ? J'ai des pompes toutes neuves, ce serait con de les jeter ! » Je finissais par distribuer tous mes vêtements à la salle et je sortais nu... La mort m'emmenait nu, les gens devaient partir au noir. J'ai hésité longtemps à le faire, car ce n'est pas facile. Tandis que dans la version actuelle, je m'en tire par une pirouette. On n'est ainsi pas dupe et cela reste une respiration parce que les gens sortent en gardant l'impression d'un spectacle optimiste. »

— Avez-vous un nouveau spectacle en gestation ?

« J'ai une idée d'une forme de spectacle, mais je préfère ne pas en parler parce que je vais encore mettre trois ans à le monter. La forme amusante que j'envisage pourrait me permettre de présenter des textes difficiles. Par une succession de pirouettes, j'entrevois la possibilité de dire des choses que les gens n'accepteraient pas autrement. Ainsi, j'ai l'excuse suivante : « Oui, c'est vrai, je vous l'ai fait, là ! Mais rassurez-vous, je ne vous le ferai pas vraiment, c'est une chose impossible ! (rire). »

— Comment naît un sketch ou un texte ?

« La naissance d'un texte est tout à fait simple et bête. Je vous donne l'exemple du sketch du pianiste qui joue en pensant à des tas de choses. Je me suis trouvé dans une soirée où je m'embêtais à cent sous l'heure. A un moment donné, on a passé le disque dont j'allais me servir pour le sketch. Je me suis dit : « Mon Dieu ! Si le type s'emmerde autant que moi à jouer ça... Si je faisais les pensées d'un pianiste qui a joué le même morceau six cents fois ? » C'est parti tout seul ! Souvent il n'y a pas besoin de réfléchir longtemps, ça vient spontanément. Un jour, j'étais dans une chambre d'hôtel, j'ai imaginé tout à coup la porte qui s'ouvrait en me laissant découvrir une femme encore assez séduisante. Cette dernière me disait : « Je m'en vais ! » Je lui répondais : « Mais qui êtes-vous ? » « Votre vie, me confiait-elle ! » C'était le départ d'un nouveau spectacle. L'idée est simple à trouver. Ce qui est difficile à bâtir dans un spectacle, c'est le début, le milieu et la fin. J'ai la chance d'avoir un complice capital en la personne de Jean-Claude Carrière. Chaque fois que cela ne va pas, je vais voir Jean-Claude pour travailler avec lui. Après, je refais tout pour moi, car c'est tout de même moi qui dit les textes en définitive. Jean-Claude est un grand écrivain, je ne suis qu'un comédien qui s'interprète. C'est pourquoi j'ai parfois des faiblesses magistrales au niveau de la forme. Il y a des textes que je n'aurais jamais pu écrire sans son aide. Et puis Jean-Claude n'a pas l'esprit de possession du type qui a écrit quelque chose. Au contraire, il me rassure en me laissant aller et en me donnant la liberté d'arranger en fonction de moi et de ma manière de m'exprimer sur scène. Cela évite un côté trop littéraire au texte. Je ne veux pas sombrer dans un spectacle trop verbal. Ma grande préoccupation est de garder une diversité maximum au niveau de l'expression du comédien. Je tiens à utiliser autant la pantalonnade que les textes très élaborés, l'improvisation simulée aussi bien que la gestuelle, le muet aussi bien que le parlé, etc. C'est pourquoi je travaille beaucoup avec la musique et les lumières. J'essaye de faire feu de tout bois pour que les gens aient eu l'impression agréable d'en avoir pris plein la gueule. »

— Vous utilisez aussi beaucoup la technique. Dans votre quatrième spectacle il y a un jeu d'éclairage étonnant !

« Sur scène, je n'ai qu'un siège qui disparaît au cours du spectacle. A part cela et un minimum d'accessoires, je n'ai rien d'autre. Dans ce cas, les lumières et le son créent une ambiance et permettent aux gens d'imaginer. Je pense que c'est nécessaire. Cela ne signifie pas que je ne réduirai pas un jour cet apport technique. »

— En lisant « Dits et inédits » (éditions Stock), qui est un recueil de vos principaux textes, j'ai été convaincu qu'il n'y avait que vous qui pouvait dire ces propos sur une scène !

« Certains oui ! C'est comme lorsque je lis un texte de Raymond Devos, il me semble l'entendre. Je me marre en songeant à ses halètements, à ses soupirs, à ses essoufflements, à sa voix montante qui s'étrangle, à tout ce qui le caractérise. Certains textes seraient difficiles à dire par un autre, parce qu'ils ont été construits pour une personnalité déterminée. »

— Dans l'un de vos spectacles, vous interprétez un sketch qui s'intitule « Marchand d'amis ». Vous entrez dans de multiples personnages en quelques minutes. Comment faites-vous ?

« C'est une question de vieille habitude. Dans mon quatrième spectacle, je dialogue entre ma vie et moi. J'essaie de lui montrer tout ce que nous avons fait ensemble. Ma vie est très détendue, je suis complètement affolé. De passer d'un personnage assez hautain — cette vie qui me toise — au mien qui essaie de rattraper le nid comme un oisillon paumé, est difficile. Cela demande beaucoup de concentration. Parfois, d'autres personnages sont plus faciles à composer. C'est un travail passionnant à faire, d'autant plus que j'adore changer de personnalité. »

— Vous mettez-vous en scène tout seul ?

« Oui ! Par contre ,c'est mon régisseur qui a entièrement créé les lumières de mon spectacle. Je le lui ai joué à froid, puis il m'a fait des propositions et nous avons discuté. C'est très empirique. Je travaille assez face au public parce que je suis seul, mais je bouge beaucoup. J'aime bien me déplacer. »

— Est-ce plus difficile de jouer tout seul ou avec dix partenaires ?

« Le fait d'être solitaire a d'immenses avantages. Je suis le seul maître à bord de mon navire, j'emporte les gens sur mon bateau. Je les embarque au port, je les emmène en croisière. C'est moi qui imprime le rythme, je les ramène au port quand je veux. En même temps, c'est très dangereux ! Il n'y a pas de filet... Quand on est plusieurs, les responsabilités sont partagées. Lorsque j'ai monsieur Shakespeare pour le texte et monsieur Brook comme metteur en scène, ma coque est déjà très solide. Si, en plus, j'ai cinq ou six camarades qui sont de grands comédiens, la traversée s'avère encore plus tranquille. C'est un travail d'équipe, c'est différent. En jouant seul, je tiens compte de l'autre acteur qui est le public. Ce qu'il y a d'intéressant dans ce cas-là, c'est que le spectacle change tous les soir. Il n'est jamais le même, parce que mon compagnon de voyage est représenté par environ six cents personnes. Ce sont elles qui vont me donner leur rythme, je leur donnerai le mien. On n'est jamais seul en réalité ; ce genre de spectacle est basé sur un échange. Parfois, je suis mauvais acteur ; il arrive également qu'ils le soient aussi. »

— Dans vos spectacles, il est souvent question de l'être humain. Comment voyez-vous son avenir ?

« Je ne suis pas très rassuré. Mais il m'intéresse, car si je n'aimais pas les gens, je ne ferais pas de spectacle. On ne peut pas jouer si l'on n'a pas envie d'aimer les gens et qu'ils vous aiment. Le problème de l'artiste est de dire : « Regardez-moi, j'existe ! » Il arrive que les acteurs aient un problème d'identité. Il y a une part d'exhibitionnisme, mais surtout au travers de l'approbation qu'ils ont de ce qu'ils font, ils ont l'impression d'être. »

— Vous qui aimez le théâtre, quels sont les spectacle qui vous ont emballé ? Quels sont les genres que vous appréciez en général ?

« J'ai malheureusement raté « L'oiseau vert », je le regrette car je suis passionné par ce genre d'expression. J'adore tous les spectacles de Brook, je suis un inconditionnel de ce metteur en scène. Que ce soit « Carmen » ou des pièces, il y a un tel dépouillement, une telle richesse dans ses réalisations, que l'on ne peut être qu'admiratif. J'ai beaucoup apprécié « Les peines de cœur d'une chatte anglaise » ou « Le bal » du Campagnol. L'autre jour, j'ai vu la millième de « Joyeuses Pâques », une pièce écrite par Jean Poiret. Je me suis beaucoup amusé. Je vais peut-être enfoncer des portes ouvertes en disant qu'il n'y a pas de théâtre de boulevard ou d'avant-garde. Il y a surtout du bon et du mauvais théâtre. La comédie de Poiret, qui est une pièce dite de boulevard, est remarquablement écrite. Il nous montre toutes les hésitations et contradictions d'un bonhomme par rapport à sa vie privée, c'est fantastiquement bien décrit. Je ne suis donc pas sectaire. Si une pièce de boulevard est bien écrite et m'emballe, je suis ravi de l'avoir vue. Si je sens des courbatures à mes fesses pendant un spectacle, cela signifie que je décroche. Mon critère d'appréciation se situe donc à ce point de mon anatomie. »

— Quels sont les rôles que vous souhaiteriez jouer ? Vous avez failli interpréter le « Bourgeois gentilhomme » ?

« Oui, avec la troupe de Jérôme Savary. Cela n'a pas eu lieu parce que le ministre de la culture de l'époque a interdit le spectacle. Il a eu peur que cela soit subversif, il y a eu des salades abominables. Mais j'ai envie de refaire du théâtre. Je souhaiterais jouer Sganarelle dans « Don Juan ». Je voudrais aussi jouer deux auteurs que j'aime bien : Pinter et Osborne. »

— Pensez-vous que le chemin de la réussite passe inévitablement par Paris ?

« J'en ai l'impression. Même des grands comme Planchon et Maréchal finissent par amener leurs productions à Paris (rire). En effet, pour nos régions francophones, le gros pôle a toujours été Paris. En Allemagne, par exemple, il est dispersé. Ici, tant que vous n'avez pas le satisfecit de Paris, on ne vous redemande pas en province. Dans votre coin, à Vézon-la-Crèvoule, où vous avez fait un truc qui a ébahi les cinq mille habitants, c'est formidable ! Mais si vous voulez aller à côté, à Jussieux-les-Gazettes, vous vous plantez. Toutefois, si vous êtes monté à Paris et que cela a marché, Jussieux-les-Gazettes vous demande. Les critiques parisiens commencent à se déplacer et font de la décentralisation. Néanmoins, le problème reste présent. »

— Songez-vous au cinéma ?

« Oui, mais je n'ai pas encore trouvé mon créneau. Je désarçonne un peu les réalisateurs. En 1982, j'ai tout de même tourné cinq films, dont quatre téléfilms, cela commence à venir. Le chemin est aussi un peu long. C'est long de monter une affaire au cinéma. Il faut que je prenne le temps de me coltiner à ce problème. Cela d'autant plus que j'aime bien le cinéma, parce que cela vient de l'intérieur. Pour crever l'écran, il faut irradier. Il s'agit d'un autre métier que le théâtre où l'on doit projeter. »

CHEZ FAVRE EDITEUR, QUELQUES TITRES EXTR AITS DU CATALOGUE :

COLLECTION « EN QUESTION »
— AU CŒUR DU RACISME,
  de J.-P. Friedman (à paraître)
— LES TRAFIQUANTS DE BEBES A NAITRE,
  de C. Jacquinot et J. Delaye (160 pages)
— L'ESPRIT DES MŒURS, O. Debray (190 pages)
— L'EFFET DES CHANGEMENTS TECHNOLOGIQUES
  de René Berger (236 pages)
— DEMAIN LA DECROISSANCE
  de Nicholas Georgescu-Rœgen (160 pages)
— LA SEXUALITE INFANTILE
  du prof. P. Debray-Ritzen (134 pages)
— ON PEUT QUITTER LA DROGUE
  de Pierre Rey (132 pages)
— L'ENJEU NUCLEAIRE de Jean Rossel (126 p.)
— L'AUBE SOLAIRE, de J.-C. Courvoisier (144 p.)
— LA RELEVE ENERGETIQUE,
  de J.-C. Rochat et Jean Rossel (204 pages)
— L'ARGENT SECRET ET LES BANQUES SUISSES,
  de Jean-Marie Laya (128 pages)
— VOTRE CHIEN EST INTELLIGENT,
  de Frédérique Langenheim (128 pages)
— CHERE MEDECINE, du Dr P. Rentchnik
  et G. Kocher (200 pages)
— LE CONSOMMATEUR AVERTI,
  de Jacques Neirynck (176 pages)

COLLECTION « TOUS LES CHEMINS
DE LA MEDECINE »
— VIVRE SANS ASTHME, des Dr S. Wasmer
  et M. Reinhard (à paraître)
— DICTIONNAIRE PRATIQUE DU CANCER,
  du Dr Ph. Lagarde (488 pages)
— CE QU'ON VOUS CACHE SUR LE CANCER,
  du Dr Philippe Lagarde (364 pages)
— CHERI... TU RONFLES, du Dr J.-M. Pieyre
— VOS VETEMENTS ET VOTRE SANTE,
  du Dr G. Schlogel (216 pages)
— LE TEMPS D'AIMER OU POURQUOI 52 % DES
  HOMMES SONT-ILS DES EJACULATEURS PRE-
  COCES, du Dr P. Solignac (144 pages)
— TOUT SAVOIR SUR LES MALADIES SEXUEL-
  LEMENT TRANSMISSIBLES, du Dr H. Saada
  (à paraître)
— GUERIR OU SOULAGER L'ASTHMATIQUE, du
  Dr M. Reinhardt et S. Wasmer (à paraître)
— ACUPUNCTURE ET ALIMENTATION,
  du Dr Guido Fish (120 pages)
— APPRENEZ L'ACCOUCHEMENT ACCROUPI,
  du Dr Moyses Paciornik (176 pages)
— LA CHIROPRACTIE, CLEF DE VOTRE SANTE,
  du Dr P. Huggler (84 pages)
— COMMENT SE SENTIR BIEN DANS SA PEAU,
  du Dr J.-J. Jaton (96 pages)
— MAITRISEZ VOTRE SANTE, du Dr Charles
  Terreaux (216 pages)
— LA DOULEUR EST INUTILE,
  du Dr Pierre Soum (232 pages)
— L'INFLUENCE DES ASTRES SUR VOTRE SANTE,
  du Dr C. Michelot (216 pages)
— MON APPROCHE DU CANCER,
  du Dr S. Neukomm (240 pages)

COLLECTION « VOIES ET CHEMINS »
— LE DALI D'AMANDA, d'Amanda Lear (à par.)
— 250 MILLIONS DE SCOUTS, de L. Nagy (277 p.)
— LA VRAIE BRIGITTE BARDOT,
  de H. Stadelhofen (284 pages)
— EXORCISME, UN PRETRE PARLE,
  de l'abbé Schindelholz (164 pages)
— SORAYA, de H. de Stadelhofen (304 pages)
— LA BANDE A JESUS, de Marcel Haedrich
  (216 pages)
— LA MARCHE AUX ENFANTS,
  d'Edmond Kaiser (616 pages)
— LA MEMOIRE DU CHENE,
  du Dr Oscar Forel (204 pages)

— CES BETES QU'ON TORTURE INUTILEMENT,
  de Hans Ruesch (376 pages)
— LES SECRETS D'UN GUERISSEUR,
  de A. Besson (240 pages)
— MAURICE ZERMATTEN, de Micha Grin (220 p.)
— LES ROUTIERS DU CIEL, de J.-C. Rudaz (144 p.)
— PETITE SŒUR JUIVE DE L'IMMACULEE,
  de Mère Myriam (à paraître)

COLLECTION « DOCUMENTUM » ET « PPR »
— JACQUES BERGIER, LE DERNIER DES
  MAGICIENS, de Jean Dumur (96 pages)
— LE CRIME NAZI DE PAYERNE,
  de Jacques Pilet (200 pages)
— MAMAN-REVOLUTION, d'Alex Décotte (152 p.)
— DE L'ESPRIT DE CONQUETE,
  de Benjamin Constant (96 pages)
— MEDIA DE SOCIETE, de Stelio Molo (144 p.)
— DICTIONNAIRE CRITIQUE DE PSYCHIATRIE,
  de B. Bierens de Haan (304 pages)
— INGENIEUR, METIER DE FEMME,
  de M.A. Roy (100 pages)

COLLECTION « S » COMME SPORT
— CAISSES A SAVON, de M. Grin
— CHECK-LISTS DU PLAISANCIER
  de G. Maisonneuve (208 pages)
— SPORT EN SECURITE, de H. Potter (128 p.)
— JOGGING = SANTE, de H. Schild (160 p.)
— ROLLER SKATE, de A.-Y. Beaujour (148 p:)
— TRIAL ET MOTOCROSS, de Bernard Jonzier
  (132 pages)
— ARC ET ARBALÈTE, de Pierre Dubay (208 p.)
— SKIACRO, LE SKI LIBRE, de M. Luini et A.
  Brunner (112 pages, épuisé, sera réédité)
— DELTA, de Jean-Bernard Desfrayes (160 pages,
  épuisé)

COLLECTION « LES PLANCHES »
— MUMMENSCHANTZ, de M. Bûheur (à par.)
— VOYAGE DANS LE THEATRE, de J.-P. Althaus
  (à paraître)
— CONVERSATION AVEC MARCEL MARÉCHAL,
  de Patrick Ferla (280 pages)
— LES CHANSONS DE GILLES, PAROLES ET
  MUSIQUE, de Jean Villard-Gilles (376 p.)
— MICHEL BUHLER, CONTES ET CHANSONS
  (96 pages)
— DIMITRI CLOWN, de Patrick Ferla (112 p.)
— I LOVA YOU, de Lova Golovtchiner (220 p.)
— JOURNAL D'UN CIRQUE, de Jean-Robert Probst
  (112 pages)
— BERNARD MONTANGERO, CONTES ET CHAN-
  SONS (120 pages)
— AMICALEMENT VOTRE, de Gilles (192 p., épuisé)
— ELVIS MON AMI, de J. Delessert (472 pages)
— MA TÊTE, de Janry Varnel (80 pages)

COLLECTION « ROMANS, CONTES ET RÉCITS »
— LES SŒURS JUMEAUX, de R. Pico (à par.)
— LA TENTATION DE L'ORIENT, de M. Chappaz
  et J.-M. Lovay (à paraître)
— LA VOIE INDIENNE, de R. Moret (172 pages)
— LA TRAHISON, de H. Seray (à paraître)
— HOTEL VENUS, de A. Cuneo (à paraître)
— UN AUTRE REGARD, de M. Leroyer (160 p.)
— PRISCILLA DE CORINTHE, de F. Cès (272 p.)
— L'EMPIRE HELVETIQUE, de Henri de Stadel-
  hofen (336 pages)
— QUELQUE PART UNE FEMME, de B. Richard
  (216 pages)
— LA LIGNE BLEUE DES MOMES, de Gérard
  Klein (168 pages)
— IL N'Y A PAS DE FEMMES SOUMISES, de
  Micheline Leroyer (168 pages)
— LA RUE BETELGEUSE, de Flora Cès (136 p.)
— LE PROFESSEUR, de Jeanlouis Cornuz (236 p.)

Distribution aux libraires en France : Inter Forum 75013 Paris

Demandez notre catalogue.

Pierre-Marcel Favre, éditeur

Siège social : 29, rue de Bourg, CH-1002 Lausanne, Suisse

Téléphone (de Paris 19 41 21 22.17.17)

Paris : 2, rue du Sabot, F-75006 Paris.
548.68.85

Printed in France
Dépôt légal 2ᵉ trimestre 1984
Numéro d'imprimeur 84-09